※ 본 책은 세로쓰기와 가로쓰기가 혼용되어 있습니다.

※ 연해옥추보경 원본 편은 여기서부터 시작되며, 세로쓰기, 오른편 넘김으로 되어 있습니다.

※ 사례 편을 보실 분은 반대편 끝으로 가서 왼편 넘김으로 보아주시기 바랍니다.

※ 원본의 오류 부분은 저자 이기목 선생님의 강의를 바탕으로 수정하였습니다.

주해 연해옥추보경 원본 편

梓峯 이기목 著

演解玉樞寶經 연해옥추보경

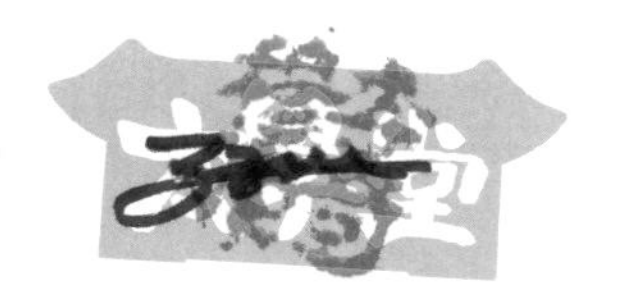

개정판 1쇄 발행 2022년 10월 3일

저자 수봉 이기목 (연해옥추보경 초판 발행일 : 1991년 12월 15일)
공저 및 편저자 민강 손혜림 (02-3476-3433)
펴낸이 방주연
펴낸곳 태학당
편집디자인 예곡
표지디자인 리림

주소 경기도 광명시 너부대로57, 203호
전화 02-2282-3433
이메일 taehagdang@naver.com
출판등록 2016년 5월 30일 제 2016-000010호

ISBN 979-11-89256-01-2
가격 35,000원

「이 도서의 국립중앙도서관 출판예정도서목록(CIP)은 서지정보유통지원시스템 홈페이지(http://seoji.nl.go.kr)와 국가자료공동목록시스템(http://www.nl.go.kr/kolisnet)에서 이용하실 수 있습니다.(CIP제어번호: CIP2016027905)」

목차

· 地經 解說 지경 해설…241

玉樞寶經

옥추령부(玉樞靈符)와 지경(地經) 십오종(十五種) 부전(符篆)

※ 원본을 보고 일러스트로 그린 이미지

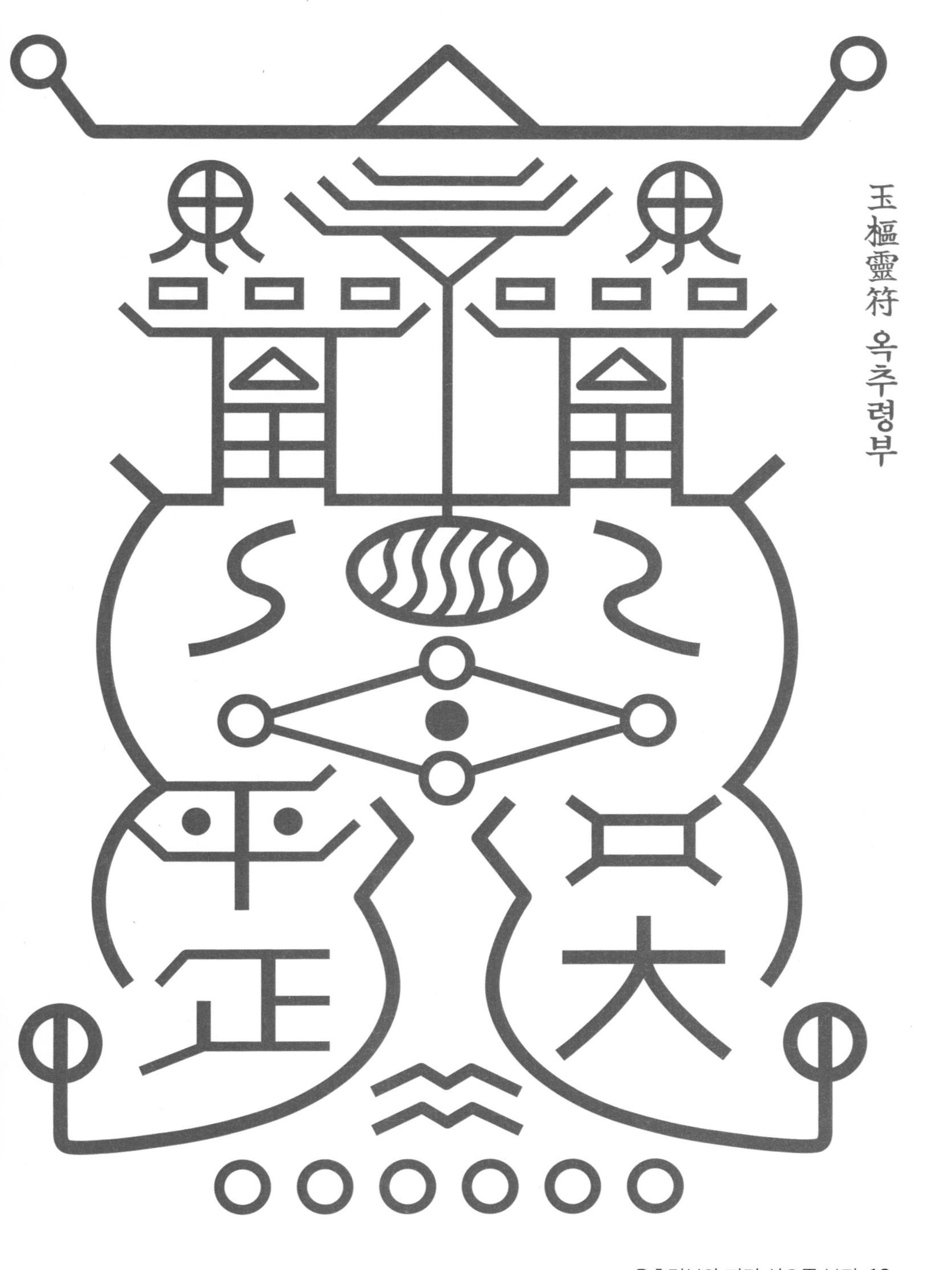

玉樞靈符 옥추령부

符篆一十五道
부전일십오도

凡書一篆當焚香起大敬心心觀
범서일전당분향기대경심심관

天尊寶相口誦天皇神呪硃砂書之常時仍用槐黃紙貼護篆文
천존보상구송천황신주말사서지상시잉용괴황지첩호전문

用則展啓以後符文一體如之
용즉전계이후부문일체여지

第一章 學徒希仙章 제일장 학도희선장

學徒希仙第一章符篆 학도희선제일장부전

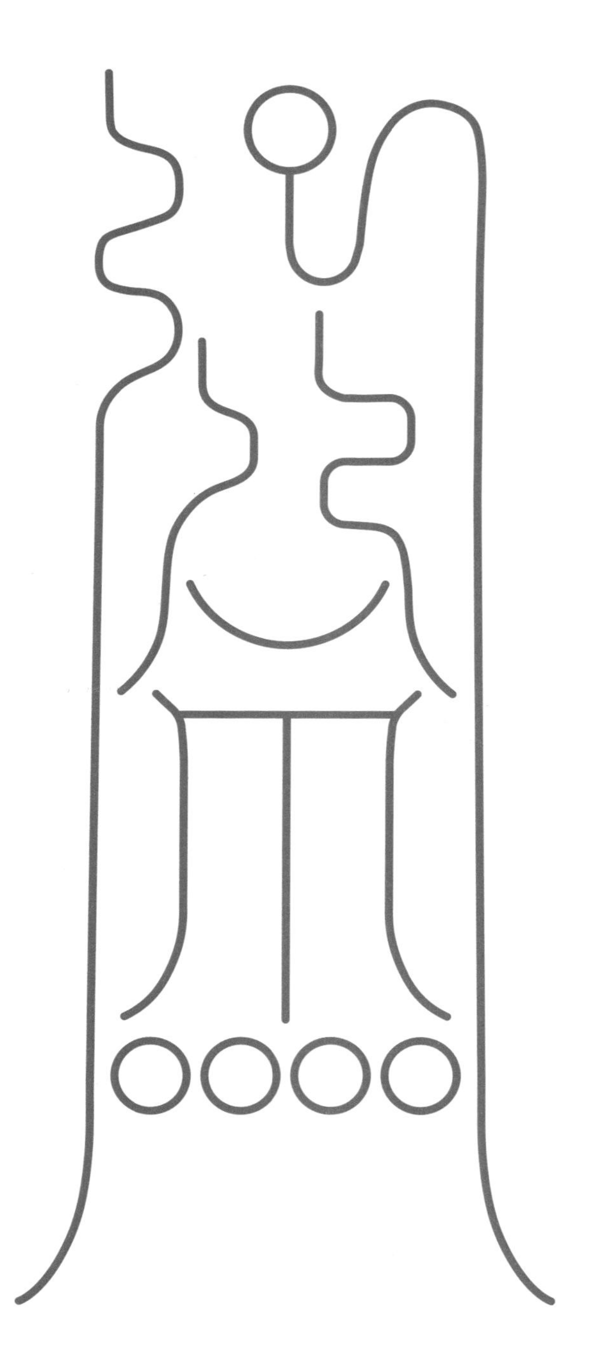

第二章 召九靈章 제이장 소구령장

召九靈三精第二章符篆 소구령삼정제이장부전

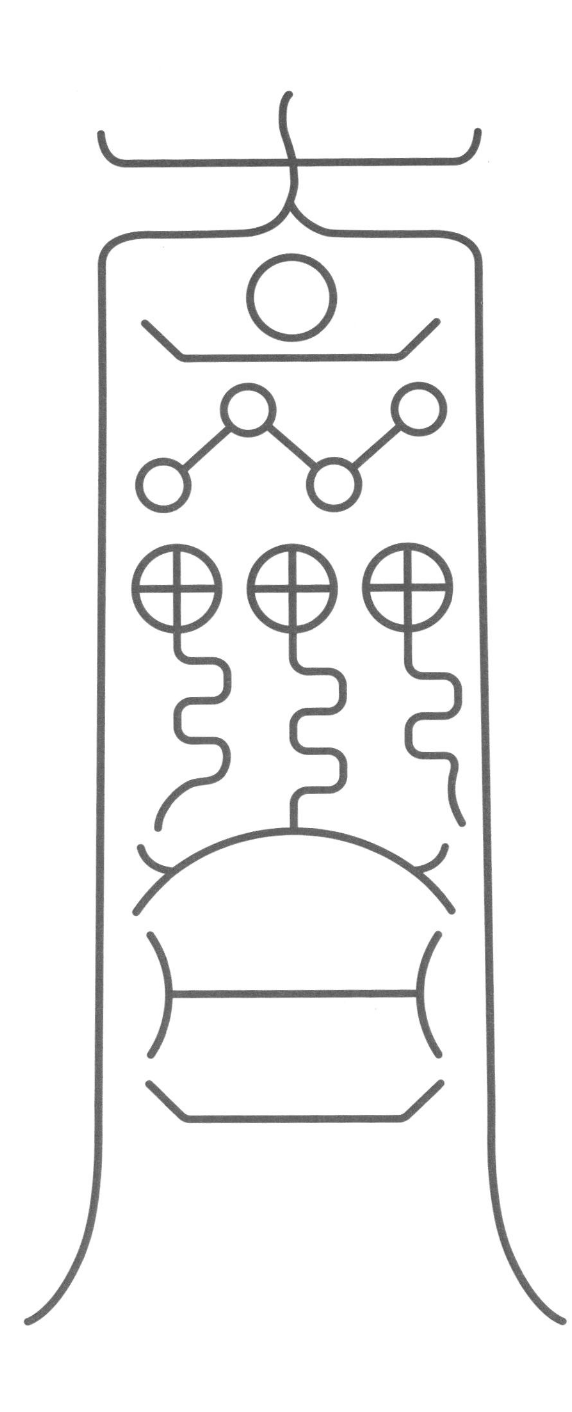

第三章 五行九曜章 제삼장 오행구요장

解五行九曜剋戰刑冲第三章符篆 해오행구요극전형충제삼장부전

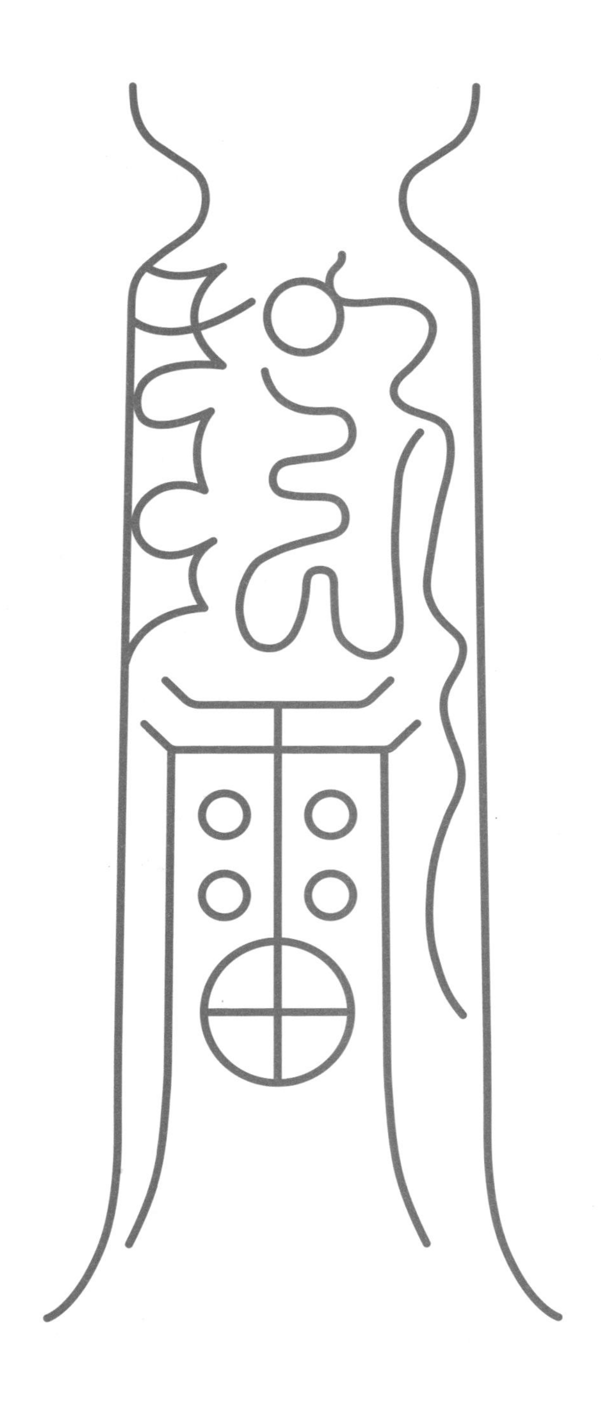

第四章 沈痾痼疾章 제사장 침아고질장

沈痾痼疾呪誼寃懲第四章符篆 침아고질주의원건제사장부전

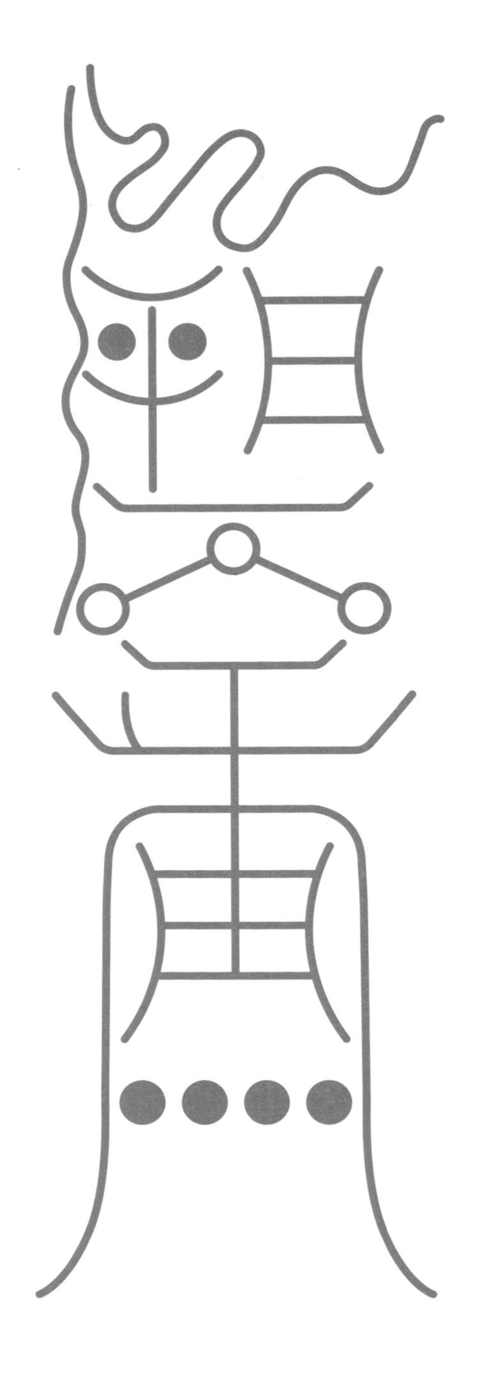

第五章 官符章 제오장 관부장

消散官符口舌第五章符篆 소산관부구설제오장부전

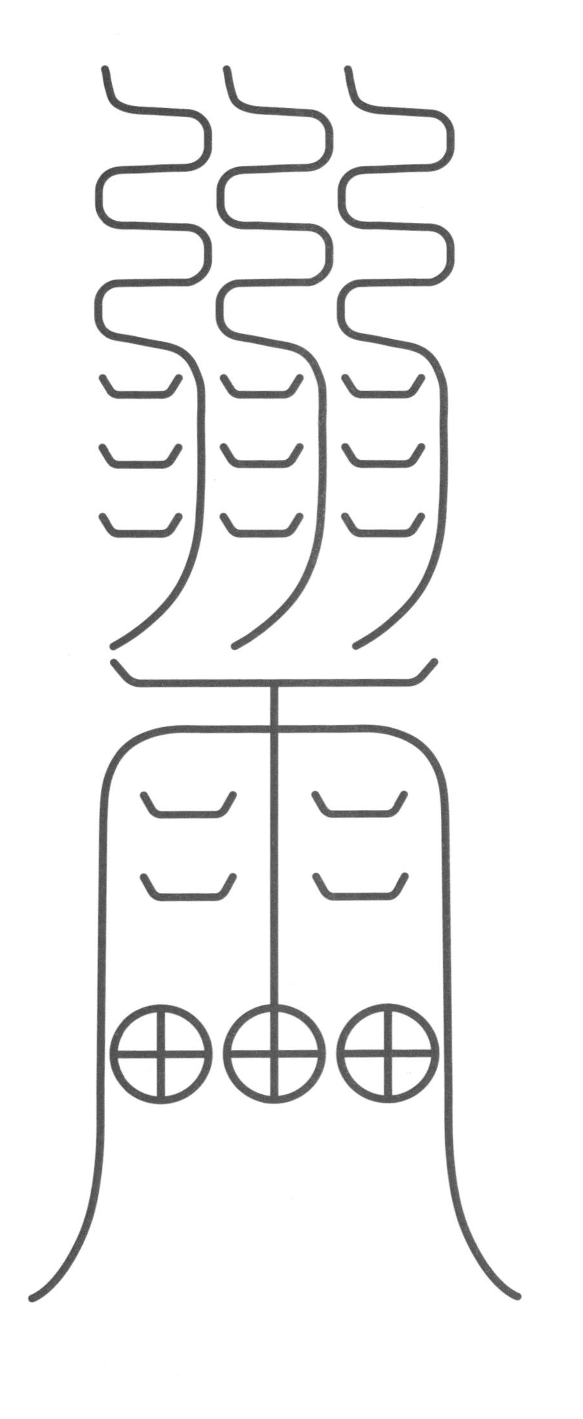

第六章 土皇章 제육장 토황장

禳解土皇神煞禁忌第六章符篆 양해토황신살금기제육장부전

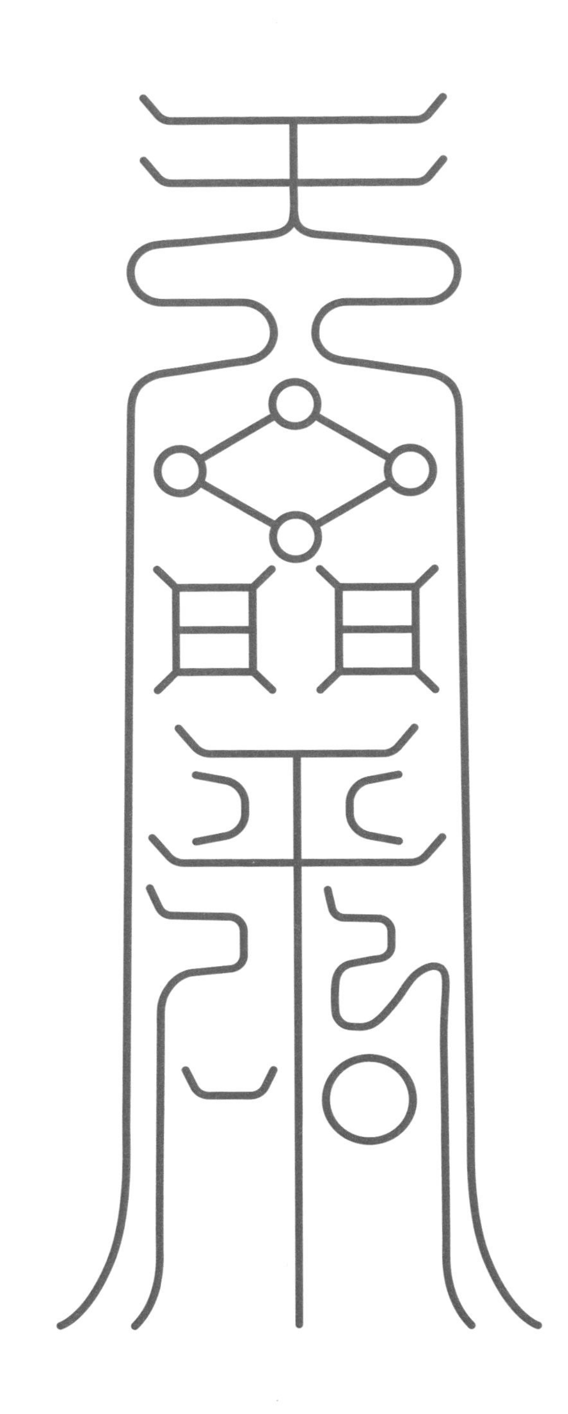

第七章 婚合章 제칠장 혼합장

求嗣息衛産難保嬰孩第七章符篆 구사식위산난보영해제칠장부전

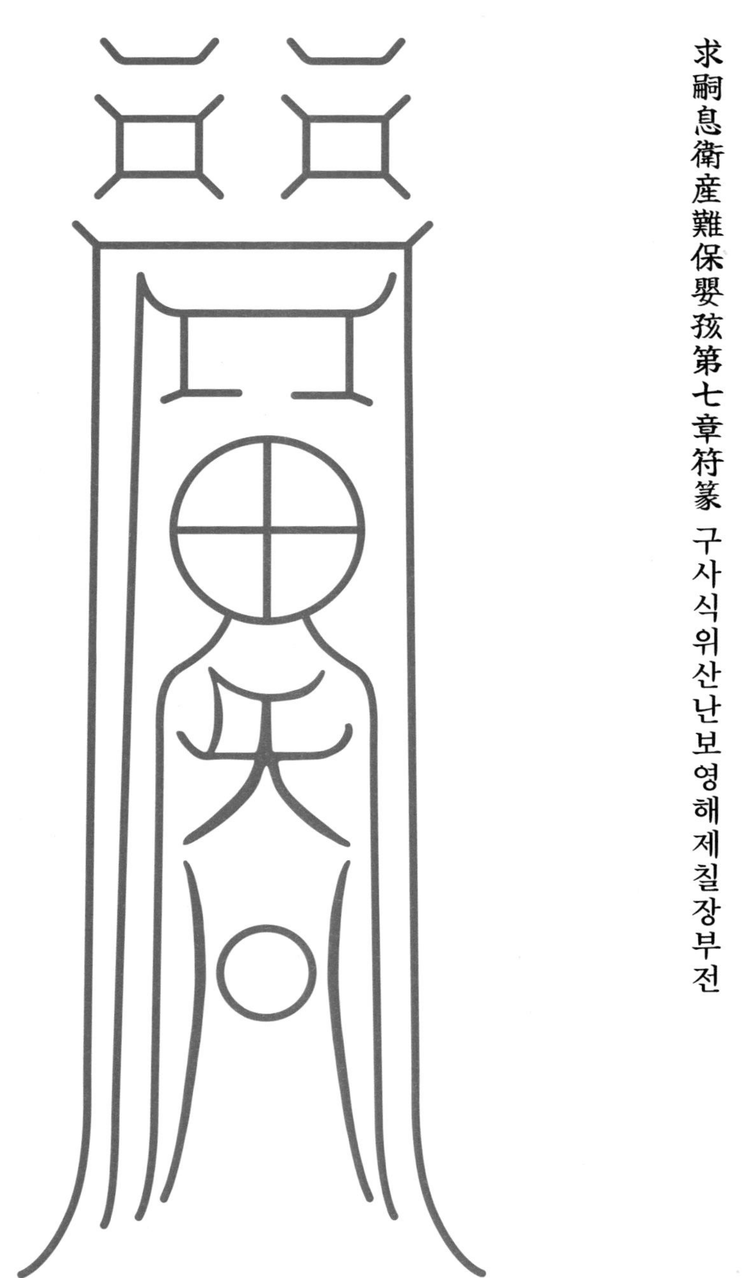

第八章 鳥鼠章 제팔장 조서장

滅鳥妖鼠怪蛇孼第八章符篆 멸조요서괴사얼제팔장부전

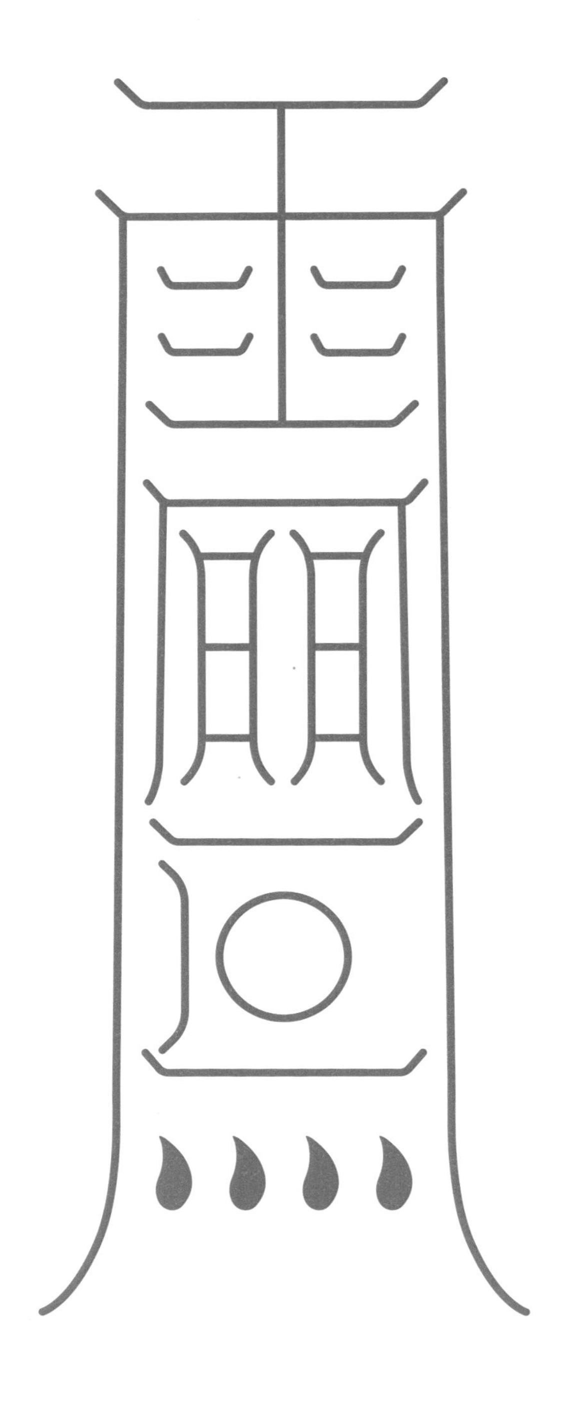

第九章 伐廟遣祟章 제구장 벌묘견수장

遣祟除妖滅邪巫魔第九章符篆 견수제요멸사무마제구장부전

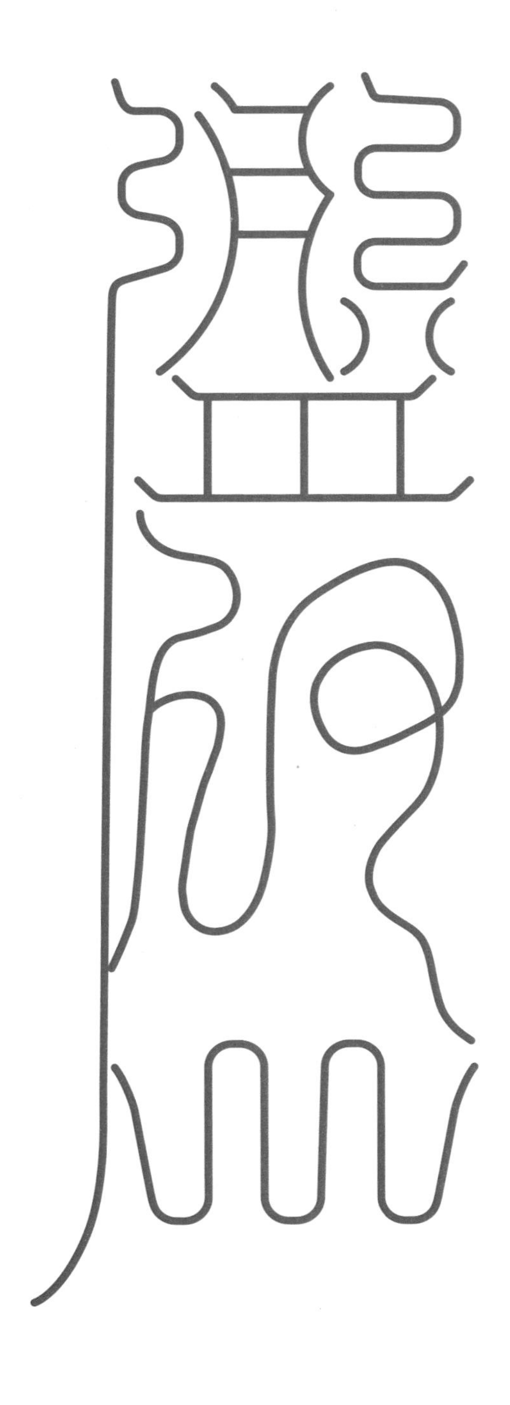

第十章 蠱勞瘵章 제십장 고로채장

消際蠱瘵超度祖玄第十章符篆 소제고채초도조현제십장부전

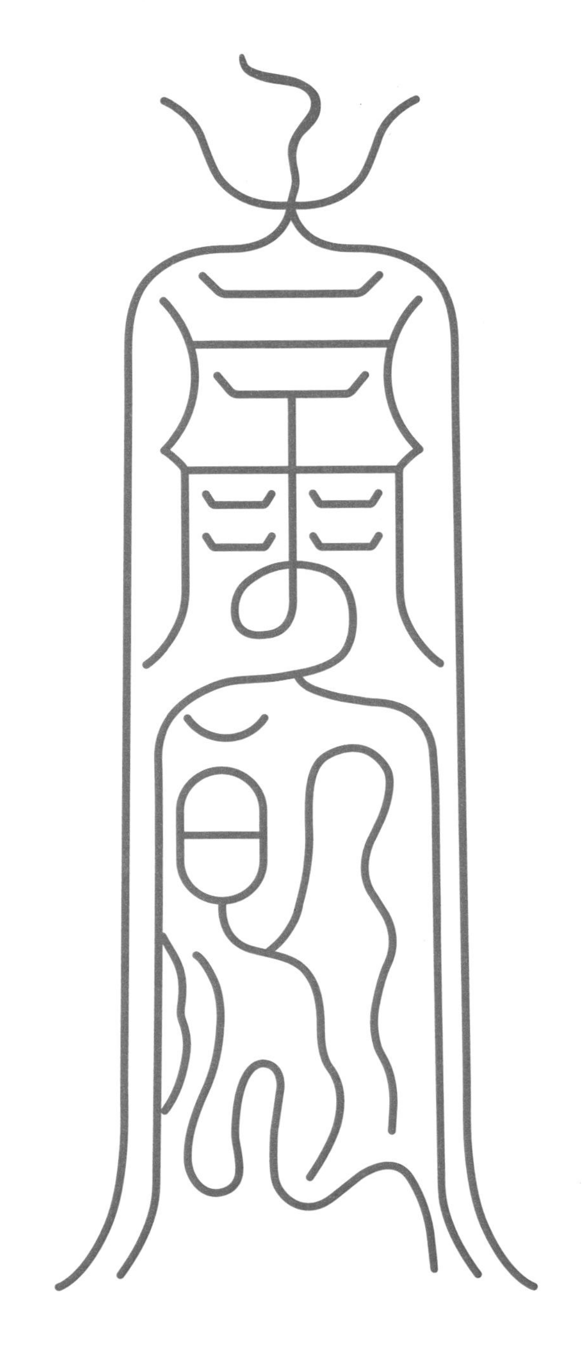

第十一章 遠行章 제십일장 원행장

水陸行裝第十一章符篆 수륙행장제십일장부전

第十二章 亢陽雨澤章 제십이장 항양우택장

禱雨祈晴止禳水災火戹第十二章符篆 도우기청지양수재화액제십이장부전

第十三章 免災橫章 제십삼장 면재횡장

瞻星禮斗第十三章符篆 첨성예두제십삼장부전

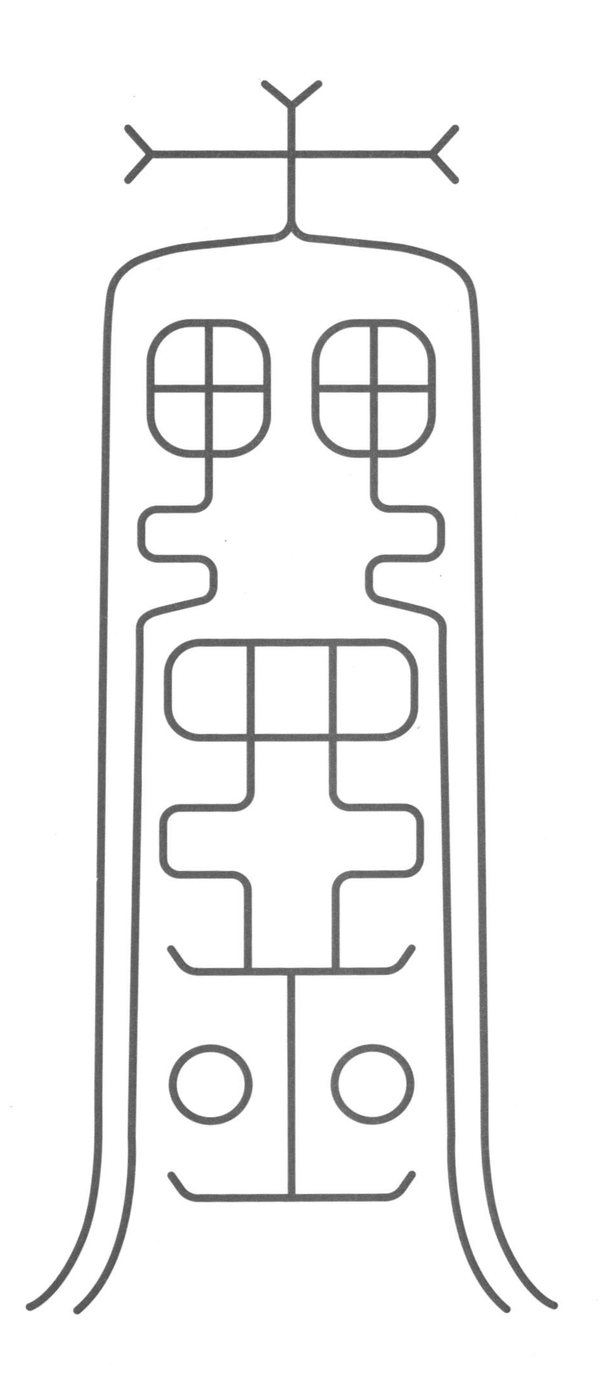

第十四章 五雷斬堪章 제십사장 오뢰참감장

聞經滅罪第十四章符篆 문경멸죄제십사장부전

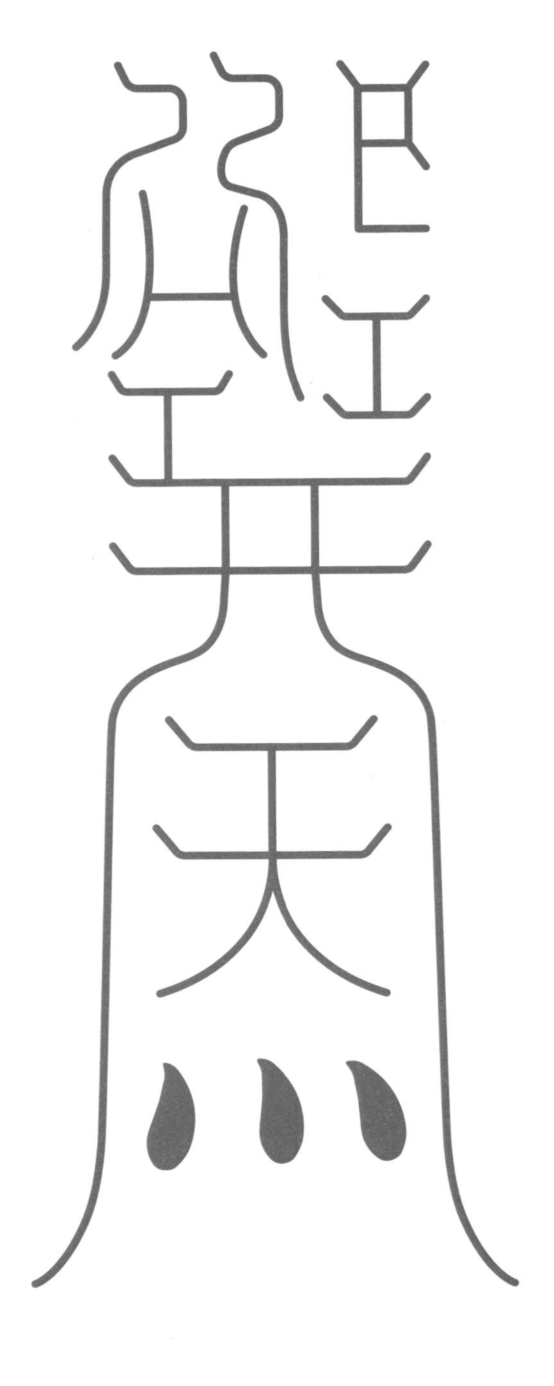

第十五章 寶經功德章 제십오장 보경공덕장

佩奉萃福人欽鬼畏第十五章符篆 패봉췌복인흠귀외제십오장부전

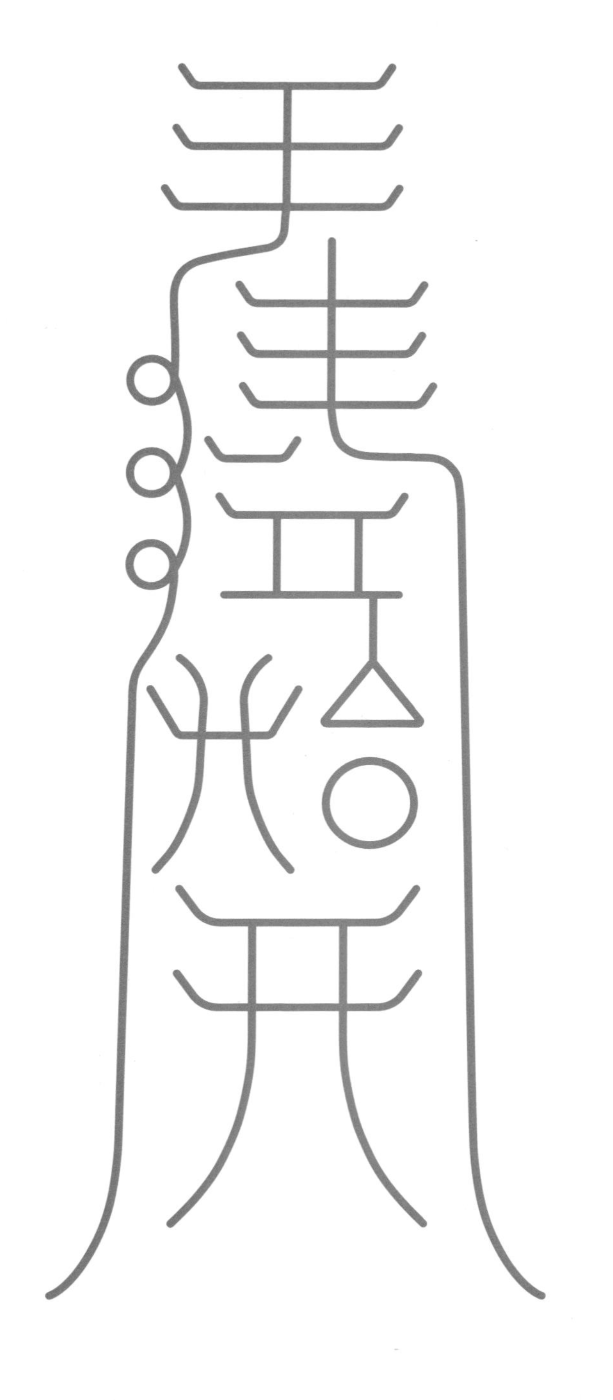

玉樞寶經 독경집

咒曰 (주왈) 傳鐠唻嚩相礌能嶉心將鍬 (죠후라리시뢰박산심장진)

開經讚 개경찬 (경을 찬양하는 경)

善哉普化君 선재보화군
昔在玉清天 석재옥청천
宴坐七寶臺 연좌칠보대
寶集諸天仙 보집제천선
玉樞至道旨 옥추지도지
細議說重玄 세의설중현
雷師親請問 뇌사친청문
天尊金口宣 천존금구선
清淨廣大願 청정광대원
利益無有邊 이익무유변
眞忘道惟一 진망도유일
秘賾不可傳 비색불가전

天龍神鬼衆 천룡신귀중
悉使超渙然 실사초환연
知微慧光生 지미혜광생
知謹聖智前 지근성지전
功德不思議 공덕불사의
報應顯因緣 보응현인연
冥心今課誦 명심금과송
頻頗三寶前 부신삼보전

啓請頌 계청송 (의식 계원의 시작을 알리는 경)

神霄雷祖帝 신소뢰조제
九天寶化君 구천보화군
談道趺九鳳 담도부구봉
持法奇麒麟 지법기기린
統攝聖嶽將 통섭성악장
掌令判雷霆 장령판뢰정

三神逢初六 삼신봉초육

察人善惡情 찰인선악정

消災病度厄 소재병도액

稱名誦寶經 칭명송보경

淨心神呪 정심신주 (마음을 깨끗하게 맑히는 주)

太上太星應變無停 태상태성응변무정

驅邪縛魅保命護身 구사박매보명호신

智慧明淨心神安寧 지혜명정심신안녕

三魂永久魄無喪傾 삼혼영구백무상경

淨口神呪 정구신주 (입을 깨끗이 하는 주)

丹珠口神吐穢除氛 단주구신토예제분

舌神正倫通命養神 설신정륜통명양신

羅千齒神却邪衛眞 라천치신각사위진

喉神虎賁氣神引津 후신호분기신인진

心身丹元令我通眞 심신단원영아통진

思神鍊液道氣長存 사신연액도기장존

淨身神呪 정신신주 (몸을 깨끗하게 맑히는 주)

靈寶天尊安慰神形 영보천존안위신형

弟子魂魄五臟玄冥 제자혼백오장현명

青龍白虎隊仗紛紜 청룡백호대장분운

朱雀玄武侍衛吾身 주작현무시위오신

安討地神呪 안토지신주 (현재 처해 있는 토지신에게 안위를 부탁하는 주)

元始安鎮普告萬靈 원시안진보고만령

惡瀆眞官土地祇靈 악독진관토지기령

左社右稷不得妄驚 좌사우직불득망경

回向正道內外肅清 회향정도내외숙청

各安方位備守壇庭 각안방위비수단정

太上有命搜捕邪精 태상유명수포사정

護法神王保衛誦經 호법신왕보위송경

歸依大道元亨利貞 귀의대도원형리정

淨天地解穢神呪 정천지해예신주 (하늘과 땅에 있는 모든 것을 깨끗이 정화하는 주)

天地正明穢氣分散 천지정명예기분산

洞中玄虛晃朗太元 통중현허황랑태원

八方威神使我自然 팔방위신사아자연

靈寶符命普告九天 영보부명보고구천

乾羅答那洞罡太玄 건라답나통강태현

斬妖縛邪度鬼萬千 참요박사도귀만천

中山神呪元始玉文 중산신주원시옥문

持誦一遍却病延年 지송일편각병연년

按行五嶽八海知聞 안행오악팔해지문

魔王束手侍衛我軒 마왕속수시위아헌

凶穢消蕩道氣常存 흉예소탕도기상존

金光神呪 금광신주(공부를 성취하여 몸에 光明(광명)이 있도록 하는 주)

天地玄宗萬氣之根 천지현종만기지근

廣修億劫證我神通 광수억겁증아신통

三界內外惟道獨存 삼계내외유도독존
體有金光覆暎吾身 체유금광부영오신
視之不見聽之不聞 시지불견청지불문
包羅天地養育群生 포라천지양육군생
受持萬遍身有光明 수지만편신유광명
三界侍衛五帝司迎 삼계시위오제사영
萬神朝禮役使雷霆 만신조례역사뢰정
鬼妖喪膽精怪亡形 귀요상담정괴망형
內有霹靂雷神隱名 내유벽력뢰신은명
啼嘜嚘轡嚩嘓嘓 제발경울기히린왈
吽唢咭唎噓哼唖嗶 흠파길리허톤운필
嘶嘋哆㖿嚾嚏唏咈 기리치거루진희불
嗌嚹迸㕧噧呼嚨吃 연존억역수호살흘
嗄囉嚁嗃準勅奉行 도라박리준칙봉행
洞慧交徹五氣輝騰 통혜교철오기휘등
金光束現覆護眞人 금광속현부호진인

祝香神呪 축향신주 (香神(향신)에게 올리는 주)

香乃玉華散景九氣 향내옥화산경구기

含煙香雲密羅逕衝 함연향운밀라경충

九天侍向金童傳言 구천시향금동전언

玉女爲臣(ㅇㅇ)通奏上聞 옥녀위신(ㅇㅇ)통주상문

帝前令臣(ㅇㅇ)所啓咸賜 제전영신(ㅇㅇ)소계함사

如言道由心學心假 여언도유심학심가

香傳香爇玉鑪存心 향전향설옥로존심

帝前眞靈下盼仙旆 제전진령하반선패

臨軒令臣(ㅇㅇ)關告逕達九天 임헌영신(ㅇㅇ)관고경달구천

四十八將請 사십팔장청

* 萬法教主 만법교주
* 東華教主 동화교주
* 大法天師 대법천사
* 神功玅濟許眞君 신공묘제허진군
* 弘濟丘天師 홍제구천사
* 許靜張天師 허정장천사
* 旋陽許眞君 선양허진군
* 海瓊白眞人 해경백진인
* 洛陽薩眞人 낙양살진인
* 主雷鄧天君 주뢰등천군
* 判府辛天君 판부신천군
* 飛捷張眞君 비첩장진군
* 月孛朱天君 월패주천군
* 東玄教主辛祖師 동현교주신조사
* 清微教主祖元君 청미교주조원군

* 清微教主魏元君 청미교주위원군
* 洞玄教主馬元君 동현교주마원군
* 混元教主路眞君 혼원교주로진군
* 混元教主葛眞君 혼원교주갈진군
* 神霄傳教鍾離眞君 신소전교종리진군
* 神霄傳教呂眞君 신소전교여진군
* 火德謝天君 화덕사천군
* 玉府劉天君 옥부유천군
* 寧大天君 녕대천군
* 任大天君 임대천군
* 雷門苟元帥 뢰문구원수
* 雷門畢元帥 뢰문필원수
* 靈官馬元帥 령관마원수
* 都督趙元帥 도독조원수
* 虎丘王元帥 호구왕원수
* 虎丘高元帥 호구고원수

* 混元龐元帥 혼원방원수
* 仁聖康元帥 인성강원수
* 太歲銀元帥 태세은원수
* 考校黨元帥 고교당원수
* 鄧都孟元帥 등도맹원수
* 翊靈溫元帥 익령온원수
* 糾察王副帥 규찰왕부수
* 先鋒李元帥 선봉이원수
* 猛烈鐵元帥 맹렬철원수
* 風輪周元帥 풍륜주원수
* 地祇楊元帥 지기양원수
* 朗靈關元帥 낭령관원수
* 忠翊張元帥 충익장원수
* 洞神劉元帥 통신유원수
* 豁落王元帥 활낙왕원수
* 神雷石元帥 신뢰석원수
* 監生高元帥 감생고원수

奏啓文 주계문

삼보지존 신소옥부 옥추경내 무앙진령 복망증맹 용신송영 이금(모절모조) 양신
三寶至尊 神宵玉府 玉樞經內 無鞅眞靈 伏望證盟 容伸誦詠 以今(某節某朝) 良辰
(모록봉도) 제자 신성명(모처모모) 복위(모사보안) 삼보자검 불위천하선(모인족탁)
(某籙奉道) 弟子 臣姓名(某處某某) 伏爲(某事保安) 三寶慈儉 不爲天下先(某人足卓)
간송옥추보경 앙기시화세풍 민안국태 차원강복연생 양재사과 갱급천룡귀신
看誦玉樞寶經 仰祈時和歲豊 民安國泰 次願降福延生 禳災謝過 更及天龍鬼神
사생육도 보천솔토 수택점은 여상 승은 앙기 소황
四生六塗 普天率土 受澤霑恩 如上 勝恩 仰祈 昭貺

玉淸元始天尊 옥청원시천존
上淸靈寶天尊 상청영보천존
太淸道德天尊 태청도덕천존
三淸三境天尊 삼청삼경천존
雷聲普化天尊 뇌성보화천존
구천응원부진령성중대도불가사의공덕
九天應元府眞靈聖衆大道不可思議功德

開經玄蘊呪 개경현온주(誦經송경의 시작을 알리는 주)

천황천황 보화십방 무도불응 무구불양 양양온음 만고수광 순오자형 역오자망

天皇天皇 寶貨十方 無禱不應 無求不禳 釀陽醞陰 萬古垂光 順吾者亨 逆吾者亡

옥문보전 송지길창 사명수호 불득은장 급급여 구천보화옥청진왕율령

玉文寶篆 誦之吉昌 使命守護 不得隱藏 急急如 九天普化玉淸眞王律令

玉音寶呪 옥음보주

玉山上景 옥산상경 金闕玅庭 금궐묘정 管鑰星斗 관약성두 出納雷霆 출납뢰정 紫微守護 자미수호 玄天侍屛 현천시병 大開慧眼 대개혜안 照徹幽冥 조철유명

神飛秋月 신비추월 水結寒氷 수결한빙 麒麟應化 기린응화 鸞鳳和鳴 란봉화명 掌玉之樞 장옥지추 司天之刑 사천지형 謗道者死 방도자사 扶教者生 부교자생

忠臣孝子 충신효자 加以祿命 가이록명 奸邪惡鬼 간사악귀 特以剪形 특이전형 主持戹難 주지액난 經綸將兵 경륜장병 九陽九曜 구양구요 三界分明 삼계분명

誦詠拜祝 송영배축 天下太平 천하태평

天經 천경

(天集正經)

제일장 뇌자장
第一章 雷字章

이시구천응원뢰성
爾時九天應元雷聲

제이장 재옥청천중장
第二章 在玉淸天中章

이시구천응원뢰성보화천존 재옥청천중 여십방제천제군 회어옥허구광지전 울소미라
爾時九天應元雷聲普化天尊 在玉淸天中 與十方諸天帝君 會於玉虛九光之殿 鬱蕭彌羅
지관 자극곡밀지방 열태유벽요지급 교동미명신지서 교두접이 세의중현 제다배신
之館 紫極曲密之房 閱太幽碧瑤之芨 巧洞微明晨之書 交頭接耳 細議重玄 諸多陪臣
좌우축적 천존 연좌 랑송동장 제천제군 장음보허 채녀선주 산화선요 부상인령
左右蹴踖 天尊 宴坐 郎頌洞章 諸天帝君 長吟步虛 綵女仙姝 散花旋繞 復相引領
유희취궁 군선도전 선절후월 용기란로 표요태공 병집우옥범칠보층대
遊戲翠宮 群仙導前 先節後鉞 龍旂鸞輅 飄颻太空 併集于玉梵七寶層臺

제삼장 뇌사계백장
第三章 雷師啓白章

시유뢰사호옹 어 선중중 월반이출 면 천존전 부시작례 발변장궤 상백천존언
時有雷師皓翁 於 仙衆中 越班以出 面 天尊前 頻顒作禮 勃變長跪 上白天尊言

천존대자 천존대성 위 군생부 위 만령사 금자제천 함차양적 적견천존 열보급
天尊大慈 天尊大聖 爲 群生父 爲 萬靈師 今者諸天 咸此良覿 適見天尊 閱寶笈

고경서 어중비색 불가루계 유유옥소일부 소통삼십육천 내원중사 동서화대
玫瓊書 於中秘賾 不可縷計 唯有玉霄一府 所統三十六天 內院中司 東西華臺

현관묘각 사부육원 급제유사 각분조국 소위총사오뢰 천림삼계자야 천존지황
玄館紗閣 四府六院 及諸有司 各分曹局 所謂總司五雷 天臨三界者也 天尊至皇

심친서정 차등소조 이하인연 득이추복 원고욕문
心親庶政 此等小兆 以何因緣 得以趨福 願告欲聞

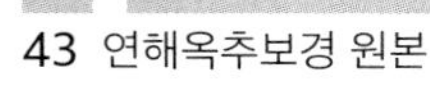

제사장 선훈숙세장
第四章 仙勳夙世章

천존 언 뇌사호옹 이등선경 저훈숙세 루행작생 고득옥부등용 경궁간록 금자훈행

天尊 言 雷師皓翁 爾等仙卿 儲勳夙世 累行昨生 故得玉府登庸 瓊宮簡錄 今茲勳行

시숙작다 이기실력뢰사 위심화부 일부일 세부세 훈숭행저 성제신융 극증고진

視夙昨多 爾基悉力雷司 委心火部 日復日 歲復歲 勳崇行著 性霽神融 克證高眞

즉계묘도 유시뢰부귀신 주로석역 동유추초 대즉고륙 설운조설 무유이시

卽階玅道 惟是雷部鬼神 晝勞夕役 動有捶楚 大則考戮 屑雲雕說 無有已時

격룡명아 차식피작 피소인고 이기이언 뢰사호옹 급제천제선 용이이묵 천존

檄龍命鴉 此息彼作 彼所因故 爾其耳焉 雷師皓翁 及諸天諸仙 聳耳而黙 天尊

소좌구봉단하지의 수거금광명지여의 랑풍청미 기운욱려 천존 적연양구

所坐九鳳丹霞之扆 手擧金光明之如意 琅風淸微 綺雲郁麗 天尊 寂然良久

제오장 심봉차도장
第五章 心縫此道章

천존 언 오석어천오백겁이선 심봉차도 수위상진 의양차공 수권대화
天尊 言 吾昔於千五百劫以先 心縫此道 遂爲上眞 意釀此功 遂權大化

상어대라원시천존전 이 청정심 발 광대원 원어미래세 일체중생 천룡귀신
甞於大羅元始天尊前 以 淸淨心 發 廣大願 願於未來世 一切衆生 天龍鬼神

일칭오명 실사초환 여소부자 오당이신 신지 이등 세심 위이선설
一稱吾名 悉使招喚 如所否者 吾當以身 身之 爾等 洗心 爲爾宣說

제육장 지도심요장
第六章 至道深窈章

천존 언 이제천인 욕문지도 지도심요 부재기타 이기욕문 무문자시 무문무견
天尊 言 爾諸天人 欲聞至道 至道深窈 不在其他 爾旣欲聞 無聞者是 無聞無見

즉시진도 문견역민 유이이이 상이비유 하황우도 불문이문 하도가담
卽時眞道 聞見亦泯 惟爾而已 尚爾非有 何況于道 不聞而聞 何道可談

제칠장 도이성입장
第七章 道以誠入章

천존언 도자 이성이입 이묵이수 이유이용 용성사우 용묵사눌
天尊言 道者 以誠而入 以默而守 以柔而用 用誠似愚 用默似訥

용유사졸 부여시즉 가여망형 가여망아 가여망망 입도자 지지
用柔似拙 夫如是則 可如忘形 可與忘我 可與忘忘 入道者 知止

수도자 지근 용도자 지미 능지미즉 혜광생 능지근즉 성지전
守道者 知謹 用道者 知微 能知微則 慧光生 能知謹則 誠智全

능지지즉 태정안 태정안즉 성지전 성지전즉 혜광생 혜광생즉
能知止則 泰定安 泰定安則 聖智全 聖智全則 慧光生 慧光生則

여도위일 시명진망 유기망이불망 망무가망 무가망자
與道爲一 是名眞忘 惟其忘而不忘 忘無可忘 無可忘者

즉시지도 도재천지 천지불지 유정무정 유일무이
卽是至道 道在天地 天地不知 有情無情 惟一無二

제팔장 연묘보장
第八章 演玅寶章

천존언 오금어세 하이리생 위제천인 연차묘보 득오지자 비제선조 학도지사
天尊言 吾今於世 何以利生 爲諸天人 演此玅寶 得悟之者 俾躋仙阼 學道之士

신유기수부 풍토불동즉 품수자이 고위지기 지우불동즉 청탁자이 고위지수
信有氣數夫 風土不同則 禀受自異 故謂之氣 智愚不同則 淸濁自異 故謂之數

수계호명 기계호천 기수소유 천명소곡 약득진도 우가이지 탁가이청 유명비지
數繫呼命 氣繫乎天 氣數所囿 天命所梏 若得眞道 愚可以智 濁可以淸 惟命俾之

우혼혼 탁명명 역풍토품수지이지 천지 신기기 사인불지 즉왈자연 사지기불지
愚昏昏 濁冥冥 亦風土禀受之異之 天地 神其機 使人不知 則曰自然 使知其不知

즉역왈자연 자연지묘 수묘어지 이소이묘 즉자호불지 연어도즉 미시유이우지탁지
則亦曰自然 自然之玅 雖玅於知 而所以玅 則自乎不知 然於道則 未始有以愚之濁之

제천 문이 사중 함열
諸天 聞已 四衆 咸悅

제구장 설보경장
第九章 說寶經章

천존언 오금소설 즉시옥추보경 약 미래세 유제중생 득문오명 단명심묵상
天尊言 吾今所說 卽是玉樞寶經 若 未來世 有諸衆生 得聞吾名 但冥心黙想

작시염언 구천응원뢰성보화천존 혹일성 혹오칠성 혹천백성 오즉화형십방
作是念言 九天應元雷聲普化天尊 或一聲 或五七聲 或千百聲 吾卽化形十方

운심삼계 사칭명자 함득여의 십방삼계 제천제지 일월성신 산하초목 비주준동
運心三界 使稱名者 咸得如意 十方三界 諸天諸地 日月星辰 山河草木 飛走蠢動

약유지 약무지 천룡귀신 문제중생 일칭오명 여유불순자 괵수고심 화위미진
若有知 若無知 天龍鬼神 聞諸衆生 一稱吾名 如有不順者 馘首刳心 化爲微塵

地經 지경(地集正經)

제일장 학도희선장
第一章 學徒希仙章

천존언 오시구천정명대성 매월초육 급 순중신일 감관만천 부유삼계 약혹유인

天尊言 吾是九天正明大聖 每月初六 及 旬中辛日 監觀萬天 浮遊三界 若或有人

욕학도 욕희선 욕환구현 욕석삼재 당명정일도사 혹 자동친우 어루관 어가정

欲學道 欲希仙 欲逭九玄 欲釋三災 當命正一道士 或 自同親友 於樓觀 於家庭

어리사 조수궤화 과송차경 혹일과 혹삼오과 내지수십백과 즉득 신청기상

於里社 醻水饋花 課誦此經 或一過 或三五過 乃至數十百過 卽得 神淸氣爽

심광체반 범소희구 실응기감

心廣體胖 凡所希求 悉應其感

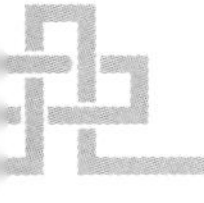

제이장 소구령장
第二章 召九靈章

천존 언 신중구령 하불소지 일왈천생 이왈무영 삼왈현주 사왈정중 오왈혈단
天尊 言 身中九靈 何不召之 一曰天生 二曰無英 三曰玄珠 四曰正中 五曰子丹

육왈회회 칠왈단원 팔왈태연 구왈영동 소지즉길 신중삼정 하불호지 일왈태광
六曰回回 七曰丹元 八曰太淵 九曰靈童 召之則吉 身中三精 何不呼之 一曰太光

이왈상령 삼왈유정 호지즉경 오심번만 육맥창양 사지실녕 백절고급 의송차경
二曰爽靈 三曰幽精 呼之則慶 五心煩懣 六脈搶攘 四肢失寗 百節告急 宜誦次經

제삼장 오행구요장
第三章 五行九曜章

천존언 약혹유인 오행기건 구요험기 (00년)년봉형충 운치극전 고신과숙
天尊言 若或有人 五行奇蹇 九曜嶔崎 (00年)年逢刑衝 運值剋戰 孤辰寡宿

양인검봉 겁살망신 귀문구교 록조파패 마락공망 동용흉위 행장감람 즉송차경
羊刃劍鋒 劫殺亡神 鬼門鉤絞 祿遭破敗 馬落空亡 動用凶危 行藏坎壈 卽誦此經

상청 천관 해천액 지관 해지액 수관 해수액 오제 해오방액 사성 해사시액 남신
上請 天官 解天戹 地官 解地戹 水官 解水戹 五帝 解五方戹 四聖 解四時戹 南辰

해본명액 북두 해일체액
解本命戹 北斗 解一切戹

제사장 침아고질장
第四章 沈痾痼疾章

천존언 침아복침 고질압신 적시불추 구의망효 오신무주 사대불수 혹시
天尊言 沈痾伏枕 痼疾壓身 積時弗瘳 求醫罔效 五神無主 四大不收 或是

오제삼관지전 태산오도지전 일월성신지전 산림초목지전 령단고적지전
五帝三官之前 泰山五道之前 日月星辰之前 山林草木之前 靈壇古跡之前

성황사묘지전 이항정조지전 사관탑루지전 혹 지부삼십육옥 명관칠십이사
城隍社廟之前 理巷井竈之前 寺觀塔樓之前 惑 地府三十六獄 冥官七十二司

유제원왕 치차견전 혹맹저주 서지소초 혹채타부 상지소치 삼세결흔 루겁흥구
有諸冤枉 致此牽纏 或盟咀呪 誓之所招 或債垛負 償之所致 三世結釁 累劫興仇

날기구우 사기집대 개당수사 즉송차경
埒其咎尤 庫其執對 皆當首謝 卽誦此經

제오장 관부장
第五章 官符章

천존언 천관부 지관부 연 월 일 시 각유관부 방우향배 각유관부 대즉관부
天尊言 天官符 地官符 年 月 日 時 各有官符 方隅向背 各有官符 大則官符

소즉구설 시유 적백구설지신 이주지 범제동작흥거 출입기거 불지피기 여우관부
小則口舌 是有 赤白口舌之神 以主之 凡諸動作興擧 出入起居 不知避忌 如遇官符

구설 즉 사인격괄 효야전초 다초순문 면시배비 동치구아 맹신저불 시우방독
口舌 則 使人擊聒 曉夜煎熇 多招脣吻 面是背非 動致口牙 盟神詛佛 始于謗讟

종우후저 유시 옥송생언 형헌존언 약욕탈지 즉송차경 수득구설전소 관부영식
終于詬詆 由是 獄訟生焉 刑憲存焉 若欲脫之 卽誦此經 遂得口舌全消 官符永息

제육장 토황장
第六章 土皇章

천존언 토황구루 기사 천이백신 토후 토백 토공 토모 토자 토손 토가권속
天尊言 土皇九壘 其司 千二百神 土侯 土伯 土公 土母 土子 土孫 土家眷屬

약태세 약장군 약학신 약태백 약구랑 약검봉 약자웅 약금신 약화혈 약신황
若太歲 若將軍 若鶴神 若太白 若九狼 若劍鋒 若雌雄 若金神 若火血 若身黃

약당명 약삼살 약칠살 약황번표미 약비렴도침 여시등 토가신살 약인 흥수복축
若撞命 若三煞 若七煞 若黃旛豹尾 若蜚廉刀砧 如是等 土家神煞 若人 興修卜築

일혹범지 즉치병환 이흘상망 재송차경 즉만신 개기 천무기 지무기 음양무기
一或犯之 卽致病患 以迄喪亡 纔誦此經 卽萬神 皆起 天無忌 地無忌 陰陽無忌

백무금기
百無禁忌

제칠장 혼합장
第七章 婚合章

천존언 세인부부 기어혼합 혹범함지 혹범천구 삼형육해 격각교가 고음과양
天尊言 世人夫婦 其於婚合 或犯咸池 或犯天狗 三刑六害 隔角交加 孤陰寡陽

천라지망 간어사식 다시고독 약욕구남 즉송차경 당유구천 감생대신 초신섭풍
天羅地網 艱於嗣息 多是孤獨 若欲求男 卽誦此經 當有九天 監生大神 招神攝風

수생현자 어기생산지시 태을재문 사명재정 혹유원건 혹유귀매 혹유금기
遂生賢子 於其生産之時 太乙在門 司命在庭 或有寃愆 或有鬼魅 或有禁忌

혹유흉액 치령난산 독송차경 즉득구천위방 성모 묵여포송 고능임분유경
或有凶厄 致令難産 讀誦此經 卽得九天衛房 聖母 黙與抱送 故能臨盆有慶

좌초무우 범유영해 재어강보 위 전단신왕좌하 일십오종귀 가제뇌해 인다경간
坐草無虞 犯有嬰孩 在於襁褓 爲 旃壇神王座下 一十五種鬼 加諸惱害 因多驚癎

의송차경
宜誦此經

제팔장 조서장
第八章 鳥鼠章

천존언 약인거지 조서송요 사충가얼 포전척와 경계롱구 요구제사 이지영협몽핍
天尊言 若人居止 鳥鼠送妖 蛇蟲嫁孽 抛磚擲瓦 驚鷄弄拘 邀求祭祀 以至影脅夢逼

급어간도 이감거기소거 이위소혈 수사생인 피혹 정호불청 야소어량 주감기실
及於奸盜 以敢據其所居 以爲巢穴 遂使生人 被惑 庭戶不淸 夜嘯於樑 晝瞰其室

우마견시 역조온역 화련골육 재급자생 음사요사 당비신간 조객빈잉 상거첩출
牛馬犬豕 亦遭瘟疫 禍連骨肉 災及孳生 淫祠妖社 黨庇神奸 吊客頻仍 喪車疊出

약송차경 즉사귀정 멸상 인물함녕
若誦此經 卽使鬼精 滅爽 人物咸寧

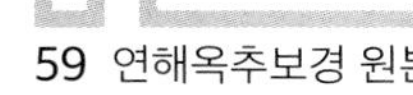

제구장 벌묘견수장
第九章 伐廟遣祟章

천존왈 구천뢰공장군 오방뢰공장군 팔방운뢰장군 오방만뢰사자 뢰부총병신장
天尊曰 九天雷公將軍 五方雷公將軍 八方雲雷將軍 五方蠻雷使者 雷部總兵神將

막잠판관 발호시령 질여풍화 유묘가벌 유단가격 유요가제 유수가견 계세말법
莫賺判官 發號施令 疾如風火 有廟可伐 有壇可擊 有妖可除 有祟可遣 季世末法

다제무격 사법류행 음사염도 시고 상청 내유 천연금귀 록간지정 제유속요
多諸巫覡 邪法流行 陰肆魘禱 是故 上清 乃有 天延禁鬼 錄奸之廷 帝猷束妖

고사지방 능송차경 기응여향
考邪之房 能誦此經 其應如響

제십장 고로채장
第十章 蠱勞瘵章

천존언 천온지온 이십오온 천고지고 이십사고 천채지채 삼십육채 능송차경
天尊言 天瘟地瘟 二十五瘟 天蠱地蠱 二十四蠱 天瘵地瘵 三十六瘵 能誦此經

즉사온황 청정 고독소제 로채평복 역유기유 혹자 선망부련 혹자 복시고기 혹자
卽使瘟癀 淸淨 蠱毒消除 勞瘵平復 亦有其由 或者 先亡復連 或者 伏屍故氣 或者

총송묘주 혹자 사혼염야 혹자 시기감초 범차귀신 혹비사 혹에한 견련집증
塚訟墓注 或者 死魂染惹 或者 屍起感招 凡此鬼神 或悲思 或恚恨 牽連執證

병연주사 승극사간 내득기편 고 차경자 상통삼천 하철구천 가이 추천혼상
倂緣注射 乘隙伺間 乃得其便 故 此經者 上通三天 下徹九泉 可以 追薦魂爽

초도조현 태상 견 소거백마대장군 이감지
超度祖玄 太上 遣 素車白馬大將軍 以鑑之

제십일장 원행장
第十一章 遠行章

천존언 약혹유인 치장원행 적도빙간 오병가해 륙행즉 호랑소역 마기아 수행즉
天尊言 若或有人 治裝遠行 賊盜騁奸 五兵可害 陸行則 虎狼魈蜮 魔其牙 水行則

교룡원타 장기이 혹탄뢰 유 유왕지혼 혹풍도 유 겁수지회 전망후화 착생대사
蛟龍黿鼉 張其頤 或灘瀨 幽 有枉之魂 或風濤 有 劫數之會 前亡後化 捉生代死

능어차경 귀명투성 고득수륙평강 행장협길
能於此經 歸命投誠 故得水陸平康 行裝協吉

제십이장 항양우택장
第十二章 亢陽雨澤章

천존언 항양위학 우택건기 계상차경 응시감주 적음위려 우수침음 계상차경
天尊言 亢陽爲虐 雨澤愆其 稽顙此經 應時甘澍 積陰爲厲 雨水浸淫 稽顙此經

응시랑제 축융선화 비화민거 적서유성 경설여서 차경 가이양지 해약실경
應時朗霽 祝融扇禍 飛火民居 赤鼠游城 驚爇黎庶 此經 可以禳之 海若失經

어별망행 홍수도천 민생점익 차경 가이지지
魚鼈妄行 洪水滔天 民生墊溺 此經 可以止之

제십삼장 면재횡장
第十三章 免災橫章

천존언 세인 욕면삼재 구횡지액 즉어정야 계수북신 북신지상 상유삼태 기성병전
天尊言 世人 欲免三災 九橫之厄 卽於靜夜 稽首北辰 北辰之上 上有三台 其星竝躔
형여쌍목 첩위삼급 이부두괴 시명천계 약인견지 생전 무 형수지우 신후 불
形如雙目 疊位三級 以覆斗魁 是名天階 若人見之 生前 無 刑囚之憂 身後 不
윤몰지고 두중 부유존제이성 대여거륜 약인견지 유형주세 장생신선 귀명차경
淪沒之苦 斗中 復有尊帝二星 大如車輪 若人見之 留形住世 長生神仙 歸命此經
투심북극 즉유명감 두위천추 중유천강 재내즉 위염정 재외즉 위파군 뇌성
投心北極 卽有冥感 斗爲天樞 中有天罡 在內卽 爲廉貞 在外卽 爲破軍 雷城
십이문 병수천강지소지 강성 지축 기신재미 소지자길 소재자흉 여위개연
十二門 竝遂天罡之所指 罡星 指丑 其身在未 所指者吉 所在者凶 餘位皆然
약인견지 수가천세
若人見之 壽可千歲

제십사장 오뢰참감장
第十四章 五雷斬堪章

천존언 세쇠도미 인무덕행 불충군왕 불효부모 불경사장 불우형제 불성부부
天尊言 世衰道微 人無德行 不忠君王 不孝父母 不敬師長 不友兄弟 不誠夫婦

불의붕우 불외천지 불구신명 불례삼광 불중오곡 신삼구사 대칭소두 살생해명
不義朋友 不畏天地 不懼神明 不禮三光 不重五穀 身三口四 大秤小斗 殺生害命

인백기천 간사사음 요무반역 종미지저 삼관고필 태을이문 즉부오뢰 참감지사
人百己天 奸邪私淫 妖誣叛逆 從微至著 三官鼓筆 太乙移文 即付五雷 斬勘之司

선참기신 후감기형 참신주혼 사지전도 인소비천 인소혐해 인소원악
先斬其神 後勘其形 斬神誅魂 使之顚倒 人所鄙賤 人所嫌害 人所怨惡

이치감형진시 사지붕렬 구기권수 역기구거 월핵순교 부유고략 일문차경
以致勘形震屍 使之崩裂 驅其捲水 役其驅車 月覈旬校 復有考掠 一聞此經

기죄즉멸 약혹유인 위뢰소진 기시불거 수화불수 즉칭
其罪即滅 若或有人 爲雷所瞋 其屍不擧 水火不受 即稱

구천응원뢰성보화천존 작시염언 만신계수 함청오명
九天應元雷聲普化天尊 作是念言 萬神稽首 咸聽吾命

제십오장 보경공덕장
第十五章 寶經功德章

천존언 차경공덕 불가사의 왕석겁중 신소 옥청진왕 장생대제 소증선설 지사수경
天尊言 此經功德 不可思議 往昔劫中 神霄 玉淸眞王 長生大帝 所曾善說 至士授經

개당전금치폐 맹천이전 뇌사호옹 장궤배흥 중백 천존언 시경재처 당령토지 사명
皆當剸金置弊 盟天以傳 雷師皓翁 長跪拜興 重白 天尊言 是經在處 當令土地 司命

수소수호 뇌부안림 이시계심 약인가 유차경 지성안봉 즉득상연 만정 경운 음헌
隨所守護 雷部安臨 以時稽審 若人家 有此經 至誠安奉 卽得祥烟 滿庭 慶雲 蔭軒

화란불맹 길복래췌 우기망몰 불경지옥 소이자하 사즉왕생 생귀선도 승천존력
禍亂不萌 吉福來萃 于其亡歿 不經地獄 所以者何 死卽往生 生歸善道 承天尊力

유차령통 출입기거 패대차경 중인소흠 귀신소외 우제험난 일심칭명
有此靈通 出入起居 珮帶此經 衆人所欽 鬼神所畏 遇諸險難 一心稱名

구천응원뢰성보화천존 실득해탈
九天應元雷聲普化天尊 悉得解脫

보게장
寶偈章

어시뢰사호옹 대 천존전 이 설게왈
於時雷師皓翁 對 天尊前 而 說偈曰

무상옥청왕 통천삼십육 구천보화군
無上玉清王 統天三十六 九天普化君

화형십방계 피발기기린 적각섭층빙 수파구천기 소풍편뢰정 능이지혜력
化形十方界 披髮騎麒麟 赤脚躡層冰 手把九天氣 嘯風鞭雷霆 能以智慧力

섭복제마정 제도장야혼 이익어중생 여피은하수 천안천월륜 서어미래세
攝伏諸魔精 諸度長夜魂 利益於衆生 如彼銀河水 千眼千月輪 誓於未來世

영양천존교 시 뇌사호옹 설시게이
永歇天尊教 時 雷師皓翁 說是偈已

보응장 상
報應章 上

천존언 차경전세 세인미지 오금소치 구천응원부 부유구천뢰문사자 이규록전자
天尊言 此經傳世 世人未知 吾今所治 九天應元府 府有九天雷門使者 以糾錄典者

염방전자 좌지 부유사사 일왈 약잉사 이왈 적체사 삼왈 유왕사 사왈 보응사
廉訪典者 佐之 復有四司 一曰 掠剩司 二曰 積逮司 三曰 幽枉司 四曰 報應司

각유대부 이장기사 오지소리 경사사상 함찬원화
各有大夫 以掌其事 吾之所理 卿師使相 咸讚元化

報應章 下
보응장 하

天尊說是經畢 玉梵七寶層臺 天花繽紛 瓊香繚繞 十方諸天帝君 咸稱善哉
천존설시경필 옥범칠보층대 천화빈분 경향요료 십방제천제군 함칭선재

天龍鬼神 雷府官衆 三界萬靈 皆大歡喜 信受奉行
천룡귀신 뇌부관중 삼계만령 개대환희 신수봉행

神將退文 신장퇴문

水火相盪分乾坤 수화상탕분건곤
大禹造鼎列萬象 대우조정열만상
八域十方各有界 팔역십방각유계
靈靜神動曰天地 영정신동왈천지
大道一兮枝萬葉 대도일혜지만엽
二氣殊徑合往復 이기수경합왕복
聖功赫照遍諸土 성공혁조편제토
五行從令養萬物 오행종령양만물
四生六道設陰陽 사생육도설음양
形有智愚靈鬼神 형유지우영귀신
業風吹到鬼妖亂 업풍취도귀요란
下界群生沈輪廻 하계군생침륜회
魔揚陰道姦作孼 마양음도간작얼
賊入寶藏昧天理 적입보장매천리

五形散亂變萬身 오형산란변만신
魑魅魍魎戱無邊 리매망량희무변
雷聲一振玉樞符 뇌성일진옥추부
紫微眞靈入三昧 자미진령입삼매
四十八將降魔劍 사십팔장강마검
打破崑崙捕邪精 타파곤륜포사정
五方神將列旗旛 오방신장열기번
凶穢消蕩日月晴 흉예소탕일월청
山神土地聞誦經 산신토지문송경
侍衛吾身諸萬劫 시위오신제만겁
七曜九元魂魄安 칠요구원혼백안
靑龍白虎不移方 청룡백호불이방
天官律令莫敢違 천관율령막감위
陰邪妖孼囚鐵圍 음사요얼수철위
三界魔王束手藏 삼계마왕속수장
五嶽鬼卒化微塵 오악귀졸화미진

波旬煞鬼歸聖域 파순살귀귀성역
地中陰怪覺正路 지중음괴각정로
三十六天雷律令 삼십육천뢰율령
七十二地神威力 칠십이지신위력
十方虛空隱微塵 십방허공은미진
群生安樂永泰平 군생안락영태평
黍羅日月壺乾坤 서라일월호건곤
三十六宮都春光 삼십육궁도춘광
有情無情歡仙樂 유정무정환선락
滌去妄念還本第 척거망념환본제
普化天尊攝號令 보화천존섭호령
塵土刹羅琉璃界 진토찰라유리계
群生萬靈澄上天 군생만령징상천
四十八將從符道 사십팔장종부도
山王虎山神守家 산왕호산신수가
五道八方神安寧 오도팔방신안녕

青龍之神還東方 청룡지신환동방
白虎之神歸西方 백호지신귀서방
朱雀之神定南方 주작지신정남방
玄武之神治北方 현무지신치북방
勾陳螣蛇陰陽神 구진등사음양신
保佑中央護人道 보우중앙호인도
陽神上昇陰神下 양신상승음신하
晝神夜神歸日月 주신야신귀일월
泥丸明堂神常寧 니환명당신상녕
五華五臟神守靜 오화오장신수정
動神靜神準法度 동신정신준법도
各率神兵安方位 각솔신병안방위

주왈 오봉 구천응원뢰성보화천존율령
呪曰 吾奉 九天應元雷聲普化天尊律令

쥔언쥔산병박라사바하
淋鷗鋤山稟縛囉娑婆訶

(玉樞寶經 天經 및 地經 독경편 끝)

연해자(수봉 이기목)의 말

演解者(粹峯 李奇穆)의 말

演解者(粹峯 李奇穆)의 말

玉樞寶經은 著者(李奇穆)의 師門인 青丘奇門 左右叢方(太清宮 青邱太學堂)의 右道通書로서 創門이래 于今에 이르기까지, 二千年 동안 秘傳되어 온 仙道 수련의 指針書다.

다시 말해서, 洪煙正訣, 洪煙備旨가 左道通書인 반면, 玉樞寶經과 靜觀經 및 太上日用經 등은 右道通書로서 師門의 대표적인 經典類다.

그런데, 巷間에서는 玉樞寶經이 마치 판수들의 전용물로서 푸닥거리 할 때나 쓰이는 것처럼 알고 있고, 또 學界에서도 일부 전문가들까지 此經이 僞作이라는 見解를 밝히고 있어서, 우리 조상들의 物我一致的 自然神觀이 담겨 있는 위대한 民族經典이 일부 계층의 그릇된 편견과 몰이해로 인해, 말이 아니게 그 眞價가 매도당하고 있음은 실로 가슴 아픈 일로서, 이는 조상에 대한 不敬이 아닐 수 없다.

우선, 此經을 僞書라고 몰아 붙이는 장본인들이 내세우고 있는 經典史的 誤謬에 관해 지적해 보기로 하자.

明代의 王世貞은 晉代의 抱朴子가 쓴 道經 目錄이나 唐代의 殷成式이 쓴 西陽雜組의

仙經目錄에 다 같이 玉樞寶經이 빠졌다 하여, 이 經典을 唐代의 杜光庭이 쓴 僞書라는 견해를 밝힌 바가 있다. 국내의 學者로서는 한국의 道敎史 연구에 공이 큰 「李某(作故)」와 같은 學者로서 그의 주장은 다만 此經 地經 중, 第四 沈痾痼疾章의 「四大不收」라는 대목과 第五 官符章의 내용 가운데 「盟神阻佛」이라고 한 대목이며, 또 第十 蠱勞瘵章 중의 「塚訟墓注」의 대목 들을 들어 「疑足後人之僞撰」이라 못을 박고서는 王世庭의 意見에 공감을 표시하면서 此經을 僞作이라 단정을 하고 있는 것이다. 또 심지어 어떤 이는 此經의 流入經路에 대해서 「옛날 朝廷의 某 使臣이 중국에 갔다 오는 길에 가져 왔다」라는 막연한 애기와 함께 그 시기를 우리나라에 판수가 등장하는 高麗時代로 推算하고 있어, 마치 此經이 맹인 판수들의 한판 푸닥거리를 위해 時宜適切하게 데려온 천박한 外來 經典류에 불과하다는 인상을 풍기려 하고 있지만, 그렇다고 해서 此經의 眞僞나 참 面貌가 損傷될 까닭이야 없지만, 그러나 여기에는 學者로서의 良識이 걸려 있을 뿐 아니라, 그들이 無然 중에 犯하고 마는 誤謬로 인해, 一國의 學問史가 荒廢化 된다는 사실도 아울러 지적하지 않으면 안 될 重大事에 속하는 문제인 것이다. 더구나 이러한 견해들은 此經의 내

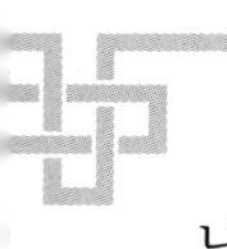

용 면에 대한 검토나 經典史的(경전사적) 측면에서의 깊이 있는 연구도 없이, 그저 막연한 낌새가 아니면 事大的(사대적) 發想(발상)에서, 다만 明代(명대)의 王某(왕모)도 그렇게 주장했으니까 나도 동감이라는 식의 皮相的(피상적) 斷定(단정)에 불과하다는 것을 쉽사리 파악할 수가 있어 서글프기 이를 데 없다.

그다음으로는 巷間(항간)의 그릇된 인식에 관해서도 몇 마디 敷衍(부연)하자면, 此經(차경)을 안다고 하는 사람들의 대다수가 갖고 있는 고정관념은 冒頭(모두)에서 指摘(지적)한 바와 같이, 此經(차경)은 다만 판수들의 푸닥거리용에 불과하다는 것이 지배적이다. 물론 이러한 편견으로 인해 此經(차경)이 지닌 차원 높은 본질적 가치가 왜곡 전도된 것에 대해서는 유감스럽게 생각되지만, 그러나 한편으로 생각해보면 이러한 것은 그다지 과민하게 받아들일 문제가 아니라는 감이 들기도 하니, 왜냐하면 어느 經典(경전) 속에서나 마찬가지로 제각기 얼마 만큼씩의 무속적인 요소와 주술적인 색채는 底邊(저변)에 깔려 있게 마련이어서, 인간사의 어떤 不可解(불가해)한 문제에 도달했을 때, 이에 대한 합리적 방법론을 통해 해답을 구하기가 어려울 때는 인간의 내면세계에 凝縮(응축)돼 있는, 보다 절실한 基層慾求(기층욕구)를 충족시킬 수 있는 방법은 의학·과학적인 방법이 아닌, 무속적 방법이거나, 아니면 주술적 요법에다 호소해 보고자 하는 마음이 더 강렬할 수도 있는 것이므로, 이 文明(문명)의 二十五時的(이십오시적) 岐路線上(기로선상)에서 인간이 헤매고 있는 깊은 奧惱(오뇌)의 根柢(근저)가 과연 무엇일까에 대한 해답은 文明(문명) 쪽에서보다는 오히려 反文明(반문명) 쪽에서 구해보고자 하는 행동 심리가 강하게 작용하므로 해서, 소위 文明(문명)의 첨단시대인 오늘까지도 도심의 곳곳에서 巫業(무업)이 성행하고 있음을 볼 수가 있는 것이다.

如斯(여사)한 무당이나 판수들이 인간의 원초적인 精神病理(정신병리)를 더 잘 치료해 줄 수도 있겠기에, 저들이 설령 玉樞寶經(옥추보경)을 푸닥거리나 굿거리 등에 援用(원용)했다고 해서 그게 뭐 문제 될 것이 있겠는가 말이다.

만약 巫女(무녀)가 佛經(불경)을 빌어 巫業(무업)에 활용했다고 해서 佛經(불경)이 巫經(무경)이 될 수 없는 것과 마찬가지로, 설사 박수나 판수들이 玉樞寶經(옥추보경)을 자기네들의 祈福(기복) 행위에 끌어다 썼다고 해서 此經(차경)이 판수들만의 專用經典(전용경전)이 될 수 없음은 自明(자명)한 理致(이치)가 아니겠는가!

그럼 이제부터 此經(차경)의 眞僞(진위)에 관한 文獻史的(문헌사적) 考證(고증)을 해보기로 하자.

우선 일부 學者(학자)들이 내세우고 있는 僞書(위서) 시비에 관한 反證論理(반증논리)를 전개함과 동시에 此經(차경)에 대한 眞價를 입증할 수 있는 자료들을 몇 가지 열거하자면, 먼저 明代의 王世貞은 此經을 僞書로 몰아세웠다지만 같은 明代의 巨儒요 道學君子인 홍자성(洪自誠: 菜根譚의 저자)과 같은 이는 그의 저서 「洪氏仙佛奇踪」에서 많은 仙道經典들을 소개하면서 玉樞寶經도 동시에 擧名했으며, 특히 天經의 第七章 「道以誠入」편을 引用하여 玉樞寶經의 높은 경지를 극구 찬양했고, 또 清代의 仙人인 玉樞眞人도 그의 저서 「仙術秘庫」에서 역시 此經의 天經 七章을 들어, 玉樞寶經의 眞髓를 有感없이 摘示해 주고 있다.

이와 같이 文獻史的 考證이나 書誌學的 考察을 통해 보더라도 此經의 역사적 가치는 진위논란 없이도 충분히 입증됐으리라 믿어지지만, 한층 더 중요한 사실은 此經의 內在的 比重 속에서도 그 眞價가 충분히 드러났다고 할 수 있겠다.

玉樞寶經은 그 板本이 무려 6종이나 된다. 그 중에서도 著者(李奇穆)가 소유하고 있는 板本은 癸亥年(1923년) 重刊本으로서, 여기에는 특히 師門의 系譜로 치면 筆者의 曾師祖가 되는 秋庭 崔秉斗 仙師께서 講評을 달아 주었고, 동시에 激情에 넘치는 肉筆

로서 序文(서문)을 써 주었으니 感懷(감회) 또한 有別(유별)하며, 또 저 유명한 秋史(추사) 金正喜(김정희)는 親筆(친필) 揮毫(휘호)로 서 序文(서문)을 쓴 뒤에, 말미에다 「海東(해동) 後學(후학) 金正喜(김정희) 焚香謹書(분향근서)」라 하고 落款(낙관)을 했으며, 더욱 놀라운 것은 明世宗(명세종) 肅皇帝(숙황제)가 친히 「御製序(어제서)」를 했고, 끝으로 此經(차경)의 僞作者(위작자)로 지목받은 瀛老玄橧子(영노현증자) 杜光庭(두광정)의 證讚(증찬)까지 收錄(수록)된 板本(판본)이긴 하지만, 그러나 稀貴本(희귀본)은 아니어서 구하기에 그다지 어렵지는 않다.

그런데 참으로 奇異(기이)한 일은 王世貞(왕세정)이 어찌 감히 그들 나라 皇帝(황제)가 御製序(어제서)까지 한 經典(경전)을 놓고 僞書(위서)라는 말을 함부로 할 수가 있으며, 하물며 동시대의 道學者(도학자)로서 洪自誠(홍자성)이 引證(인증)한 經典(경전)을 王世貞(왕세정)은 무슨 근거로 僞經(위경)으로 몰수가 있었단 말인가? 또 我國(아국)의 李能和(이능화)만 해도 그렇다. 적어도 當代(당대)의 巨儒(거유)요 道學君子(도학군자)에 名筆家(명필가)인 秋史(추사) 金正喜(김정희)까지도 옷깃을 여미고 海東後學(해동후학)이라 몸을 굽히며 焚香謹書(분향근서)한 經典(경전)을 놓고 감히 僞書(위서) 云云(운운)한다는 것은 先人(선인)에 대한 지극히 不敬(불경)스러운 處身(처신)이 아니고 무엇이겠는가 말이다.

이제부터 玉樞寶經(옥추보경)의 來歷(내력)에 대해서 이야기 해 보고자 한다.

玉樞寶經(옥추보경)은 한마디로 말해서 中國風(중국풍)의 經典(경전)이 아니다.

이는 東方隱書인 紫府秘文 중에 收錄된 내용들을 祖天師 張眞君께서 간추리고 한데 묶어서 독립된 체계의 經典을 새롭게 撰述했으므로, 本經의 天集 冒頭에서 밝힌 대로, 祖天師 張眞君 義著라고 했다. 그리고 海瓊 白眞人은 註解를 했고, 五雷使者 張天君은 釋訓을, 또 純陽孚佑帝君은 讚頌을 각각 했으며, 前述한 바와 같이 著者[李奇穆]의 師祖이신 凝淸眞人에게 右道의 脈을 傳授해주신 秋庭 崔秉斗 曾師祖께서는 講評을 해주셨다.

이상에서 列擧한 바대로 此經과 연관된 분들은 모두가 俗人이 아니며, 이미 仙人의 班列에 오른 列師祖 들이시다.

그런데 如此한 寶經이 唐代의 仙經錄에서 그 이름이 빠져있는 것도 알고 보면 당연한 건지도 모른다. 왜냐하면 그 당시 唐風系(중국)의 仙人들이나 經典을 밝히기 위해 쓰인 책자 속에 靑丘系(우리나라)의 仙眞들이나 經書들의 이름을 밝혀 줘야 할 何等의 이유가 없지 않은가 말이다. (중국인들이 구태여 한국 것을 밝히려 하지 않음)

그렇지만 玉樞寶經이 세상에 전해진 來歷에 대해서만은 그 어느 누구도 자세히는 알 길이 없다. 하지만 그 淵源史(연원사)를 추적해보면 반드시 不可能(불가능)한 것만도 아닌 것이다.

萬法歸宗(만법귀종)은 중국 사람들이 가장 즐겨 읽고, 또 많이 읽히는 道家書(도가서)이다. 그런데 그 經典(경전) 속에는 紫府秘文(자부비문)인 東方隱書(동방은서)가 中原天地(중원천지)에 傳承(전승)된 내력에 관해서 자세히 기록해 놓고 있어, 그 내용을 列擧(열거)하면 다음과 같다.

……[紫府秘文(자부비문)은 東方隱書(동방은서)로서 이는 永生五劫之宗(영생오겁지종)이요, 先天未判之時(선천미판지시)부터 이어 내려온 것이니, 그러므로 此書(차서)는 黃帝(황제)(우리나라의 헌원: 자부선사의 제자로서 중국으로 건너가 황제가 됨)가 蚩尤(치우)와의 전쟁 시에 戰況(전황)이 不利(불리)해지자 夜祝於天(야축어천) 할 제, 七日(칠일) 이내에 天勅(천칙)으로서 九天玄女(구천현녀)에게 命(명)하사 六丁六甲(육정육갑)을 持參(지참)케 하고, 今籙玉篆(금록옥전)에 天印眞文(천인진문)과 龍章妙訣(용장묘결)의 玄女秘旨(현녀비지)를 黃帝(황제)에게 傳授(전수)하니, 黃帝(황제)는 拜謝(배사)하고 이를 받으니 玄女(현녀)는 上天(상천)하였다. 그로부터 黃帝(황제)는 善惡(선악)을 들어서 이를 다스리니, 誅斬鬼神(주참귀신)도 自由自在(자유자재)로 가능할 뿐 아니라, 未來(미래)의 萬事(만사)까지를 모두 豫知(예지)할 수 있었다. 黃帝(황제)가 昇天(승천)한 뒤에는 禹王(우왕)이 此書(차서)를 得(득)하여, 그로써 범람하는 洪水(홍수)를 막아 天下(천하)를 平定(평정)하게 다스릴 수가 있었고, 秦王(진왕)(시황제, 진시황)도 此書(차서)를 得(득)했으나 이를 戲用(희용)함으로서 夜半(야반)에 홀연히 없어지

고 말아, 결국 身國皆破하고 말았다. 그 후에 黃石公이 다시 此書를 得하여 張良한테 傳授하니 張良은 漢나라가 망하고 楚나라가 들어섰을 무렵에, 此書를 다시 老祖天師(張眞君)에게 전하니 天師는 虞의 後人으로서 此書를 다시 전할 사람은 없고 天機漏泄이 근심스러운 나머지 이를 石函에 넣어서 石山 속에다 감추어 두었는데, 唐朝에 이르러 袁天罡이 入山修道하던 중에 이를 다시 발견하여 지녔다가 뒤에 青牛高師에게 授하고, 高師는 다시 東方朔에게, 東方朔은 東華帝君한테 各己 傳授하니, 東華帝君은 다시 盧先生한테 授하고, 盧先生은 다시 東京帝君한테로 代代流傳하니, 대개 정성이 지극한 자에게는 한 치의 錯誤도 없느니라. . . . . . . 黃帝는 此書의 名稱을 玄女隱書라 했고. . . . . . . 張良은 차서를 黃石公 祕書라 했으며, 老祖天師(張眞君)는 此書를 金書玉篆이라 했고, 袁天罡은 石函記라 했고, 東方朔은 此書名을 射覆訣이라 命名하고, 東華帝君은 紫府靈章이라 했다. . . . . . . 후략]

이상의 장황한 기록을 통해서 한 가지 看破해야 할 문제가 있다.

그것은 老祖天師에 관한 이야기로, 玉樞寶經 義著者 祖天師 張眞君과 張良에게서

紫府秘文(자부비문)을 傳授(전수)한 老祖天師(노조천사)와는 어떤 관계일까를 한 번 추리해 봄도 의미 없는 徒勞(도로)만은 아닐 듯싶다. 결국 老祖天師(노조천사)께서 紫府秘文(자부비문)을 간추려 玉樞寶經(옥추보경)을 撰修(찬수)하신 뒤에, 동료 仙人(선인)들로 하여금 註(주)와 訓(훈), 그리고 讚(찬) 등을 달게 하고서는 이를 世人(세인)의 誤用(오용)이 두려운 나머지 石山(석산)에 숨겨버렸던 것인데, 唐代(당대)에 와서 袁天罡(원천강)이 이를 다시 발견하고 세상에 전하게 된 것이리라는 결론을 쉽사리 내릴 수 있을 것만 같다.

대개 한국이나 중국을 비롯한 동양의 모든 思想(사상)이나 學問(학문)의 根底(근저)는 거의가 다 三皇內文(삼황내문)에서 出來(출래)됐다고 봐지며, 三皇內文(삼황내문)은 곧 紫府仙師(자부선사)가 屢劫(누겁)을 통해 전해져오던 東方隱書(동방은서)를 集大成(집대성)하여 三皇內文(삼황내문)이라 이름 붙여 天陛(천폐)께 바쳤다는 桓檀古記(환단고기)의 記錄(기록)이 있다.

간추려서 말하면, 東方隱書(동방은서)는 紫府眞人(자부진인)이 三皇內文(삼황내문)을 撰修(찬수)하기 以前(이전)의 原形的(원형적)인 書名(서명)을 말하는 것이고, 紫府秘文(자부비문)은 三皇內文(삼황내문)을 指稱(지칭)하는 말로써 紫府秘文(자부비문)과 三皇內文(삼황내문)은 同一(동일)한 의미의 書稱(서칭)인 것이다.

끝으로 九天玄女(구천현녀)에 대해서 알아보기로 하자.

중국의 文獻(문헌)에는 걸핏하면 九天玄女(구천현녀)가 마치 漢民族(한민족)의 守護神(수호신)처럼 등장하고 있지만, 그러나 따지고 보면 九天玄女(구천현녀)는 당시 元老及(원로급)의 仙女(선녀)로서 紫府仙師(자부선사)를 측근에서 모시는 侍女(시녀) 仙女(선녀)에 불과했으므로 결코 漢族(한족)의 守護神(수호신)은 아닌 것이다.

黃帝(황제)에게는 참으로 많은 스승이 있었다.

그 가운데 가장 큰 스승은 紫府仙師(자부선사)로서 三淸宮(삼청궁)에서 다른 세 사람의 門徒(문도)와 함께 윷놀이와 桓曆(환력)의 造曆法(조력법) 등, 紫府秘文(자부비문)(즉 三皇內文(삼황내문))의 全般(전반)에 관해서 傳授(전수)를 했고, 뒷날 黃帝(황제)가 帝位(제위)에 오른 다음에는 廣城眞人(광성진인)한테서 治世經綸(치세경륜)에 관해서 배웠고, 岐伯(기백)한테서는 醫術(의술)을, 彭祖仙人(팽조선인)과 泰女(태녀), 採女(채녀), 玉女(옥녀) 등의 제 仙女(선녀)들한테서는 房中術(방중술)을 배웠다. 그러나 한 가지 중요한 사실은 黃帝(황제)를 가르친 모든 스승들은 한결같이 우리 韓民族(한민족)이란 사실을 알아야 하고, 또 黃帝(황제)자신도 결국 우리 種族(종족)의 祖上(조상)이라는 사실을 명심해야 할 것이다.

左道通書(좌도통서)는 이미 여러 권이 出刊(출간)되었지만, 아직껏 右道通書(우도통서)는 한 권도 發刊(발간)을 못해 마음 졸이던 중에, 마침내 本經書(본경서)를 右道通書(우도통서)의 第一卷(제일권)으로 발간하고 보니, 참으로 感慨(감개)가

벅찬 감이 없지 않으나, 또 한편으로는 근심스럽기도 하다. 워낙 크고 비중있는 經典(경전)에다 감히 蛇足(사족)(해설)을 달아 내놓게 된 데 대한 自責感(자책감)이기도 하지만, 잘못된 부분이 있으면 뒷날 版(판)을 거듭하면서 바로잡아 나가기로 하고, 우선 부족한 대로 세상에 내어놓으니 江湖(강호)의 鞭達(편달)을 달게 받을까 한다.

辛未年(신미년)(1991년) 음十월 그믐날

월곡동 寓居(우거)에서 著者(저자) 粹峯(수봉) 李奇穆(이기목) 謹識(근식)

구천응원뢰성보화천존설 옥추보경 주해

九天應元雷聲普化天尊說 玉樞寶經 註解

옥추보경 주해 천경집 (원본 34쪽)
玉樞寶經 註解 天經集

해경 백진인 주해(본문 해설 중 註(주)曰(왈))
海瓊 白眞人 註解

조천사 장진군 의저(본문 해설 중 義(의)曰(왈))
祖天師 張眞君 義著

오뢰사자 장천군 석훈(본문 해설 중 釋(석)曰(왈))
五雷使者 張天君 釋訓

순양부우제군 찬송(본문 해설 중 讚(찬)曰(왈))
純陽孚佑帝君 讚頌

추정 최병두(사문의 제삼십일대 도조) 강의(본문 해설 중 講(강)曰(왈))
秋汀 崔秉斗(師門의 第三十一代 道祖) 講意

구천응원뢰성보화천존설옥추보경 천경(정경) 수봉 이기목 주해(全(전)文(문) 해설)
九天應元雷聲普化天尊說玉樞寶經 天經(正經) 粹峯 李奇穆 註解

註曰,

九者, 陽數也, 乃天道也, 主於巽宮, 故, 東南有九氣之說也, 即雷師出入之地,

◀ 解說

九라는 數字는 陽의 極數로서 天道라고도 하며, 九氣는 主로 巽宮이 本據地가 되므로 東南方을 가리켜 九氣之方이라고 하니, 곧 雷師皓翁이 出來하는 곳이기도 하다.

天者, 至大至聖, 無極無爲之氣也,

◀ 解說

天者는 至大하고 至聖하며, 無極의 混沌 속에서도 無爲의 氣로서 形成된 者가 곧 天이므로 至大至善하다고 할 수 있겠다.

應者, 無物不承天命而生也,

◀ 解說

應이란 凡物質의 모든 擧動을 나타내는 機微라 하겠으며, 天命을 좇을 수조차 없는 無物까지도 天理를 좇음은 오로지 應의 作用에 依함인 것이다. (원본 35쪽)

원자 지대야 우왈만선지장야 내사시지수야 오행지선야
元者, 至大也, 又曰萬善之長也, 乃四時之首也, 五行之先也,

◀ 해설解說 元은 곧 四時의 首요, 五行의 先行者이니, 그러므로 至極히 크다 하고, 또 至極히 善하다고 한 것이니, 元은 실로 四時五季를 이끌어가는 先導走者이기 때문이다.

뇌자 내천명야 장생생살살지권 동정인막가측 만신지봉행야
雷者, 乃天命也, 掌生生殺殺之權, 動靜人莫可測, 萬神之奉行也.

◀ 해설解說 雷란 곧 天命으로서 萬物의 生殺與奪之權을 掌握하고 있어, 그의 動靜은 사람으로서는 可히 헤아릴 수가 없으므로, 萬神이 모두 奉行하지 않을 수 없는 威嚴의 存在이다.

성자 생야 만물 득뢰진성이맹야 우왈 천불언 이뢰 대언야
聲者, 生也, 萬物, 得雷震聲而萌也, 又曰, 天不言, 以雷, 代言也,

◀ 해설解說 聲은 生動의 表象인 것이니, 萬物이 雷震一聲으로서 萌芽하게되고, 또한 天은 비록 不言이지만 雷聲으로서 天意를 代言하게 된다.

보자 상천하지 사유팔황 무형유형야
普者, 上天下地, 四維八荒, 無形有形也,

▶ 해설 解說

普라는 것은 上天下地와 四維八荒, 卽 凡宇宙的 空間 위에 散在한 一切의 事物(無形有形의 모든 物體)들을 通稱해서 일컫는 말이다.

화자 천도음양운행즉위화 우자무이유 자유이무즉위화

化者, 天道陰陽運行則爲化, 又自無而有, 自有而無則爲化,

▶ 해설 解說

化는 天道의 陰陽運行이 곧 化요, 또한 無에서 有로, 有에서 無로 循環自在하는 것도 모두가 다 化의 實像이라 하겠고,

만물생식즉위화 노자운 아무위이민자화 우운이덕화시야

萬物生息則爲化, 老子云, 我無爲而民自化, 又云以德化是也,

▶ 해설 解說

萬物이 消長하고 盛衰함도 亦是 化의 作用인 고로 老子는 이르기를, 나는 사람을 爲해 아무런 힘도 加하지 않았건만 사람 스스로가 살아가고 있으니, 이것이 곧 化의 作用인 것이며, 또한 萬物이 德을 입음도 곧 化의 役割인 것이다. (원본 36쪽)

천존자 지대지귀지칭

天尊者, 至大至貴之稱,

◀ 해설 解說

天尊이란 말은 至大하고 至貴한 者에 對한 尊稱인 것이니, 즉 天의 神格的 表現인 것이다.

설자 찬양야 천교야 해은석오야
說者, 讚揚也, 闡敎也, 解隱釋奧也,

◀ 해설 解說

說이란 讚揚과 闡敎의 뜻을 同時에 지녔으며, 또한 此經의 理致를 隱重하고 奧妙하게 釋解한다는 뜻이기도 한 것이다.

옥자 천지일월지정화 음양수화지결수야
玉者, 天地日月之精華, 陰陽水火之結秀也,

◀ 해설 解說

玉이란 天地日月의 精華요, 陰陽水火의 結秀라 하니,

윤이온 보이귀 만재지불가휴멸야
潤而溫, 寶而貴, 萬載之不可朽滅也,

◀ 해설 解說

潤하고도 溫하며, 寶하고도 貴하여, 萬 가지의 물체를 가득 실어도 朽滅하지 않는 至高

至純(지순)한 것이다.

樞者(추자), 機也(기야), 軸也(뉴야), 乃生殺之始由也(내생살지시유야),

◀해설解說 樞(추)라는 것은 中樞(중추)를 말하니, 마치 수레바퀴의 중심부분과도 같은 것으로서 生殺與奪之(생살여탈지) 權(권)이 여기에서 비롯된다고 하겠다.

寶者(보자), 珍重也(진중야),

◀해설解說 寶(보)라고 하는 것은 참으로 珍貴(진귀)하고도 重要(중요)한 것이며,

經者(경자), 徑也(경야), 乃修眞大道之要路也(내수진대도지요로야),

◀해설解說 經(경)이라는 것은 어떤 眞理(진리)와 理致(이치)를 闡明(천명)함에 있어서 하나의 줄기가 되는 부분인 것이니, 이것이 곧 主唱(주창)하는 바의 宗旨(종지), 또는 敎旨(교지)가 되는 것으로, 仙家(선가)에서는 이를 가리켜 修眞(수진) 大道(대도)를 향한 要路(요로)하고 하는 것이다. (원본 37쪽)

의왈
義曰,

사경 이옥추이명자 내천지지소식 음양지동정야
斯經, 以玉樞而名者, 乃天地之消息, 陰陽之動靜也,

◀ 해설 解說
如斯한 經을 玉樞라 命名한 所以는 곧 天地의 消息이고, 陰陽의 動靜을 나타내기 때문이며,

구수 내건원용구지설이보화천존 거기상 삼계지존 십방지영야
九數, 乃乾元用九之說而普化天尊, 居其上, 三界之尊, 十方之靈也,

◀ 해설 解說
九數는 普化天尊께서 乾의 元으로 用함을 說하시고, 또 그 九數의 所居之處인 東南方 巽宮에 居하시니, 三界에서 가장 尊貴한 數요, 十方에서 제일 靈明한 數인 것이다.

석왈
釋曰,

천존발원광대 화급군생 기덕불가량이기불가측야
天尊發願廣大, 化及群生, 其德不可量而機不可測也,

◀ 해설 解說
天尊의 廣大한 發願은 化及群生함에 있으니, 그 德은 堪量하기가 어렵고, 그 幾微는 測

量할 수조차도 없어,

고 이뢰성 대화 옥추 위형즉선선악악 살살생생
故, 以雷聲, 代化, 玉樞, 爲衡則善善惡惡, 殺殺生生,

◀해설 解說

그러므로 雷聲으로서 代化케하고, 玉樞로서 善하고 惡함을 저울질하여, 죽일 者는 죽이고 살릴 者는 마땅히 살리니,

개청어구기지진왕 소이삼계만령십방제천
皆聽於九氣之眞王, 所以三界萬靈十方諸天.

◀해설 解說

이는 모두 다 九氣를 專司하는 眞王의 令을 좇아 行함이니, 이른바 萬靈과 十方諸天이 모두 我天尊의 元化함을 讚揚하지 않는 者가 없다 하겠다.

찬왈
讚曰,

조기인온만태허 구천원시구천거 취뢰역우비금전 활물생인비옥추
祖氣氤氳滿太虛, 九天元是九天居, 驟雷役雨飛金篆, 活物生人備玉樞,

◀해설 解說

太虛에 가득한 一點祖氣는 天地를 統合해도 九天은 다만 本是대로 九天宮에 居할 뿐이

며, 홀연히 몰아친 雨雷(우뢰)는 金篆(금전)위에 날아내려서 活物生人(활물생인)의 造化(조화)를 이룩하니, 이는 오직 玉樞(옥추)의 功(공)일러라.

삼계유정동득도 십방무로불통거 대재보화개명시 일월제광신불무

三界有情同得道, 十方無路不通車, 大哉普化開明始, 日月齊光信不誣.

◀ 해설解說

十方世界(십방세계)가 막힘이 없어 三界有情(삼계유정)이 함께 道(도)를 얻으니, 普化開明(보화개명)이 이로서 비롯되고, 日月(일월)이 밝음을 가지런히 하니, 普化天尊(보화천존)의 그 크신 功(공)을 뉘라서 믿지 않으리.

凡例 범례

玉樞寶經 凡例 1

一, 誦經時에는 반드시 玉樞靈符를 奉安하되, 正寢의 正東편에 安置하고, 洗心遠慾하여 至誠齊戒에 嚴正衣冠하고 澄心正氣하여야 한다.

무릇 범위를 크게 잡으면 開建道場도 가능하지만, 작게 잡으면 淨掃堂舍에 設花水盤하고 焚香作禮에 叩齒七遍 후에, 淨心神呪를 爲始하여 說寶經功德章까지를 爲限으로 調聲念誦하고, 天尊實像을 存想하면서 天經(淨心呪를 爲始 至說寶經章)을 誦할 때는 三遍이나 혹 七遍으로 限定하고, 誦畢 다음에는 자신의 所希 所願에 따라, 地經은 十五章 가운데서 자신의 소원에 해당되는 一章만을 골라서 읽되, 읽을 때도 역시 三七遍이나 七七遍을 誦한 후에, 자신이 誦한 章에 해당되는 符篆을 焚祝하고, 또 寶偈章과 報應章(上下)을 一誦 후에는 神將退文을 三遍 誦하고, 呪文을 三七遍 誦한 후에야 畢壇하고 묵념하면서 天尊의 實像을 마음속으로 그리면, 自然 感應이 있느니라.

一, 地經十五章(지경십오장)은 소원을 좇아, 해당되는 一章(일장)만 誦(송)할 뿐, 全章(전장)은 不誦(불송)한다.

一, 地經十五章中(지경십오장중) 一章(일장)을 誦(송)할 時(시)에는 必先天經全章(필선천경전장)하되, 上法(상법)과 같이 誦(송)한다.

一, 神將退文(신장퇴문)은 언제나 畢壇(필단)시에는 誦念(송념)해야 한다.

一, 만약 玉樞靈符(옥추령부)를 不奉時(불봉시)에는 誦經(송경)을 해도 효험을 얻지 못하고, 또 或如(혹여)나 輕慢(경만)한 마음으로 經(경)을 誦(송)하면 天遣(천견)이 있느니라.

一, 香(향)은 降眞香(강진향), 沈香(침향), 白檀香(백단향)을 써야 한다.

一, 人經(인경)은 禮懺(예참)이니, 志道之士(지도지사)가 天尊聖像(천존성상)을 奉安(봉안)하거나, 혹 玉樞靈符(옥추령부)를 奉安(봉안)하고 設壇(설단)하여 朝夕(조석)으로 壇前(단전)에서 誦(송)하는 것이며, 또 혹 祭需(제수)로서 致誠(치성)할 때도 誦(송)한다.

一, 禮懺(예참)할 時(시)는 天經(천경)의 初頭(초두)에 있는 開經讚(개경찬)과 啓請誦(계청송)을 先念(선념)한다.

一, 志道之士(지도지사)는 每月初六日(매월초육일) 및 辛日(신일)과 聖誕(성탄) 六月二十四日(유월이십사일)에 設壇(설단)하고 致戒(치계)하느니라.

一, 人經(인경)을 誦(송)할 時(시)에는 神將退文(신장퇴문)을 誦(송)하지 않는다.

一, 玉樞寶經(옥추보경)을 家中(가중)에 安置(안치)하면, 一切(일체)의 災難(재난)이 不侵(불침)하며 鬼魔(귀마)가 遠遁(원둔)한다.

一, 誦經志道之士(송경지도지사)는 첫째로, 魚肉(어육) 및 五辛之味(오신지미)를 忌(기)하니, 이는 仙家(선가)에서 大忌(대기)하는 바이다.

一, 무릇 災難消滅(재난소멸)을 위해 讀經(독경)을 하고자 할 때는, 讀經日(독경일) 및 前後(전후) 三日(삼일)을 齊戒(재계)하며, 魚肉(어육)과 五辛(오신)을 嚴禁(엄금)한다.

一, 所求希願(소구희원)으로 讀經(독경)을 하고자 할 때는, 天經(천경)과 地經(지경)을 國文(국문)대로만 敬誦(경송)한다.

一, 玉樞靈符(옥추령부)는 仙家(선가)의 희귀한 寶物(보물)이니 誠心敬誦(성심경송)함이 마땅하고, 혹시라도 慢忽(만홀)히 하면 必被神責(필피신책)하리라.

一, 玉樞符(옥추부)는 槐黃紙(괴황지)에 寫奉(사봉)하되, 甲子時(갑자시)에 正衣冠(정의관)하고 向東(향동)하여 淨水焚香(정수분향)에 叩齒(고치) 三十七遍(삼십칠편)하며, 天尊實像(천존실상)을 默想(묵상)하면서 呪文(주문)을 誦(송)한 뒤에, 鏡面朱砂(경면주사)로 寫奉(사봉)하느니라.
(玉樞靈符(옥추령부)를 寫奉(사봉)할 時(시)에는 父母(부모) 喪中(상중)인 孝子(효자)와 女人(여인)을 忌(기)해야 한다)

一, 만일에 玉樞靈符(옥추령부)를 봉안하지 않은 채로 誦經(송경)을 하면 靈感(영감)이 없느니라.

一, 玉樞符(옥추부)를 寫奉(사봉)할 때에도 甲己日(갑기일) 甲子時(갑자시)가 아닌 때에 하게 되면 靈感(영감)이 없느니라.

一, 誦經時(송경시)에는 玉樞符(옥추부)를 正東(정동)쪽에 봉안하고 焚香(분향) 禮拜(예배)하며, 甲子時(갑자시)에 庭中(정중)에서 北斗(북두)를 향해 焚(분)하느니라.

一, 志道之士(지도지사)는 玉樞符(옥추부)를 항시 봉안하고, 또 淨囊(정낭)에 常帶(상대)하고 다니면 三災八難(삼재팔난)이 不侵(불침)하고 鬼邪(귀사)가 遠遁(원둔)하며, 凡夫(범부)가 常帶(상대)하면 諸厄(제액)이 소멸되느니라.

옥추보경 범례
玉樞寶經 凡例 2

제기매월초육급신일
齊期每月初六及辛日,

◀ 해설 解說

齊日은 매월 初六日과 旬中 辛日이니, 이날은 九天寶化君께서 인간의 善惡之情을 살피기 위하여 下降하는 날이다.

성탄육월이십사일야
聖誕六月二十四日也,

◀ 해설 解說

음력 六月 二十四日은 九天應元雷聲普化天尊께서 최초로 人間界에 降臨하신 날로써, 이날을 仙家에서는 天尊 誕降日, 즉 聖誕日로 전해 오는 날이다.

자단향 강진향 단향방 윤단 사전구분
紫檀香, 降眞香, 丹香方, 胤丹 - 四錢九分

소합향 삼전
蘇合香 - 三錢

青木香(청목향), 安息香(안식향), 犀角鎊(서각방), 白丹香(백단향) - 各(각) 二錢四分(이전사분)

麝香(사향), 搗羊角(도양각) - 各(각) 一錢二分(일전이분)

棗膏和丸(조고화환) - 一小斗(일소두)

大端午(대단오), 臘日合製聽用(납일합제청용), 辟邪療病(벽사요병).

◀ 해설 解說

右(우)에 기록한 재료들을 가지고, 端午(단오)날이나 臘日(납일)(冬至(동지) 後(후)의 第三(제삼) 戌日(술일))에 合製(합제)하여서 聽(청) 經時(경시)에 복용하면 모든 邪魔(사마)들을 물리칠 수가 있고, 또한 療病(요병)도 될 수가 있다.

神農皇帝(신농황제) 辟穀方(벽곡방)

茯苓水洗去皮膜搗末(봉영수세거피막도말) 浸酒封固百日後(침주봉고백일후)

日服匕寸(일복비촌) 一年易體(일년이체) 二年換骨(이년환골) 三年腸化爲筋亦可長生(삼년장화위근역가장생).

◀ 해설 解說

白鳳嶺(백봉령)을 물에 깨끗이 씻은 다음, 껍질을 벗기고 속살을 찧어서 가루를 만들어 술을 부어

봉한 다음에, 百日(백일) 후에 숟가락으로 조금씩 떠서 一(일) 年間(년간) 먹으면 체질이 바뀌고, 二(이) 年間(년간) 먹으면 骨格(골격)이 바뀌고, 三(삼) 年間(년간) 먹으면 臟器(장기)와 근육이 化變(화변)하여 長生(장생)을 누릴 수가 있으니, 이는 仙家(선가)의 秘藏之術(비장지술)이니라.

天經 解說 천경 해설

천경 제일장 뇌자장 해설

天經 第一章 雷字章 解說 (원본 39쪽)

이시구천응원뢰성

爾時九天應元雷聲

第一章 解說 제일장 해설

주왈

註曰,

구천자 사방사유중앙 내총삼십육천지총사야 시인동남구기이생

九天者, 四方四維中央, 乃總三十六天之總司也, 始因東南九氣而生,

정출뢰문 소이장삼십육뢰지령

正出雷門, 所以掌三十六雷之令,

수제사부원지인 생선살악 이순인개이구천지명자

受諸司府院之印, 生善殺惡, 以順人皆以九天之命者,

취기강이불민자지위야

取其剛而不泯者之謂也,

◀ 해설解說

九天(구천)은 四方(사방)과 四維(사유) 및 中央(중앙), 그리고 三十六天(삼십육천)을 統括(통괄)하는 總司者(총사자)이며 東南(동남) 九之處(구지처)에서 氣(기)가 始生(시생)하는 故(고)로, 此方(차방)을 正出雷門(정출뢰문)이라 하며, 三十六雷(삼십육뢰)의 令(영)을 掌(장)하고,

諸司府院(三十六雷 府院)의 印을 受함과 함께 生善 殺惡하는 機能을 掌握하고 있으면서도, 人情을 좇아 順理로 行함은 모두가 九天의 命에 依存함이며, 그 陽(九天의 總稱)은 비록 剛하면서도 不泯함은 亦是 그와 같은 緣由에서이다.

의왈
義曰,

구천수왈건수양강이불유 실내구기지생처야 어시 결영취령
九天雖曰乾數陽剛而不柔, 實乃九氣之生處也, 於是, 結英聚靈,
성아옥청진왕지화형야
成我玉清眞王之化形也,

◀ 해설 解說

九天은 乾數로서 비록 陽剛하여 不柔하지만, 그러나 九氣(生氣)가 生한 곳이며, 또한 靈氣가 結成하고 靈氣가 聚合함도 모두가 이곳이며, 뿐만 아니라 我(千生萬民)가 生함도 모두가 玉清眞王의 化形함에 의해서이다.

석왈
釋曰, (원본 40쪽)

시시 구기형성 결위구천 구천 내재삼십육천지상 십방삼계지조기야

是時, 九氣形成, 結爲九天, 九天, 乃在三十六天之上, 十方三界之祖氣也,

소이용구지고 기기 원본호삼청지체이용호구천지명 의의야

所以用九之故, 其氣, 元本乎三淸之體而用乎九天之名, 宜矣也.

▶ 해설 解說

是時(시시)라고 한 것은 九氣(구기)가 형성하여 九天(구천)을 結成(결성)한 時期(시기)를 가리키는 말이며, 九天(구천)은 三十(삼십) 六天(육천)의 上層(상층)이며 十方三界(십방삼계)의 祖氣(조기)이니, 그 所以(소이)는 極陽(극양)인 九數(구수)를 用(용)하기 때문이며, 또한 그 氣(기)는 元本(원본)이 三淸之體(삼청지체)로서 九天(구천)의 名(명)으로 代稱(대칭)된다.

찬왈

讚曰,

구천구천현지우현

九天九天玄之又玄,

홀이아후 숙언아즉

忽爾我後, 倏焉我則.

▶ 해설 解說

九天(구천)은 極大(극대)하고, 九天(구천)은 極高(극고)하며, 또한 九天(구천)은 極遠(극원)하여 玄(현)하고, 또 그 玄(현)한 九天(구천)이 지닌 奧義(오의)는 人智(인지)로선 알 길이 없어도, 그러나 九天(구천)은 언제나 내 곁에 있어, 어느 때는 홀

연히 내 뒤에서 그 寞寞한 蒼空의 한 자락을 펼쳐 보이는가 하면, 또 어느 때는 倏然히 내 앞에 나타나 보이기도 하니, 저 높디높은 蒼空의 造化로움이여!

강왈
講曰,

이시 구천여제천대중설경지시
爾時, 九天與諸天大衆設經之時,

◀ 해설 解說
爾時란 天尊이 諸仙大衆과 더불어 經을 說할 때를 말한다.

구천자 수지시왈일 수지종왈구 일지전무칭 구지후무수 금왈구천자
九天者, 數之始曰一, 數之終曰九, 一之前無稱, 九之後無數, 今曰九天者,
합제천이총칭명언
合諸天而總稱名焉,

◀ 해설 解說
九天은 卽, 數의 始를 一이라 하고, 數의 終을 九라 하며, 一數의 前은 無稱이고, 九數의 後는 無數라 하니, 지금 말하는 九天이란 곧 諸天(十方諸天)을 合한 總稱을 말하는 것이다.

蓋天有八方, 上方下方十方, 每方有三十六天, 然則十方天數, 總有三百六十天, 故, 日月數三百六十度, 應三百六十天也,

▸ 解說

大體로 天有八方이나 上方下方하여 十方이 되므로 十方諸天이라 하고, 每方마다 三十六天이 있어 十方諸天의 數는 總合 三百六十天이라, 故로 日月度數도 三百六十度가 되니 이는 三百六十天에 應하기 때문이다.

凡人, 受天靈明之氣而生, 故, 有三百六十骨節, 每一天, 無數億諸仙, 各數所司而備, 九天之名, 十方諸天, 咸擧而稱也.

▸ 解說

무릇 사람은 天의 靈明之氣를 타고났으므로 三百六十骨節을 가졌고, 每一天 마다는 무수한 諸仙이 있어서 제각기 管掌하는 바를 司令하며, 九天이란 十方天을 咸擧한 名稱이다.

應元, (응원)

註曰, (주왈)

仰愉元始祖, 劫一氣分, (앙유원시조 겁일기분)

眞王淸, 眞王應元之體, (진왕청 진왕응원지체)

◀ 해설解說 玉淸眞王(옥청진왕)은 永劫(영겁)을 통한 淸淨(청정)한 一氣(일기)로서 眞王(진왕)의 應元之體(응원지체)를 나타내니, 天尊(천존)의 元始祖(원시조) 氣(기)를 기쁨으로 맞이할지어다.

義曰, (의왈) (원본 42쪽)

天地二氣, 陰陽五行, 上布下流, 無一物不承天命而得陰陽之氣, 以所生也, (천지이기 음양오행 상포하류 무일물불승천명이득음양지기 이소생야)

故, 曰應元, 何疑哉, (고 왈응원 하의재)

◀ 해설解說 天地(천지)는 陰陽二氣(음양이기)로 나뉘고, 二氣(이기)는 다시금 五行(오행)으로 나누어져서 上布下流(상포하류)하니, 비록 無(무)

知者中(지자중)의 一物(일물)일지라도 天命(천명)을 거역할 수 없음은 陰陽(음양)의 氣(기)를 得(득)함으로써 生(생)을 이어갈 수 있게 하기 때문이니, 應元(응원)의 所致(소치)를 어찌 의심할 수 있겠는가 말이다.

釋曰(석왈),

天陽地陰(천양지음), 理之然也(이지연야), 蓋我天尊(개아천존), 生乎陽而居於天(생호양이거어천), 其健而剛也(기건이강야), 所以萬物(소이만물), 生乎地(생호지), 莫不皆請靈於天尊(막불개청영어천존), 使物物各得其宜(사물물각득기의), 世人(세인), 不知其故而本元(부지기고이본원), 皆出乎天尊之餘氣也(개출호천존지여기야), 天尊(천존), 浴人人(욕인인), 皆爲天尊者(개위천존자), 何故(하고), 惜其氣而應其本元志妙道也(석기기이응기본원지묘도야),

◀ 해설 解說

天陽地陰(천양지음)의 理致(이치)가 亦然(역연)하니 어찌 天陽之處(천양지처)에 居生(거생)하지 않겠는가? 本是(본시) 天陽之處(천양지처)는 健(건)하고 剛(강)하지만 萬物(만물)이 生(생)하는 素地(소지)로서 天下何物(천하하물)이라도 天尊(천존)의 靈(영)을 거역할 수가 없음은 萬物(만물)로 하여금 그 令(영)을 傾聽(경청)함이 마땅하기 때문이다.

讚曰(찬왈),

一氣雖分陰與陽(일기수분음여양), 玉淸高處化眞王(옥청고처화진왕),
上天下地能和合(상천하지능화합), 闡敎分形遍十方(천교분형편십방).

◀ 해설 解說

一氣(일기)가 비록 陰陽(음양)으로 갈라졌을지라도 玉淸高處(옥청고처)에는 和合(화합)을 主帝(주제)하는 眞王(진왕)이 계시어, 그의 敎旨(교지)를 十方(십방)에 두루 펼친다. (원본 43쪽)

講曰(강왈),

萬物之宗曰人(만물지종왈인), 人之宗曰神(인지종왈신), 神之宗曰靈(신지종왈영), 靈之宗曰天(영지종왈천), 天者諸陽之首(천자제양지수), 諸陽(제양), 萬物之所由行也(만물지소유행야), 能生能殺(능생능살), 能成能壞(능성능괴), 原乎天而始發(원호천이시발), 顯乎陰陽五行之元理(현호음양오행지원리), 如人之四肢百骸(여인지사지백해), 聽令於泥丸(청영어니환), 耳目口鼻之動作(이목구비지동작), 生矣(생의).

◀ 해설 解說

萬物之宗(만물지종)은 人(인)이요, 人之宗(인지종)은 神(신)이요, 神之宗(신지종)은 靈(영)이요, 靈之宗(영지종)은 天(천)이니, 天(천)은 諸陽(제양)

之首(지수)요, 諸陽(제양)은 萬物(만물)의 所由行(소유행)으로서 能生能殺(능생능살)하고 能成能壞(능성능괴)하니, 그 근원은 天(천)이 始(시)發(발)이요, 顯(현)함은 陰陽五行(음양오행)의 元理(원리)라, 마치 사람의 四肢百骸(사지백해)가 泥丸(니환)의 命(명)을 받들어서 耳目口鼻(이목구비)의 動作(동작)을 生(생)함과도 같은 理致(이치)라 하겠다.

雷(뇌), (원본 44쪽)

註曰(주왈),

陰陽二氣(음양이기), 結而成雷(결이성뢰), 皆有雷霆(개유뇌정), 遂分部隸(수분부예), 九天雷祖(구천뢰조), 因之以剖祈(인지이부기),

爲五屬神霄(위오속신소), 眞王(진왕), 用之(용지), 以帝卿三界(이제경삼계), 眞王所居神霄玉府(진왕소거신소옥부), 其道在乎巽(기도재호손),

巽子(손자), 天中之地也(천중지지야), 東南乃太陽之氣(동남내태양지기), 結清朗光(결청랑광), 元始父祖(원시부조),

化神霄玉清眞王玉府(화신소옥청진왕옥부), 在碧霄梵氣之中(재벽소범기지중), 居雷城二千三百里(거뢰성이천삼백리), 雷城高八十一丈(뇌성고팔십일장),

左有玉樞五雷使院(좌유옥추오뢰사원), 右有玉府五雷使院(우유옥부오뢰사원), 天有四方四隅分爲九霄(천유사방사우분위구소), 惟此一霄(유차일소),

居於梵氣之中(거어범기지중), 在心曰神(재심일신), 故曰神霄(고왈신소), 乃眞王按治之所(내진왕안치지소), 天尊任蒞之都(천존임이지도),

君師使相列職(군사사상열직), 分司主天之災福(분사주천지재복), 持物之權衡(지물지권형), 掌物掌人(장물장인), 司生司殺(사생사살),

撿押皆閉(검압개폐), 管鑰生成(관약생성), 上自天皇(상자천황), 下至地帝(하지지제), 非雷霆(비뢰정), 無以行其令(무이행기령),

大而生死(대이생사), 小而枯榮(소이고영), 非雷霆(비뢰정), 無以主其政(무이주기정), 雷霆(뇌정), 政令(정령), 其所隷焉(기소예언),

三淸上聖(삼청상성), 雷霆祖也(뇌정조야), 十極至尊(십극지존), 雷霆本也(뇌정본야), 昊天玉皇上帝(호천옥황상제), 號令雷霆也(호령뇌정야),

后土土地壙(후토토지광), 節制雷霆也(절제뇌정야), 北極(북극), 紫微大帝(자미대제), 掌握五雷也(장악오뢰야), 五雷者(오뢰자), 天雷(천뢰),

地雷(지뢰), 水雷(수뢰), 龍雷(용뢰), 社令雷(사령뢰), 又有十雷(우유십뢰), 一曰玉樞雷(일왈옥추뢰), 二曰神霄雷(이왈신소뢰),

三曰大洞雷(삼왈대동뢰), 四曰仙都雷(사왈선도뢰), 五曰北極雷(오왈북극뢰), 六曰太乙雷(육왈태을뢰), 七曰紫府雷(칠왈자부뢰),

八曰玉晨雷(팔왈옥신뢰), 九曰太霄雷(구왈태소뢰), 十曰太極雷(십왈태극뢰), 又有三十六雷(우유삼십육뢰), 一曰玉樞雷(일왈옥추뢰),

二曰玉府雷(이왈옥부뢰), 三曰玉柱雷(삼왈옥주뢰), 四曰上淸大洞雷(사왈상청대동뢰), 五曰火輪雷(오왈화륜뢰), 六曰灌斗雷(육왈관두뢰),

七曰風火雷(칠왈풍화뢰), 八曰飛捷雷(팔왈비첩뢰), 九曰北極雷(구왈북극뢰), 十曰紫微璿樞雷(십왈자미선추뢰), 十一曰神霄雷(십일왈신소뢰),

十二曰仙都雷(십이왈선도뢰), 十三曰太乙轟天雷(십삼왈태을굉천뢰), 十四曰紫府雷(십사왈자부뢰), 十五曰鐵甲雷(십오왈철갑뢰),

十六曰邵陽雷(십육왈소양뢰), 十七曰欻火雷(십칠왈훌화뢰), 十八曰社令蠻雷(십팔왈사령만뢰), 十九曰地祈鴅雷(십구왈지기견뢰),

二十曰三界雷(이십왈삼계뢰), 二十一曰斬壙雷(이십일왈참광뢰), 二十二曰大威雷(이십이왈대위뢰), 二十三曰六波雷(이십삼왈육파뢰),

二十四曰青草雷(이십사왈청초뢰), 二十五曰八卦雷(이십오왈팔괘뢰), 二十六曰混元鷹太雷(이십육왈혼원응태뢰), 二十七曰嘯命鳳雷(이십칠왈소명봉뢰),

二十八曰火雲雷(이십팔왈화운뢰), 二十九曰禹步大統攝雷(이십구왈우보대통섭뢰), 三十曰太極雷(삼십왈태극뢰), 三十一曰劍火雷(삼십일왈검화뢰),

三十二曰內鑑雷(삼십이왈내감뢰), 三十三曰外鑑雷(삼십삼왈외감뢰), 三十四曰神府天樞雷(삼십사왈신부천추뢰),

三十五曰大梵斗樞雷(삼십오왈대범두추뢰), 三十六曰玉晨雷(삼십육왈옥신뢰), 有三十六神(유삼십육신), 晨嘗陳之於太上之前(신상진지어태상지전),

雷法(뇌법), 有七十二階(유칠십이계), 天地賞善罰惡(천지상선벌악), 發生萬物(발생만물), 皆雷也(개뢰야), 雖陰陽之激駁(수음양지격박),

亦由神人之興動(역유신인지흥동), 雷鳴則雨降矣(뇌명즉우강의).

陰陽二氣의 統合으로 成雷하니 雷의 震源은 五巽方이며, 巽方은 神霄眞王의 所用之處라, 眞王은 帝로서 三界를 擁衛케 하며, 眞王의 所居는 神霄玉府요, 神霄玉府는 在於巽이요, 巽方은 天中之地인 고로, 此處를 가리켜 地戶方이라 한다.

또한 巽方은 東南이며, 東南은 太陽의 氣가 結淸하여 光明을 발휘하는 곳인 고로, 元始父祖(元始天尊)께서는 神霄眞王으로 化身하사, 碧霄梵氣之中인 巽方에다 玉府를 마련하사, 二千三百里에 걸쳐, 높이 八十丈의 雷城을 築造하고, 左便에 玉樞五雷使院과 右便에 玉府五雷使院을 設하시고, 天有四方四隅는 九霄로 分하사, 天尊께서는 惟此一霄인 梵氣之中(巽方)에 居하시니, 在心之處가 곧 神이라, 그러므로 神霄라 하시느니라. (원본 45쪽)

眞王이 按治하는 곳은 天尊이 任位하는 都邑이라, 君師로 하여금 列職들을 使하여 天中의 災福을 公司케하고, 物權을 衡平하게 갖도록 하고, 人과 物을 함께 掌하여 生殺之權을 司하며, 啓閉와 生成을 管掌하니, 위로는 天皇에서부터 아래로는 地帝에 이르기까지

雷霆(뇌정)으로서 그 令(영)을 行(행)하지 않음이 없고, 크게는 生死(생사)에서 작게는 枯榮(고영)에 이르기까지 雷霆(뇌정)으로서 다스리지 않는 것이 없다.

雷霆(뇌정)으로서 三界(삼계)를 다스리는 政令(정령)은 三淸上帝(삼청상제)의 所管事(소관사)로서 三淸上聖(삼청상성)이 곧 雷霆(뇌정)의 祖(조)라 하겠다.

十極(십극)의 至尊(지존)도 雷霆(뇌정)이 基本(기본)이고, 昊天(호천)의 玉皇上帝(옥황상제)도 雷霆(뇌정)으로 號令(호령)하며, 그 后(후)인 土王(토왕) 地祇(지기)도 雷霆(뇌정)으로 節制(절제)를 한다.

雷(뇌)에는 五雷(오뢰)와 十雷(십뢰)가 있고, 더 세분하면 三十六雷(삼십육뢰)까지도 있으며, 五雷(오뢰)를 관장하는 者(자)는 北極(북극)의 紫微大帝(자미대제)이시다.

五雷(오뢰)란,

天雷(천뢰), 人雷(인뢰), 地雷(지뢰), 水雷(수뢰), 龍雷(용뢰)를 말하고,

十雷(십뢰)란,

一曰玉樞雷(일왈옥추뢰), 二曰神霄雷(이왈신소뢰), 三曰大洞雷(삼왈대동뢰), 四曰仙都雷(사왈선도뢰), 五曰北極雷(오왈북극뢰), 六曰太乙雷(육왈태을뢰), 七曰(칠왈)

紫府雷(자부뢰), 八曰玉晨雷(팔왈옥신뢰), 九曰太霄雷(구왈태소뢰), 十曰太極雷(십왈태극뢰)를 말하며,

三十六雷(삼십육뢰)란,

一曰玉樞雷(일왈옥추뢰), 二曰玉府雷(이왈옥부뢰), 三曰玉柱雷(삼왈옥주뢰), 四曰上淸大洞雷(사왈상청대동뢰), 五曰火輪雷(오왈화륜뢰), 六曰灌斗雷(육왈관두뢰), 七曰風火雷(칠왈풍화뢰), 八曰飛捷雷(팔왈비첩뢰), 九曰北極雷(구왈북극뢰), 十曰紫微璿樞雷(십왈자미선추뢰), 十一曰神霄雷(십일왈신소뢰), 十二曰仙都雷(십이왈선도뢰), 十三曰太乙轟天雷(십삼왈태을굉천뢰), 十四曰雷紫府雷(십사왈뢰자부뢰), 十五曰雷鐵甲雷(십오왈뢰철갑뢰), 十六曰雷邵陽雷(십육왈뢰소양뢰), 十七曰雷欻雷(십칠왈뢰훌뢰), 十八曰雷社令蠻雷(십팔왈뢰사령만뢰), 十九曰地祈鳪雷(십구왈지기견뢰), 二十曰三界雷(이십왈삼계뢰), 二十一曰斬壙雷(이십일왈참광뢰), 二十二曰大威雷(이십이왈대위뢰), 二十三曰六波雷(이십삼왈육파뢰), 二十四曰青草雷(이십사왈청초뢰), 二十五曰八卦雷(이십오왈팔괘뢰), 二十六曰混元鷹太雷(이십육왈혼원응태뢰), 二十七曰嘯命鳳雷(이십칠왈소명봉뢰), 二十八曰火雲雷(이십팔왈화운뢰), 二十九曰禹步大統攝雷(이십구왈우보대통섭뢰), 三十曰太極雷(삼십왈태극뢰), 三十一曰劍火雷(삼십일왈검화뢰), 三十二曰內鑑雷(삼십이왈내감뢰), 三十三曰外鑑雷(삼십삼왈외감뢰), 三十四曰神府天樞雷(삼십사왈신부천추뢰), 三十五曰大梵斗樞雷(삼십오왈대범두추뢰), 三十六曰玉晨雷(삼십육왈옥신뢰) 等(등)이 그것이다.

太上之前에 三十六神이 堵列해 있어 嚴肅하기가 이를 데 없으며, 雷霆이 三界를 다스리는 法은 七十二단계가 있어, 이로써 天地間의 賞善罰惡을 다스리고 發生케 함도 모두가 雷霆神이 專司하니, 비록 陰陽의 激駁이 있다고 할지라도 神人이 發動함으로 해서 雷鳴이 있게 되고, 雷鳴이 있으면 降雨라 한다.

의왈
義曰,

뇌지위뢰 대의재 고 삼계십방 천성지진
雷之爲雷, 大矣哉, 故, 三界十方, 天聖地眞,
각사유언 유구천옥청진왕 총치기영야
各司有焉, 惟九天玉淸眞王, 總治其令也.

◀해설解說

雷는 雷震으로서 그 위력이 참으로 커서 三界十方의 天聖과 地眞들까지도 모두가 雷霆神으로 하여금 各方을 管司케 하니, 이는 오직 九天玉淸眞王이 總治하는 바, 그 律令인 것이다.

석왈
釋曰,

뇌자 뢰야 시이 출만유이기품야 숙불지뢰 내음양이기지격박
雷者, 賴也, 是以, 出萬類而起品也, 孰不地雷, 乃陰陽二氣之激駁,

각유소불괵악주사 구풍역우자하야 범속무지 기식원시생살지기
各有所不馘惡誅邪, 驅風役雨者何耶, 凡俗無知, 豈識元始生殺之機,

옥청진왕지묘용야
玉淸眞王之妙用也. (원본 47쪽)

◀ 해설 解說

雷(뇌)는 萬類(만유)를 일깨워서 그 品性(품성)을 드러나게 함으로써 賴(뇌)라고 하니, 이는 자연의 순환 반복을 확실히 믿을 수 있게 신뢰를 갖게 해주는 확고한 機微(기미)가 되기 때문이다. 그러나 無知(무지)하고 凡俗(범속)한 衆生(중생)들이 元始天尊(원시천존)의 生殺之機(생살지기)를 어찌 알며, 玉淸眞王(옥청진왕)의 妙用(묘용)인들 어찌 알 수가 있겠는가 말이다.

찬왈
讚曰,

이기지정 오행지령
理氣之正, 五行之令,

참귀주사 천인향응
斬鬼誅邪, 天人響應,

◀ 해설 解說

理氣(이기)의 正道(정도)와 五行(오행)의 律令(율령)으로서,
鬼邪(귀사)를 誅斬(주참)하니, 天人(천인)이 이에 함께 響應(향응)한다.

講曰(강왈),

雷者(뇌자), 動也(동야), 始也(시야), 初也(초야), 發也(발야), 天地(천지), 雷而分(뇌이분), 陰陽由雷而昇降(음양유뢰이승강), 萬物由雷(만물유뢰)而發生(이발생), 四時由雷而往來(사시유뢰이왕래), 蜫蟲草木(곤충초목), 由雷而生死(유뢰이생사), 雷能生物(뇌능생물), 雷能殺物(뇌능살물), 雷能起物(뇌능기물), 雷能止物(뇌능지물), 人不雷動(인불뢰동), 四肢不動(사지부동), 清濁不辨(청탁불변), 是非莫擇(시비막택), 肉身之雷(육신지뢰), 使人(사인), 動作(동작), 成盛衰興敗之數(성성쇠흥패지수), 諸天之雷(제천지뢰), 總萬類而行權(총만류이행권), 至於草木礪石土壤之類(지어초목려석토양지류), 亦由雷而生死合散也(역유뢰이생사합산야).

▶ 해설 解說

雷者(뇌자)는 動也(동야), 始也(시야), 初也(초야), 發也(발야)라고 하니, 天地(천지)는 雷(뇌)로 말미암아 兩儀(양의)로 分(분)해 있고, 陰陽(음양)은 雷(뇌)로서 昇降(승강)하며, 萬物(만물)은 雷(뇌)로서 발생하고, 四時(사시)도 雷(뇌)로 말미암아 往來(왕래)하며,

곤충이나 草木(초목)도 雷(뇌)로 말미암아 生死(생사)를 되풀이한다. 그러므로 雷者(뇌자)는 능히 萬物(만물)을 生(생)하고, 또 능히 萬物(만물)을 殺(살)할 수도 있으며, 또 雷(뇌)는 능히 起物(기물)하고, 雷(뇌)는 능히 止物(지물)할 수도 있으니, 사람도 雷動(뇌동)함이 없으면 四肢(사지)가 不動(부동)하며 清濁(청탁)도 不辨(불변)인 고로, 是非曲直(시비곡직)을 가릴 수 있는 분별력을 갖지 못한다.

肉身之雷(육신지뢰)는 사람으로 하여금 제반 動作(동작)이며, 成盛(성성)과 衰(쇠), 그리고 興(흥)하고 敗(패)함을 되풀이하게 하고, 諸天之雷(제천지뢰)는 萬類(만유)를 총괄하여 行權(행권)을 恣行(자행)하니, 草木(초목)이나 磚石(전석) 및 土壤之類(토양지류)에 이르기까지, 모두 다 雷(뇌)로 말미암아 生死合散(생사합산)을 自在(자재)로 하게 된다. (원본 48쪽)

聲(성),

註曰(주왈),

聲者(성자), **天地之仁聲也**(천지지인성야), **春分五日**(춘분오일), **雷乃發聲**(뇌내발성), **可聞百里**(가문백리), **震九天而動九地**(진구천이동구지), **驚四海而翻四溟**(경사해이번사명), **太上曰**(태상왈), **吾不發陰陽之聲**(오불발음양지성), **吾之大音無以召**(오지대음무이소), **故**(고), **鼓之以雷霆**(고지이뢰정),

이성소기야 뇌제지전 유뢰고삼십육면 범행뢰지시 뇌제친격본부뢰고일하
以聲所氣也, 雷帝之前, 有雷鼓三十六面, 凡行雷之時, 雷帝親擊本部雷鼓一下,
즉시 뇌공뢰신 흥발뢰성야
即時, 雷公雷神, 興發雷聲也.

◀ 해설解說

聲이란 天地之間에 가장 어진 소리(仁聲)로서, 春分五日에 雷聲이 發하게 되면 百里에까지 그 소리가 울려 퍼질 뿐만 아니라, 이때에는 九天이 震하고, 九地가 動하며, 四海가 驚하고, 四瀆이 翻하니, 그야말로 驚天動地에 搖之日月하니, 아무튼 雷聲의 파급은 그만큼 커서 凡宇宙的인 파급을 일으킨다고 할 수 있겠다.

太上께서 이르시기를, (원본 49쪽)

[내가 큰 소리로서 陰陽之聲을 發하지 않는다면 무엇으로서 萬類를 불러 일깨울 수가 있겠는가? 그러므로 雷霆으로 하여금 鼓를 울려 三界를 震動하게 하니, 그 소리로 氣를 불러 萬類를 일깨우느니라.]고 하시었다.

雷帝의 面前에는 三十六個의 雷鼓가 있어, 무릇 行雷之時에는 雷帝께서 本部의 雷鼓를 친히 一擊하면 즉시 雷公이 雷霆神으로 하여금 雷聲을 發하게 한다.

義曰,

聲, 乃氣之用, 氣, 乃聲之令, 明是辨非, 震萌起蟄, 非雷之令, 何能生也.

◀ 解說 聲者는 氣之用이며, 氣者는 聲之令이니, 是非를 밝게 가려줌과 아울러 草木을 震動시켜 싹트게 하고, 冬眠에 들어 있는 벌레들을 일깨우는 역할도 모두가 다 雷의 명령인 것이니, 만일 雷聲이 없었다면 萬類가 어찌 起萌할 수가 있었겠는가?

釋曰,

聲者, 令也, 聽也, 天無聲, 雷霆不行, 地無聲, 草木不萌, 人無聲, 清濁不明, 所以聲, 爲一身之本, 乃陰陽之元氣也.

◀ 解說 聲이란 곧 令이며 聽이니, 만일 天無聲이면(無令이면) 雷霆은 行雷치 아니하고, 地無聲이면 草木도 不萌하고, 人無聲이면 清濁이 不明하니, 고로 所以聲은 一身之本이요,

陰陽之元氣이니라.

讚曰, (원본 50쪽)

廣宣帝德起群生, 三界英靈側耳聽,

寞道老天無一語, 須知司令有雷鳴.

◀ 해설 解說

雷帝의 베푸는 功德으로 億兆群生을 回生시키니,

三界의 萬靈들도 가까이서 귀 기울이네!

老天이 말 없다 말하지 마라,

우람찬 雷鳴소리! 그것은 곧 雷祖의 司令인 것을,

모름지기 그대들은 알아야 할지어다.

講曰,

聲者, 雷之用, 雷之體, 天以風, 代聲制物, 人以氣, 代風成物, 人以聲,
發智慧以醒濁愚, 天以聲, 別陰陽以順五行, 無窮造化, 由玉以顯, 由聲以隱.

◀ 해설 解說

聲者는 雷之門이요, 雷者는 聲之體라, 天은 風으로서 代聲制物하고, 人은 氣로서 代風成物하며, 天은 聲으로서 陰陽五行을 구별하고, 또 人은 聲으로서 智慧를 發하여 濁愚를 깨닫게 하니, 무궁한 造化는 玉처럼 顯했다 소리(聲)처럼 隱하는구나.

제이장 재옥청천중장 해설
第二章 在玉清天中章 解說 (원본 51쪽)

爾時(이시) 九天應元雷聲普化天尊(구천응원뢰성보화천존)이,

在玉清天中(재옥청천중)하사 與十方諸天帝君(여십방제천제군)으로 會於玉虛九光之殿(회어옥허구광지전)과 鬱蕭彌羅之館(울소미라지관)과 紫極曲密(자극곡밀)之房(지방)하사 閱太幽碧瑤之笈(열태유벽요지급)하시며 巧洞微明晨之書(교동미명신지서)하시며 交頭接耳(교두접이)하사 細議重玄(세의중현)하시니

諸多陪臣(제다배신)이 左右蹴蹐(좌우축적)하니라,

天尊(천존)이 宴坐(연좌)하사 郎頌洞章(낭송동장)하시니 諸天帝君(제천제군)이 長吟步虛(장음보허)하며 綵女仙姝(채녀선주)가 散花仙繞(산화선요)라가 復相引領(부상인령)하야 遊戲翠宮(유희취궁)하니 群仙導前(군선도전)하고 先節後鉞(선절후월)하며 龍旂鸞輅(용기란로)로 飄飆太空(표요태공)하다가

倂集于玉梵七寶層臺(병집우옥범칠보층대)하니,

제이장 재옥청천중장
第二章 在玉清天中章

이시구천응원뢰성보화천존 재옥청천중 여십방제천제군 회어옥허구광지전 울소미라
爾時九天應元雷聲普化天尊 在玉清天中 與十方諸天帝君 會於玉虛九光之殿 鬱蕭彌羅

之館 紫極曲密之房 閱太幽碧瑤之笈 巧洞微明晨之書 交頭接耳 細議重玄 諸多陪臣
지관 자극곡밀지방 열태유벽요지급 교동미명신지서 교두접이 세의중현 제다배신

左右蹴踖 天尊宴坐 郎頌洞章 諸天帝君 長吟步虛 綵女仙姝 散花仙繞 復相引領
좌우축적 천존연좌 랑송동장 제천제군 장음보허 채녀선주 산화선요 부상인령

遊戲翠宮 群仙導前 先節後鉞 龍旂鸞輅 飄颻太空 併集于玉梵七寶層臺
유희취궁 군선도전 선절후월 용기란로 표요태공 병집우옥범칠보층대

第二章 解說 제이장 해설 (원본 52쪽)

九天應元雷聲普化天尊께서는 天上의 玉淸宮에 居하시며 十方諸天帝君과 더불어, 玉虛九光之殿이며 鬱蕭彌羅之館과 紫極曲密之房을 둘러보시며, 太幽碧瑤之笈과 巧洞微明晨之書를 열람하시며, 서로 머리를 끄덕이면서 귀를 맞대고 조용한 가운데서 玄妙하고도 중대한 의논을 세밀히 하시니, 함께한 많은 무리들이 조심스레 뒤를 따르더라.

이에 天尊은 宴座에 앉으시어 洞章을 낭송하시니, 諸天帝君이 長吟步虛하고, 綵女仙姝는 뭇 仙女들께 둘러싸인 채, 꽃을 뿌리면서 遊戲翠宮으로 무리를 引導할 때, 君仙이 先導하고, 先節後鉞로 위엄을 갖춘 뒤에, 龍旂鸞輅를 옹위하여 太空中을 飄颻하다가 玉

梵七寶層臺위로 함께 모이니,

註曰,

自浮黎元始天尊, 生九子玉清眞王, 化生雷聲普化天尊, 天尊, 以歷劫應化, 隨時示號, 本元始祖, 劫一氣分眞, 乃玉淸眞王, 九霄主帝, 一月四辰, 監觀萬天, 浮游三界, 九州萬國, 賞善錄愆, 是爲善化至大至貴也.

▲解說 黎明之間을 自在로 浮遊하는 天尊께서는 九子의 玉淸眞王을 生한 연후에, 다시금 당신께서 雷聲普化天尊으로 化生하시니, 天尊은 億劫을 통하여 수시로 應化로서 令을 發하신다.

本元始祖(自浮黎元始天尊)께서는 一氣로서 하늘을 九霄로 分하시어 九子의 玉淸眞王으로 하여금 九霄를 主帝케 하시고, 스스로는 一月四時를 주관하시며 三界를 浮遊하사, 監觀萬天으로 九州萬國의 治政을 賞善錄愆하시니, 그러므로 普化天尊의 威力은 至高至

大(대)하시니라.

義曰(의왈),

天卽我(천즉아), 我卽天(아즉천), 發願廣大(발원광대), 化形十方(화형십방), 凡諸衆生(범제중생), 能歸心向道(능귀심향도), 我當以身(이당이신), 身之(신지),

非天尊普化以何(비천존보화이하).

◀ 해설 解說

天(천)卽(즉) 我(아)요, 我(아)卽(즉) 天(천)이라 하니, 이는 곧 天人合發(천인합발)을 뜻하므로 我(아)가 한번 廣大(광대)한 發願(발원)을 하게 되면, 十方諸天(십방제천)의 凡諸衆生(범제중생)들 까지도 化形(화형)하게 하여서 歸心向道(귀심향도)케 하리라.

我當以身(아당이신)이 天尊(천존)이 아니라면 어찌 衆生(중생)을 善化(선화)할 수 있겠는가?

釋曰(석왈),

天無私(천무사), 日月垂明(일월수명), 天有德(천유덕), 人物興生(인물흥생), 是故(시고), 我天尊(아천존), 代天行道(대천행도), 德施三界(덕시삼계),

使淸者(사청자), 爲聖(위성), 濁者入淸(탁자입청), 凡諸有身有形者(범제유신유형자), 俾濟仙阼(비제선조), 共成一氣(공성일기).

◀ 해설 解說

天道(천도)는 私心(사심)이 없어 古往今來(고왕금래)로 日月(일월)을 내리비치어 세상을 밝혀주고, 天道(천도)는 有德(유덕)하여 人物(인물)을 興生(흥생)케 한다.

그러므로 天尊(천존)은 天道(천도)를 代行(대행)하여 三界(삼계)를 施德(시덕)하니, 淸(청)한 者(자)로 하여금 列聖(열성)의 반열에 오르게 하고, 濁者(탁자)로 하여금 淸淨(청정)한 경지에 들게 함으로써, 몸과 形象(형상)을 나타내는 凡諸(범제)의 有情無情之類(유정무정지류)들을 모두 功成一氣(공성일기)로서 入仙(입선)케 하여 仙界(선계)에 길이 머물게 해주리라.

讚曰(찬왈),

好生之德下能量(호생지덕하능량), 闡敎諸天及十方(천교제천급십방),

高處玉淸治雷府(고처옥청치뢰부), 萬神朝服雷眞王(만신조복뢰진왕).

◀ 해설 解說

헤아릴 수 없는 好生之德(호생지덕)을 十方諸天(십방제천)에 두루 펼치니, 雷府(뇌부)를 다스리는 玉淸眞王(옥청진왕)께 萬神(만신)이 찾아들어 朝禮(조례)를 올리네.

講曰, (원본 54쪽)
강왈

普化, 十方諸天, 一準帝令, 不亂不雜也, 天尊總轄九天, 九天之上, 有天尊府,
보화 십방제천 일준제령 불란불잡야 천존총할구천 구천지상 유천존부

天尊府中, 有普化天尊, 諸天之王, 造化之祖, 萬靈萬神, 受命於天尊,
천존부중 유보화천존 제천지왕 조화지조 만령만신 수명어천존

行化於諸天諸地, 上至群仙, 下至蠢動, 無非天尊之化民, 衆天帝君, 每會於天尊府,
행화어제천제지 상지군선 하지준동 무비천존지화민 중천제군 매회어천존부

細議重玄, 各受命而去, 一會一萬三千五百年, 一萬三千五百年經過則,
세의중현 각수명이거 일회일만삼천오백년 일만삼천오백년경과즉

又會於天尊府玉虛九光之殿, 此於人則一萬三千五百息內, 元氣通於四肢百骸,
우회어천존부옥허구광지전 차어인즉일만삼천오백식내 원기통어사지백해

三百六十骨節, 一萬三千五百息, 經過則元氣, 復會於泥丸, 發始于子時, 終于亥時,
삼백육십골절 일만삼천오백식 경과즉원기 복회어니환 발시우자시 종우해시

一輪回則, 日月, 變爲一晝夜, 天上之大範圍, 小比於人則, 毫毛不差矣.
일륜회즉 일월 변위일주야 천상지대범위 소비어인즉 호모불차의

◀ 해설 解說

一準(일준)의 帝令(제령)으로 十方諸天(십방제천)을 普化(보화)함에 있어서는 추호의 亂(난)함과 티끌만큼의 雜(잡)함이 없이 整然(정연)한 가운데 行(행)해지는 것이니, 天尊(천존)은 發號始令(발호시령)으로서 三界萬王(삼계만왕)을 總豁(총활)하는 尊靈(존령)한

분이시다.

三十六天上(삼십육천상)에 九天(구천)이 있고, 九天之上(구천지상)에 天尊府(천존부)가 있으며, 天尊府(천존부) 中(중)에는 普化天尊(보화천존)이 계시니, 그 분은 諸天之王(제천지왕)이시며 造化祖(조화조)이시니, 그의 領城(영성)과 靈量(영량)은 萬靈(만령) 中(중)에 最靈(최령)하시고 萬神(만신) 中(중)에 으뜸이어서, 天尊(천존)의 令(영)을 받아 普化德施(보화덕시)하면 諸天諸地(제천제지)에 속한 一切(일체)의 上至群仙(상지군선)과 下至蠢動(하지준동)에 이르기까지, 모두 다 天尊(천존)의 臣民(신민)으로 普化(보화)되지 않는 것이 없다.

群仙帝君(군선제군)은 매양 天尊府(천존부)에서 細議重玄(세의중현)한 다음, 각기 令(영)을 받아 돌아간 뒤에, 一萬(일만) 三千五百年(삼천오백년)이 경과하면 다시금 天尊府(천존부) 中(중)의 玉虛九光之殿(옥허구광지전)에 모여서 회의를 연다. 비교컨대, 사람이 一萬三千五百息(일만삼천오백식)을 하면 內氣(내기)가 四肢百骸(사지백해)의 三百六十骨節(삼백육십골절)에 통하게 됨과 같은 이치가 된다.

제삼장 뇌사계백장 해설
第三章 雷師啓白章 解說 (원본 56쪽)

時有雷師皓翁(시유뢰사호옹)이 於仙衆中(어선중중)에 越班以出(월반이출)하사 面(면) 天尊前(천존전)하여 頻顒作禮(부시작례)하시고 勃變長跪(발변장궤)하사 上白天尊言(상백천존언)하사대 天尊(천존)이 大慈(대자)하시며 天尊(천존)이 大聖(대성)하사 爲群生父(위군생부)하시며 爲萬靈師(위만령사)하시니 今者諸天(금자제천)이 咸此良覿(함차량적)하옵더니 適見天尊(적견천존)이 閱寶笈(열보급)하시고 玫瓊書(고경서)하오신데 於中秘賾(어중비색)을 不可縷計(불가루계)하오며 唯有玉霄一府(유유옥소일부)의 所統三十六天(소통삼십육천)과 內院中司(내원중사)와 東西華臺(동서화대)와 玄館玅閣(현관묘각)과 四府六院(사부육원)과 及諸有司(급제유사)며 各分曹局(각분조국)하니 所謂總司五雷(소위총사오뢰)하며 天臨三界者也(천임삼계자야)로이다. 天尊(천존)이 至皇(지황)하사 心親庶政(심친서정)하시니 此等小兆(차등소조)를 以何因緣(이하인연)으로 得以趨福(득이추복)하온지 願告欲聞(원고욕문)하노이다.

제삼장 뇌사계백장
第三章 雷師啓白章

시유뢰사호옹 어 선중중 월반이출 면 천존전 부시작례 발변장궤 상백천존언
時有雷師皓翁 於 仙衆中 越班以出 面 天尊前 頻顒作禮 勃變長跪 上白天尊言

천존대자 천존대성 위 군생부 위 만령사 금자제천 함차양적 적견천존 열보급
天尊大慈 天尊大聖 爲 群生父 爲 萬靈師 今者諸天 咸此良覿 適見天尊 閱寶笈

고경서 어중비색 불가루계 유유옥소일부 소통삼십육천 내원중사 동서화대
攷瓊書 於中秘賾 不可縷計 唯有玉霄一府 所統三十六天 內院中司 東西華臺

현관묘각 사부육원 급제유사 각분조국 소위총사오뢰 천림삼계자야 천존지황
玄館玅閣 四府六院 及諸有司 各分曹局 所謂總司五雷 天臨三界者也 天尊至皇

심친서정 차등소조 이하인연 득이추복 원고욕문
心親庶政 此等小兆 以何因… 得以趨福 願告欲聞

第三章 解說 제삼장 해설 (원본 57쪽)

이때에 雷師皓翁(뇌사호옹)이 重仙(중선)가운데서 班列(반열)을 뛰어넘고 나와, 天尊(천존)의 面前(면전)에 이르러 머리 숙여 禮(예)를 갖춘 다음, 황망히 무릎 꿇고 天尊(천존)을 향해 말씀하기를, 「天尊(천존)은 참으로 大慈(대자)하시며, 참으로 大聖(대성)하사, 모든 무리의 生父(생부)이시고, 또한 萬靈(만령)의 師(사)가 되시사, 諸天(제천)이 이에 感服(감복)하옵더니, 마침내 天尊(천존)이 이를 適見(적견)하시고 寶笈(보급)을 閱覽(열람)하사, 瓊書(경서)를 尚攷(상고)하실제, 於中秘賾(어중비색)을을 어찌 헤아리지 못하겠으며, 唯有玉霄一府(유유옥소일부)와 所統三十六天(소통삼십육천)과 內院中司(내원중사)와

東西華臺(동서화대)와 玄館紗閣(현관묘각)과 四府六院(사부육원) 및 及諸有司(급제유사) 등을 各分曹局(각분조국)하여, 이른바 五雷(오뢰)를 總司(총사)하여, 天(천)이 三界(삼계)에 臨(임)하게 하는 者(자)도 모두가 天尊(천존)이시다.

天尊(천존)이 至皇(지황)하사 마음껏 친히 庶政(서정)을 베푸시니, 이와 같은 작은 징조를 어찌 인연으로 받아들이지 않겠으며, 이로 말미암아 得以趨福(득이추복)할 수 있는지를 아뢰옵기 원하오며, 또 그 해답을 듣기 바라나이다.

* 於中秘賾(어중비색)· · · · 寶笈(보급)과 瓊書(경서) 中(중), 幽深(유심)하고도 難見(난견)한 가장 秘奧(비오)스러운 理致(이치).

* 至皇(지황)하사· · · · 皇(황)은 地之中心(지지중심)인 고로 坤土(곤토)를 말하므로 至皇(지황)이란 곧 天尊(천존)께서 땅에 臨(임)하셨다는 뜻이 된다.

註曰(주왈),

雷師皓翁(뇌사호옹), 乃帝宸元老卿師(내제신원로경사), 重臣也(중신야), 玉霄府(옥소부), 即高上神霄天中玉清眞王府(즉고상신소천중옥청진왕부), 居(거)

三十六天之上, 天中, 有玉殿, 東曰蕋珠, 西曰碧玉, 北曰青華, 南曰應神,
삼십육천지상 천중 유옥전 동왈예주 서왈벽옥 북왈청화 남왈응신

中曰長生, 又有太乙, 內院, 可韓, 中司, 東西二臺, 四曹六局, 外有大梵紫微之閣,
중왈장생 우유태을 내원 가한 중사 동서이대 사조육국 외유대범자미지각

仙都火雷之館, 皆有玉府, 左玄右玄, 金闕, 侍中, 僕射, 上相, 眞仙眞伯,
선도화뢰지관 개유옥부 좌현우현 금궐 시중 복사 상상 진선진백

卿監侍宸, 仙郎五郎, 玉童玉女, 左右司摩, 諸部雷神, 官軍將吏, 上通三十六天,
경감시진 선랑오랑 옥동옥녀 좌우사마 제부뢰신 관군장리 상통삼십육천

*東方八天謂: 高上道寂天, 高上陽岐天, 高上洞光天, 高上刺冲天, 高上玉靈天,
동방팔천위 고상도적천 고상양지천 고상동광천 고상자충천 고상옥령천

高上清虛天, 高上微果天, 高上正心天
고상청허천 고상미과천 고상정심천

*南方八天謂: 高上道元天, 高上太皇天, 高上玄中天, 高上極眞天, 高上梵氣天,
남방팔천위 고상도원천 고상태황천 고상현중천 고상극진천 고상범기천

高上輔帝天, 高上玄宗天, 高上歷變天,
고상보제천 고상현종천 고상역변천

* 서방팔천위 고상좌강천 고상주화천 고상부임천 고상보화천 고상정정천
西方八天謂: 高上左罡天, 高上主化天, 高上符臨天, 高上保華天, 高上定精天,

고상청화천 고상경랑천 고상단정천
高上青華天, 高上景琅天, 高上丹精天,

* 북방팔천위 고상안단천 고상광종천 고상호제천 고상희현천 고상우사천
北方八天謂: 高上安壇天, 高上廣宗天, 高上浩帝天, 高上希玄天, 高上憂舍天,

고상천루천 고상변선천 고상승현천
高上天婁天, 高上變仙天, 高上升玄天,

* 東北方: 高上敬皇天, 동북방: 고상경황천

* 東南方: 高上移神天, 동남방: 고상이신천

* 西南方: 高上瓊靈天, 서남방: 고상경령천

* 西北方: 高上升極天, 서북방: 고상승극천

하진삼십육루 매방유구양 범기 이응 일년 유삼십육기 매십일 일기상응천
下鎮三十六壘, 每方有九陽, 梵氣, 以應, 一年, 有三十六氣, 每十日, 一氣上應天,

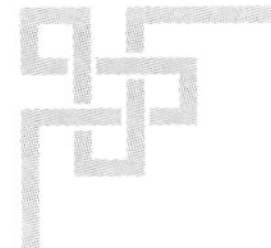

유일제 통치일기 천선신귀 공과부여 본천 교감 공자 열명본천 과자
維一帝, 統治一氣, 天仙神鬼, 功過付與, 本天, 校勘, 功者, 列名本天, 過者,

수어본천 천옥 범선악사삼십육루 황군주상신소옥부이규찰야 매천각유용신
囚於本天, 天獄, 凡善惡事三十六壘, 皇君奏上神霄玉府而糾察也, 每天各有龍神,

흥뢰 생살벌폭주사 망불유지
興雷, 生殺罰暴誅邪, 罔不由之,

사부자 구소옥청부 동극청현부 구천응원부 통윤옥부
*四府者. . 九霄玉清府, 東極青玄府, 九天應元府, 洞淵玉府,

육원자 태을내원 옥추원 옥뢰원 두추원 씨양원 선도화뢰원
*六院者. . 太乙內院, 玉樞院, 玉雷院, 斗樞院, 氏陽院, 仙都火雷院,

사 급제조원자사
司, 及諸曹院子司,

범세간 항양위학 풍우불시 우장망동 기근천진 개청명옥부 경유옥추
凡世間, 亢陽爲虐, 風雨不時, 于丈妄動, 饑饉荐臻, 皆請命玉府, 經由玉樞,

대시분야 겸판삼사 장병삼계귀신 공과거제여민 응뇌정 제사원부
大市分野, 兼判三司, 將兵三界鬼神, 功過巨濟黎民, 應雷霆, 諸司院府,

竝佐玉樞之政, 稟聽施行, 至於雷霆斧鉞, 慶賞刑威, 有條不紊, 悉有分司, 或曰兼司, 辛司, 巡察官司, 皆設曹局, 官僚任職, 是以, 玉霄一府, 總司五雷天臨三界者也.

◀ 解說

雷師皓翁은 在震(帝宮)의 元老卿師인 동시에 重臣이시다.

玉霄府는 高上神霄天中의 玉淸眞王府로서, 三十六天之上의 天中에 居하고, 三十六天之上의 天中에는 有五殿이니, 곧 東曰 蕋珠, 西曰 碧玉, 南曰 凝神, 北曰 靑華, 中曰 長生, 又有太乙, 內院, 可韓, 東西二臺, 四曹四局, 外有大梵紫微之閣, 仙都火雷之館, 그리고 모든 玉府에는 左玄右玄, 金闕, 侍中, 僕射, 上相, 眞仙眞伯, 卿監, 侍宸, 仙郎玉郎, 玉童玉女, 左右司摩, 諸部雷神, 官君將吏 등과, 또한 上統 三十六天 가운데는 東方八天, 南方八天, 西方八天, 北方八天하여 三十二天과 東北, 東南, 西南, 西北에 各有一天하니 도합 三十六天이 된다.

東方八天(동방팔천)에는,
高上道寂天(고상도적천), 高上陽岐天(고상양기천), 高上洞光天(고상통광천), 高上紫沖天(고상자충천),
高上玉靈天(고상옥령천), 高上清虛天(고상청허천), 高上微果天(고상미과천), 高上正心天(고상정심천),

南方八天(남방팔천)에는,
高上道元天(고상도원천), 高上太皇天(고상태황천), 高上玄中天(고상현중천), 高上極眞天(고상극진천),
高上梵氣天(고상범기천), 高上輔帝天(고상보제천), 高上玄宗天(고상현종천), 高上歷變天(고상역변천),

西方八天(서방팔천)에는, (원본 60쪽)
高上左罡天(소상좌강천), 高上主化天(고상주화천), 高上符臨天(고상부임천), 高上保華天(고상보화천),
高上定精天(고상정정천), 高上青華天(고상청화천), 高上景琅天(고상경랑천), 高上丹精天(고상단정천),

北方八天(북방팔천)에는,
高上安壇天(고상안단천), 高上廣宗天(고상광종천), 高上浩帝天(고상호제천), 高上希玄天(고상희현천),

高上憂舍天(고상우사천), 高上天婁天(고상천루천), 高上變仙天(고상변선천), 高上升玄天(고상승현천),
東北方(동북방)에는 高上敬皇天(고상경황천),
東南方(동남방)에는 高上移神天(고상이신천),
西南方(서남방)에는 高上瓊靈天(고상경령천),
西北方(서북방)에는 高上升極天(고상승극천).

이상은 十方諸天(십방제천)(三十六天(삼십육천))의 명칭을 열거한 것이다.

下鎮(하진) 三十六壘(삼십육루) 가운데는 每壘(매루)에 九陽(구양)이 있어 淸淨(청정)한 氣(기)가 이에 應(응)하니, 고로 一年(일년)은 三十六氣(삼십육기)가 된다.

每十日(매십일)마다 一氣(일기)가 天上(천상)에 應(응)하고, 維一帝(유일제)가 一氣(일기)를 통치하니, 天仙(천선)과 神鬼(신귀)의 功過(공과)를 이에 賦與(부여)시켜 本天(본천)에 校勘(교감)하여, 功者(공자)는 本天(본천)에 列名(열명)하고 過者(과자)는 本天(본천)의 天獄(천옥)에 囚獄(수옥)하니, 무릇 善惡事(선악사)를 三十六壘(삼십육루)의 皇君(황군)에 奏上(주상)하면 神霄玉府(신소옥부)에서는 이를 糾察(규찰)하사,

每天(매천)의 各有龍神(각유용신)과 雷霆神(뇌정신)으로 하여금 生殺(생살)과 伐暴(벌폭), 그리고 誅邪(주사) 等事(등사)가 다시는 없게 다스린다.

또한 天上(천상)에는 四府(사부)와 六院(육원)이 있으니,

四府(사부)란,

九霄玉淸府(구소옥청부), 東極靑玄府(동극청현부), 九天應元府(구천응원부), 洞淵玉府(동윤옥부)가 그것이고,

六院府(육원부)란,

太乙內院(태을내원), 玉樞院(옥추원), 玉雷院(옥뢰원), 斗樞院(두추원), 氏陽院(씨양원), 仙都火雷院(선도화뢰원) 등을 말한다. (원본 61쪽)

또 諸般司者(제반사자)가 있으니,

天部霆司(천부정사), 蓬萊都水司(봉래도수사), 太乙雷霆司(태을뢰정사), 北帝雷霆司(북제뢰정사), 北斗征伐司(북두정벌사), 北斗防衛司(북두방위사), 玉府雷霆九司(옥부뢰정구사), 諸曹院子司(제조원자사) 등의 제 기관이 그것으로서, 世間(세간)에 亢陽爲虐(항양위학)을 하는 者(자)나, 風雨(풍우)가 때를 가리지 않고 일어나거나, 干戈妄動(간과망동)이 生(생)하거나, 饑饉(기근)이 일어나거나 할 때는 모두 玉府(옥부)에 請命(청명)하면 玉樞院(옥추원)을 경유한 뒤, 大市分野(대시분야)를 겸한 三司(삼사)의 판결을 거쳐, 將兵(장병)

이 三界鬼神(삼계귀신)들로 하여금 어지러운 백성들을 각기 功過(공과)에 따라 巨濟(거제)할 제, 이에 雷霆(뇌정)이 諸司院府(제사원부)와 竝(병)하여 玉樞之政(옥추지정)의 稟啓(품계)를 聽(청)하여 이를 시행하며, 이에 雷霆(뇌정)은 斧鉞(부월)로서 慶賞刑威(경상형위)를 행할 때, 이때에 律條(율조)가 추호도 분란함이 없이 각기 分司(분사)된 직분에 따라(兼司(겸사), 行司(행사), 巡察官詞(순찰관사)) 皆設曹局(개설조국)하여 觀察(관찰)로 任職(임직)시키니, 이것이 곧 玉霄一府(옥소일부)의 總司五雷(총사오뢰)와 天臨三界(천임삼계)를 總司(총사)하는 者(자)들인 것이다.

義曰(의왈),

天尊(천존), 以瓊書瑤笈(이경서요급), 故化天眞(고화천진), 雷師(뇌사), 黙會天尊之旨(묵회천존지지), 上請方便之門(상천방편지문), 一時君臣(일시군신), 體異心同(체이심동), 無非活群生之徑路也(무비활군생지경로야), 誦經君子之此(송경군자지차), 當以雷師之心(당이뢰사지심), 其功(기공), 有自歸矣(유자귀의).

◀ 해설 解說

天尊(천존)은 瓊書瑤笈(경서요급)으로서 天上(천상)의 眞理(진리)를 化行(화행)할 때, 雷師(뇌사)가 黙會(묵회)하여 天尊(천존)의 秘旨(비지)를 當(당)該方便(해방편)의 門(문)에가서 上請(상청)하니, 一時(일시)에 君臣(군신)이 體異身同(체이신동)으로 호응하여 無非活群生(무비활군생)들을

普化(보화)케 하는 徑路(경로)를 삼게 해준다.

君子(군자)는 至心(지심)으로 誦經(송경)(瓊書瑤笈(경서요급) 즉, 玉樞寶經(옥추보경))하면 雷師之心(뇌사지심)이 發(발)하니, 그 功(공)으로 自在(자재)로이 野出(야출)할 수 있게 된다.

釋曰(석왈), (원본 62쪽)

時我天尊(시아천존), 登寶臺(등보대), 察群品(찰군품), 似言不誤(사언불오), 適雷師皓翁(적뢰사호옹), 職專雷府(직전뢰부), 班越天眞(반월천진),

以己心而識上心故(이기심이식상심고), 自之於天尊之前(자지어천존지전), 我天尊(아천존), 德化無邊(덕화무변), 眞元有自(진원유자), 其玄書秘籙(기현서비록),

不可條請故(불가조청고), 啓三十六天(계삼십육천), 東西二臺(동서이대), 府院諸司之政(부원제사지정), 莫不啓總之於玉霄一府(막불계총지어옥소일부),

其雷師皓翁(기뢰사호옹), 以此(이차), 擧而發我天尊之未宣者(거이발아천존지미선자), 雷師(뇌사), 啓白天尊(계백천존), 至大至聖(지대지성),

心及萬品(심급만품), 臣以微陋之材(신이미루지재), 以何緣由(이하연유), 得侍玉宸(득시옥신), 願告(원고), 天尊(천존), 明我前劫(명아전겁),

以讚元化竝玉霄一府之事(이찬원화병옥소일부지사), 當屛氣而恭聽之(당병기이공청지).

그때에 我天尊(아천존)께서 寶臺(보대)에 오르사, 여러 무리들을 살피시며 一切(일절) 말씀은 없으신 채, 雷師(뇌사) 皓翁(호옹)께 모든 職(직)을 맡기시고, 皓翁(호옹)께서는 雷府(뇌부)의 律則(율칙)대로 이를 施行(시행)하시니, 我天尊(아천존)의 德化(덕화)는 無邊(무변)하고 眞元(진원)은 有自(유자)하니, 玄書秘籍(현서비적)은 不可條請(불가조청)이라, 雷師(뇌사)께서는 三十六天(삼십육천) 東西二臺(동서이대)에 府院諸司之政(부원제사지정)을 啓(계)하시니, 이는 玉霄一府(옥소일부)의 總旨(총지)로서 雷師皓翁(뇌사호옹)이 天尊(천존)의 未宣(미선)한 것을 擧而發(거이발)하시어 行(행)케 함이니라.

雷師(뇌사)께서 啓白天尊(계백천존)하실 적에는 뭇 生靈(생령)들의 前劫(전겁)(前生(전생))까지도 밝히시니, 玉霄一府之事(옥소일부지사)가 元化(원화)함을 讚(찬)하지 않을 수가 없다.

讚曰(찬왈),

勃然長跪上啓眞宗(발연장궤상계진종), 諸司院府臺閣尊崇(제사원부대각존숭),

三十六霄雲雷雨風(삼십육소운뢰우풍), 職專生殺事在吉凶(직전생살사재길흉),

慾聞至說必啓丹衷(욕문지설필계단충), **仁哉仁哉雷師皓翁**(인재인재뇌사호옹),

解詩(해시), ◀해설 解說

홀연히 떠오르는 생각에 두 무릎을 꿇고, 上天(상천)의 眞宗(진종)께 啓告(계고)하옵는 바는, 諸司府院(제사부원)과 東西臺閣(동서대각)에 居(거)하시는 天尊(천존)을 崇仰(숭앙)하기 때문이라.

三十六霄(삼십육소)의 雲雷風雨(운뢰풍우)를, 어느 神(신)이 거역하겠으며, 어느 令(영)이라 不服(불복)하리이까!

事之吉凶(사지길흉)을 좇아 惑生惑殺(혹생혹살)을 맡아 行(행)하는 그 宗旨(종지)를, 至誠(지성)스런 說法(설법)으로 듣고자 하여, 한 가닥 丹心(단심)으로 아뢰나니, 아! 어질고도 어지신 雷師皓翁(뇌사호옹)이시여.

講曰(강왈),

雷有陰陽雷(뇌유음양뢰), **五行雷**(오행뢰), **天雷**(천뢰), **地雷**(지뢰), **人雷**(인뢰), **諸天雷**(제천뢰), **雷師者**(뇌사자), **總司衆雷指揮之師也**(총사중뢰지휘지사야), **玉霄者**(옥소자), **十方中之一方**(십방중지일방), **有一玉霄**(유일옥소), **即統三十六天之府稱也**(즉통삼십육천지부칭야), **三界者**(삼계자), **天界**(천계), **地界**(지계), **人界也**(인계야), **雷師下察諸天諸地衆生之苦**(뇌사하찰제천제지중생지고), **發大願心**(발대원심), **上白天尊**(상백천존), **結因設緣**(결인설연), **救濟生情**(구제생정),

위급고 장궤이청방편지문 뇌사지심 자부지심야
爲急故, 長跪而請方便之門, 雷師之心, 慈父之心也.

▶ 해설 解說

雷에는 陰陽雷, 五行雷, 天雷, 地雷, 人雷, 諸天雷 등이 있고, 雷師는 諸衆雷를 總司하는 指揮之師요, 玉霄란 十方中 一方에는 一玉霄가 있으니, 즉 三十六天에 있는 諸司之府를 統稱하는 말이다.

三界란 天界, 地界, 人界를 말하며, 雷師께서는 諸天諸地에 있는 衆生의 고통을 下察하시고, 이를 發大願心으로 上天에 아뢰어서 天尊과 인연을 맺게 하여, 이를 情으로써 구제해 주고픈 마음이 급하여서, 方便의 門으로 들어가서 엎드려서 跪拜를 드리니, 雷師의 마음은 곧 慈父之心이라 하겠다.

제사장 선훈숙세장 해설
第四章 仙勳夙世章 解說

天尊(천존)이 言(언)하사대 雷師皓翁(뇌사호옹)아 爾等仙卿(이등선경)이 儲勳夙世(저훈숙세)하야 累行昨生(루행작생)으로 故得玉府登庸(고득옥부등용)하며 瓊宮簡錄(경궁간록)하나니 今玆勳行(금자훈행)이 視夙昨多(시숙작다)라 爾基悉力雷司(이기실력뇌사)하며 委心火部(위심화부)하야 日復日(일부일)하고 歲復歲(세부세)하여 勳崇行著(훈숭행저)하며 性齋神融(성제신융)하야 克證高眞(극증고진)으로 即階玅道(즉계묘도)하리니, 惟是雷部鬼神(유시뇌부귀신)의 晝勞夕役(주로석역)으로 動有捶楚(동유추초)하고 大則考戮(대즉고륙)하여 屑雲雕說(설운조설)을 無有已時(무유이시)하며 檄龍命鴉(격용명아)하야 此息彼作(차식피작)하나니 彼所因故(피소인고)를 爾其耳焉(이기이언)하라.

雷師皓翁(뇌사호옹)과 及諸天諸仙(급제천제선)이 聳耳而默(용이이묵)이러니 天尊(천존)의 所坐九鳳丹霞之宸(소좌구봉단하지신)에 手擧金光明之如意(수거금광명지여의)하시니 琅風(랑풍)이 淸微(청미)하고 綺雲(기운)이 郁麗(욱려)라, 天尊(천존)이 寂然良久(적연양구)하시니라.

제사장 선훈숙세장
第四章 仙勳夙世章

천존 언 뇌사호옹 이등선경 저훈숙세 루행작생 고득옥부등용 경궁간록 금자훈행
天尊 言 雷師皓翁 爾等仙卿 儲勳夙世 累行昨生 故得玉府登庸 瓊宮簡錄 今玆勳行

시숙작다 이기실력뢰사 위심화부 일부일 세부세 훈숭행저 성제신융 극증고진
視夙昨多 爾基悉力雷司 委心火部 日復日 歲復歲 勳崇行著 性霽神融 克證高眞
즉계묘도 유시뢰부귀신 주로석역 동유추초 대즉고륙 설운조설 무유이시
卽階玅道 惟是雷部鬼神 晝勞夕役 動有捶楚 大則考戮 屑雲雕說 無有已時
격룡명아 차식피작 피소인고 이기이언 뇌사호옹 급제천제선 용이이묵 천존
檄龍命鴉 此息彼作 彼所因故 爾其耳焉 雷師皓翁 及諸天諸仙 聳耳而默 天尊
소좌구봉단하지의 수거금광명지여의 랑풍청미 기운욱려 천존 적연양구
所坐九鳳丹霞之扆 手擧金光明之如意 琅風淸微 綺雲郁麗 天尊 寂然良久

第四章 解說 제사장 해설 (원본 66쪽)

天尊(천존)이 言(언)하사대 雷師皓翁(뇌사호옹)아. 爾等仙卿(이등선경)은 功行(공행)으로 하여 세상에서 恭敬(공경)을 받게 하고, 또한 手下(수하) 무리들을 도와서 그로 因(인)해 天上玉府(천상옥부)에 떳떳하게 오를 수 있게 해줌과 동시에, 그들의 功過(공과)를 瓊宮(경궁)에 簡錄(간록)하여 昨今(작금)의 勳行(훈행)이 뚜렷하게 나타나거든 汝等(여등)은 있는 힘을 다하고 마음에 깊이 새겨, 歲歲無窮(세세무궁)토록 功(공)을 숭상하고 行(행)으로 나타나게 하여, 性情(성정)에 감추어진 허물을 마치 하늘의 구름이 걷히듯 하게 하여 心(심)과 神(신)이 하나로 융합되게 하고, 높은 眞理(진리)가 低俗(저속)함을 이길 수 있다는 證驗(증험)을 보여, 즉시 奧道(오도)의 단계를 오를 수 있게 하여

라.

만일 이에 反하는 妄動을 일삼는 者가 있다면, 이때에는 雷府鬼神이 晝勞夕役으로 채찍질하고 엄하게 다스려서, 허물이 큰 자는 考戮도 불사함으로서 仙鶴이 구름 위로 사뿐히 날아오르듯, 조촐하고도 아름다운 마음씨를 언제까지나 간직하게 하며 撽龍命鴉 하여 이 소식을 彼等에게 알게 하며, 이로 인해 모든 무리들 귀에 傳하게 하라 命하시니, 雷師皓翁과 及諸天諸仙이 귀를 곤두세워 묵묵히 듣다가, 天尊이 所坐한 九鳳丹霞之宸를 손으로 어루만지니, 金光이 뜻과 같이 훤하게 비치며 琅風이 淸微하고 綺雲이 郁麗라, 天尊이 寂然한 가운데 오래도록 기쁨을 누리시더라.

註曰, (원본 67쪽)

雷師, 布令行事, 疾如風火, 不可留停, 降澤之處, 有方, 震雷之聲, 有數,

可早卽早, 可雨卽雨, 必奉帝勅, 其雷師所行, 鬼神何以致也, 蓋此等之人,

居塵世之上, 不忠不孝, 不仁不義, 不禮三光, 不條五常, 不惜五穀, 所以身沒之後,

聽我雷司之驅役, 實此等罪報也, 聞天尊所說, 善惡因緣, 雷師皓翁, 及諸天諸仙, 啓耳悚懼, 天尊所坐之時, 其神風, 琅琅然而淸微, 鬱鬱然而華麗, 沈靜良久, 欲對仙衆, 再演玄文也.

◀ 解說

雷師께서 布令을 行事할 때, 그 위력은 빠르기가 마치 風火와 같아서 留停이 불가능하며, 雷師가 降澤하는 所方之處는 巽雷之聲의 方이니, 가뭄과 장마를 자유자재로 부릴 수 있는 기능을 가지고 있으니, 이는 필시 雷帝의 勅令에 依함이다.

雷師의 所行은 鬼神인들 어찌 따를 수가 있으리오.

塵世之間에 居하는 사람으로서 不忠, 不孝, 不仁, 不義에, 또는 無禮하거나, 三光을 不修하고 五常(仁義禮智信)을 不履하거나, 또한 五穀을 不惜하는 등의 人生은 身沒之後에 罪에 대한 報應으로서 雷師의 聽을 좇아 勞役을 驅使當해야 한다.

天尊께서 說하신 善惡의 인연에 관한 말씀을 들을 때에, 雷師皓翁과 諸天諸仙이 다 함께 귀를 열고 悚懼한 마음으로 들으니, 이때 天尊이 所坐를 하니, 그곳에는 神風이 琅琅할 뿐만 아니라, 淸微한 氣象, 또한 조촐하면서도 화려하며, 그 沈靜良久한 情景을 對坐한 神仙들도 함께 그 玄文의 道說을 다시 듣기를 원하는 것이었다.

義曰, (원본 68쪽)
의왈

선근선종 악업막생
善根宣種, 惡業莫生,

천진상연 누공행적
天眞尙然, 累功行積,

하학후학군자 가부진심호
何學後學君子, 可不眞心乎,

詩解,
시해

◀ 해설 解說

宜當히 善根의 種을 심는데,
惡業이 어찌 생기겠으며,
하늘은 眞實하기가 萬古에 不變이라서,
功積을 쌓고 또 쌓아야 하건만,

어찌하여 學을 한다고 하는 後學君子는,
몸과 마음을 다하지 아니하는가.

釋曰,

雷師皓翁, 如天地同體, 日月齊名, 是以, 天尊, 言, 儲勳夙世, 有大功於初始之先,
行旣累貯而得精氣, 遂化成形故, 得玉府進用, 瓊宮有名矣, 今又掌善司惡,
分化濟人, 其功, 不少, 所以, 盡心於火部者, 乃雷師皓翁之本精也, 可之日積月增,
名高行顯, 以全元氣則性齊神融之不虛言也, 以是, 能與高上眞王, 爲明證之臣,
遂列大道之階, 天尊, 以善惡兩途, 諭諸天眞, 復引雷部鬼神, 晝勞夕役,
週而復始無有休息, 所言屑雲, 謂其奔走四方, 搏雲作陣之勞, 雕雪者, 其冒京乘風,
凝雨作花之苦也, 至於立海撽其龍, 走林, 命其鴉, 束作西止, 東復西興, 無愚息時,

此善惡之因, 故, 明矣, 天尊, 是時, 語雷師曰, 皆得權大, 化爲上眞, 蓋心,
先縫此道故, 得如是也, 爾等欲昇仙阼, 讚化玄文, 以吾之功, 爲功則道自成矣,
爾今聽焉, 諸天諸君, 聞如是說, 皆聳耳而敬聽也, 天尊之威儀, 不可宣說,
即有神風綺雲, 淸朗郁麗, 天爲, 與九氣, 復合爲一, 寂然不動也 (원본 69쪽)

◀ 해설 解說

雷師皓翁은 天地와 더불어 同體요, 그 밝기는 日月과 가지런하니, 天尊은 이를 가리켜 [初始之前에 大功이 있어 이를 미리 축적해 두었다가 차차 얻어지는 精氣로서 遂化成形하니, 그러므로 玉府에 進用됨을 입어 瓊宮에 名을 얻게 되니, 마침내 善을 掌하고 惡을 司할뿐더러, 餘力은 나누어서 濟人에 이르게까지 하니, 그 功은 적지 않다.]라고 하였다.

如似한 盡心은 오직 火部에 있으니, 火部者는 雷師皓翁의 本精이기 때문이다.

여기에 日復日하고 歲復歲하여, 이에 따라 名高行顯하게 되니, 이는 모두 元氣, 즉 性이 神과 融合하므로 因함이니, 이는 결코 虛言이 아닌 것이다.

고로, 능히 高上眞王(고상진왕)과 더불어 明登之神(명등지신)이 되어 大道之階(대도지계)에 遂列(수열)하게 되는 것이다.

天尊(천존)은 善惡兩道(선악양도)를 諸天眞(제천진)께 諭示(유시)한 다음, 다시금 雷府鬼神(뇌부귀신)을 불러들여 晝勞夕役(주로석역)을 시킬 적에, 週(주)마다 되풀이시켜 휴식마저도 없게 하니, 비유컨대 屑雲(설운)이 사방에 분주하게 퍼져나감과 같고, 또한 구름을 잡아서 陣(진)을 만듦과도 같아, 마치 황량한 바람을 타고 눈으로 조각을 만드는 자의 모험과도 같으며, 또한 빗방울을 굳혀서 꽃을 만듦과도 같은 고통을 주며, 한편으로는 바다에 이르러 龍(용)을 檄(격)함과 같고, 하늘을 나는 갈가마귀 떼에게 命(명)하여, 東(동)으로 가서 西(서)에 서게 하고, 또 동쪽에 가서 엎드렸다가 서쪽에 가서 일어나게 함과도 같이, 반시라도 쉴 틈을 주지 않고 일을 하게 함은, 이것으로 하여 곧 善惡(선악)의 因(인)이 되게 하기 위함에서이니, 고로 天尊(천존)은 明(명)하신 분이시다. 이때에 雷師(뇌사)가 가라사대, (원본 70쪽)

[모두가 大化(대화)의 權(권)을 얻어 上眞(상진)의 位(위)에 나아가려면 먼저 此道(차도)로서 마음을 덮고 꿰매어 離(이)脫(탈)하지 않게 함으로써 이와 같은 道(도)를 얻게 되었느니라.]고 하셨다.

또 이르시기를,

[너희들이 仙人(선인)이 되어 上眞(상진)의 반열에 오르려거든 오직 讚化玄文(찬화현문)하여 吾之功(오지공)을 닦으라.

功만 세우면 道는 스스로 이루게 되리라.」고 하시고, 또, 「네가 지금 諸天諸君의 說하심을 듣고 이를 귀에 아롱 새겨 경청하면 天尊의 威儀가 마땅치 않을 리 없으니, 곧 神風과 綺雲이 淸朗郁麗하리라」

天尊과 九氣가 하나가 될 때, 三界는 寂然不動한다.

찬왈
讚曰,

선악양도신여영향, 선위천진악위망량
善惡兩途神如影響, 善爲天眞惡爲魍魎.

◀ 해설解說

善惡의 兩途가 모두 다 神의 영향권 안에 있어, 善은 天眞의 영향이요, 惡은 魍魎의 영향이로다.

강왈
講曰,

일점영명본면목 소요태허락억겁
一點靈明本面目, 逍遙太虛樂億劫,

오락지합취윤회 일조발심성정각
誤樂之合趣輪迴, 一朝發心成正覺,
춘래지유도시방화 지도청탁동참선계
春來枳楢都是放花, 志道清濁同參仙界.

◀ 해설(解說)

일점영명(一點靈明)의 진면목(眞面目)은 억겁(億劫)을 통해 태허(太虛)를 거닐며 즐기던 바요, 오락에 젖어 빗어진 윤회의 전생은 일조(一朝)의 발심(發心)으로 정각(正覺)에 이르게 되네. 탱자 유자가 봄이 오면 함께 꽃이 핌은, 청탁(清濁)을 떠나 그 뜻이 도(道)에 있으므로 선계(仙界)의 동참(同參)이 그 참뜻이라네.

第五章(제오장) 心縫此道章(심봉차도장) 解說(해설)

天尊(천존)이 言(언)하사대 吾昔於千五百劫以先(오석어천오백겁이선)으로 心縫此道(심봉차도)하여 遂爲上眞(수위상진)하고 意釀此功(의양차공)하여 遂權大化(수권대화)한지라, 嘗於大羅元始天尊前(상어대라원시천존전)에 以淸淨心(이청정심)으로 發(발) 廣大願(광대원)하고 願於未來世(원어미래세)에 一切衆生(일체중생)과 天龍鬼神(천룡귀신)이 一稱吾名(일칭오명)이면 悉使招喚(실사초환)하고 如所否者(여소부자)면 吾當以身(오당이신)으로 身之(신지)라 하니 爾等(이등)은 洗心(세심)하사 爲爾宣說(위이선설)하리라.

제오 심봉차도장
第五 心縫此道章

천존 언 오석어천오백겁이선 심봉차도 수위상진 의양차공 수권대화
天尊 言 吾昔於千五百劫以先 心縫此道 遂爲上眞 意釀此功 遂權大化

상어대라원시천존전 이 청정심 발 광대원 원어미래세 일체중생 천룡귀신
嘗於大羅元始天尊前 以 淸淨心 發 廣大願 願於未來世 一切衆生 天龍鬼神

일칭오명 실사초환 여소부자 오당이신 신지 이등 세심 위이선설
一稱吾名 悉使招喚 如所否者 吾當以身 身之 爾等 洗心 爲爾宣說

第五章 解說 제오장 해설 (원본 79쪽)

心縫此道(심봉차도)란 곧 修養(수양)으로 다듬어진 몸과 마음을 道(도)로써 다시 봉합하여 응축된 淸氣(청기)가 밖으로 새어 나가지 못하게 밀봉함을 말하니, 이는 마치 부녀자가 布疋(포필)로서 의복을 지을 때에 재단한 옷감을 꿰매지 않는다면 의복이 될 수 없음과 같은 理致(이치)로서, 사람이 아무리 修養(수양)으로 지혜를 쌓았다 할지라도 이를 마음속에 넣어두고 올바르게 지키지 못한다면, 이는 마치 옷감을 재단만 한 채, 꿰매지 않은 상태와 다를 바가 없다고 하겠으므로, 모처럼 귀하게 얻어진 智慧(지혜)나 지식일지라도 이를 다시 잘 지켜서 漏洩(누설)이 되지 않게 縫合(봉합)한 연후에라야 완전한 智慧(지혜)(得道(득도)의 경지)가 保全(보전)될 수 있음을 뜻함이다.

天尊(천존)이 가라사대,

[나는 아득한 옛날 千五百劫(천오백겁) 以前(이전)부터 이미 此道(차도)로서 心縫(심봉)하여 上眞(상진)의 位(위)에 올라 心身(심신)을 다해 功德(공덕)을 釀出(양출)한 결과로서 遂權大化(수권대화)하고, 上天(상천)의 元始天尊前(원시천존전)에 나아가서 淸淨(청정)한 마음으로 廣大(광대)한 發願(발원)을 할 적에 億劫未來世(억겁미래세)의 一切衆生(일체중생)과 天龍鬼神(천룡귀신)을 향해 一稱吾名(일칭오명)으로 悉使招喚(실사초환)하면 天龍鬼神(천룡귀신)이 卽至(즉지)할 지니, 그때에 내가 그들로 하여금 適材適所(적재적소)에 소

임을 맡겨 使役(사역)을 하리니, 此際(차제)에 만약 吾命(오명)에 不服者(불복자)가 있을 時(시)에는 내가 친히 그들의 몸속에 나타나서 元始一氣(원시일기)로서 復其初(부기초)하게 하리니, 爾等(이등)은 마음을 닦은 연후에 이 사실을 널리 宣布(선포)할지어다.」라고 하시었다.

주왈
註曰, (원본 74쪽)

심봉차도자 위여재단포백 약불봉취 언능위의 차천지일점원기 산편태허육합
心縫此道者, 爲如裁斷布帛, 若不縫就, 焉能爲依, 且天地一點元氣, 散遍太虛六合,

인품부모일점원기재신 즉시조종지유체야 약수지지혜 정관청정지심 수취칠보
人稟父母一點元氣在身, 卽是祖宗之遺體也, 若修之智慧, 定觀淸淨之心, 收聚七寶,

결성환단 시위이심봉합 성기대도이위증상진 예이천지화순지기 천도혼합
結成丸丹, 是爲以心縫合, 成其大道而位證上眞, 乂以天地化諄之氣, 天道混合,

충화지묘 양성거공 수권대화 제설천지 은현막측 천존 어대라원시천존전
冲和之妙, 釀成巨功, 遂權大化, 提挈天地, 隱顯莫測, 天尊, 於大羅元始天尊前,

발광대원 현일체중생 천룡귀신 일칭명자 실사초환 지소부자 천존 당이신
發廣大願, 顯一切衆生, 天龍鬼神, 一稱名者, 悉使招喚, 知所否者, 天尊, 當以身,

신지 차시견천존 보호인천 발홍서원야
身之, 此是見天尊, 普護人天, 發弘誓願也.

心縫此道(심봉차도)란 말은 마치 옷감을 재단해 놓고서도 봉합을 하지 않으면 의복이 될 수 없는 理致(이치)와 같은 것이다.

天地(천지)의 一點元氣(일점원기)는 散遍(산편)하면 太虛六合(태허육합)이 되고, 人稟(인품)의 一點父母元氣(일점부모원기)는 在身(재신)하면 祖宗之遺體(조종지유체)가 되니, 만약 지혜를 닦은 다음에 청정한 마음으로 定觀(정관)한다면 七寶(칠보)를 收聚(수취)함과 동시에 丸丹(환단)(旼罔 註: 부처님의 진신사리와 같음)을 結成(결성)하게 되니, 이것이 곧 心縫此道(심봉차도)(旼罔 註: 전신사리)인 것이다.

만일, 大道(대도)를 성취한 然後(연후)면 上眞(상진)의 位(위)를 보장받을 수가 있게 되니, 이는 天地(천지)의 化釀之氣(화양지기)로 因(인)함인 것이다.

天道(천도)란 混合(혼합)과 沖和(충화)의 妙(묘)를 말하니, 이를 醇成大功(순성대공)하여 遂權大化(수권대화)하면 天地(천지)를 품 안으로 끌어당겨, 隱顯莫測(은현막측)한 變化千般(변화천반)을 얻을 수가 있는 것이다.

天尊(천존)께서는 大羅元始天尊前(대라원시천존전)에서 광대한 願(원)을 發(발)하실 때 그 願(원)이, 一切衆生(일체중생)이 자신의 소망을 위해 天龍鬼神(천룡귀신)을 悉使招喚(실사초환)하면 한가지로 나타나 所望(소망)을 이루게 해준 것이다.

天尊(천존)은 곧 이 몸(當以身(당이신))이니, 이 몸을 봄은 天尊(천존)을 봄과 같으므로 이 몸이 한번 發弘誓(발홍서)

願(원)하게 되면 天(천)의 보호를 입게 된다.

의왈
義曰, (원본 75쪽)

행득인신 불가좌과 당수정도이송
幸得人身, 不可挫過, 當守正途而誦,
시경 일취월장여도합체 비소보재
是經, 日就月將與道合體, 非小補哉.

▶해설 解說

행득인신 불가좌과 당수정도 차경 송지지성 일취월장 여도합 신 보우
幸得人身을 不可挫過이니 當守正道하고, 此經을 誦之至誠하면 日就月將으로 與道合身하리니, 이 어찌 작은 保祐라 하겠는가!

석왈
釋曰,

득도지난 합도지불이야 아천존 석 어천오백겁지초 심선합차도 즉구기지생
得道之難, 合道之不易也, 我天尊, 昔, 於千五百劫之初, 心先合此道, 即九氣之生
형야 고 칭왈진왕 수장대화 아천존 증향대라원시천존전 이구천불잡지진
形也, 故, 稱曰眞王, 遂掌大化, 我天尊, 曾向大羅元始天尊前, 以九天不雜之眞,
발삼승무변지원 기재미래지세 단수구기지물 유능귀오 화칭오명자 개
發三乘無邊之願, 期在未來之世, 但受九氣之物, 有能歸吾, 化稱吾名者, 皆

能旣死回生, 惑不信從者, 我當以元始一氣, 化成九氣, 以復其初也, 天尊, 謂諸天帝君曰爾等, 當淨心, 吾今爲汝等, 開大道之密緖也,

◀ 해설 解說

得道之難하고 合道之不易이나, 我天尊께서는 千五百劫之初에 心先合此道로서 九氣를 生形했으니, 고로 稱曰 眞王이라 하고 遂權大化하느니라.

我天尊께서는 일찌이 大羅元始天尊前에서 九天不雜之眞을 三乘無邊之願으로 發하사 未來之世를 기약했으며, 단지 物로 하여금 九氣를 受하게 하여 能히 나(吾-인간의 身)로 歸至케 하였으니, 化稱하여 吾名이 생겼으므로, 이로서 吾之權能을 입어 皆能히 旣死回生케 하여 주었으나, 혹 不信하여 따르지 않는 者가 있다면 이는 내가 마땅히 元始一氣로서 化成九氣하여 復其初(처음상태의 無物)하리란 것을 爾等에게 宣說한 바다.

天尊께서는 諸天諸君을 爾等이라 불렀으니, 爾等은 마땅히 淨心으로써 수련하면 미래의 나와 너를 위해 大道의 密旨를 풀 수 있는 그 실마리가 열릴 것이다. (원본 76쪽)

찬왈
讚曰,

도내천지심 우치불해심
道乃天地心, 愚痴不解尋.

▶ 해설 解說

道(도)는 곧 天地(천지)와 함께 마음속에 있건만, 衆生(중생)은 이를 찾지 못하네.

강왈
講曰,

만단시비첨죄업 일념명호탈지옥
萬端是非添罪業, 一念名號脫地獄.

사생육도미중생 환탐령주득영생
四生六道迷衆生, 還貪靈珠得永生.

백년탐물진생일조 일념선원천재진보
百年貪物塵生一朝, 一念仙願天載眞寶.

야야야마가소시수
也也也麼可笑是誰.

▶ 해설 解說

수많은 是非(시비)는 罪業(죄업)을 첨가할 뿐이나,
一念名號(일념명호)는 地獄(지옥)을 脫(탈)할 수가 있네.

十方世界(십방세계)가 道(도)로 가득하건만,
衆生(중생)은 迷惑(미혹)에서 벗어나지 못하네.
還生(환생)을 貪(탐)하면 靈珠(영주)를 얻어,
永生(영생)을 得(득)하리라.
百年貪物(백년탐물)은 塵生一朝(진생일조)이나,
一念仙願(일념선원)은 天載眞寶(천재진보)이니,
아! 이 하찮은 인생이여!
그 누가 가소롭다 하지 않으리.

제육장 지도심요장 해설

第六章 至道深窈章 解說

天尊(천존)이 言(언)하사대 爾諸天人(이제천인)이 欲聞至道(욕문지도)하나니 至道深窈(지도심요)하여 不在其他(부재기타)하니 爾旣欲聞(이기욕문)인데 無聞者是(무문자시)라 無聞無見(무문무견)이 卽時眞道(즉시진도)며 聞見亦泯(문견역민)이 惟爾而已(유이이이)라 尙爾非有(상이비유)어니 何況于道(하황우도)리오 不聞而聞(불문이문)하느니 何道可談(하도가담)이리오.

제육 지도심요장
第六 至道深窈章

천존 언 이제천인 욕문지도 지도심요 부재기타 이기욕문 무문자시 무문무견
天尊 言 爾諸天人 欲聞至道 至道深窈 不在其他 爾旣欲聞 無聞者是 無聞無見

즉시진도 문견역민 유이이이 상이비유 하황우도 불문이문 하도가담
卽時眞道 聞見亦泯 惟爾而已 尙爾非有 何況于道 不聞而聞 何道可談

第六章 解說 제육장 해설 (원본 78쪽)

天尊(천존)께서 말씀하시기를, 너희 天人(천인)들이 道(도)에 대한 至上(지상)의 境地(경지)를 듣고자(알고자)하지만, 道(도)의 至上(지상)의 경지란 깊고도 고요한 것이어서 자신의 내면세계를 떠나서는 그 어느 곳에서

도, 들을 수도, 求(구)할 수도 없는 것이다.

너희들이 道(도)를 듣고자 원하나 듣지 못하는 것이 곧 道(도)이며, 듣고자 해도 들을 수가 없고, 보고자 해도 보이지 않는 것이 곧 道(도)의 眞體(진체)인 것이니, 설혹 道(도)를 들었거나 보았다고 해도, 역시 道(도)란 幽玄(유현)하고 어두운 것이어서 그 참모습은 알 길이 없다.

그러나 오직 自己自身(자기자신)이 道(도)라는 사실을 모르고 언제나 밖에서만 道(도)를 구하고자 하니, 대체 어떤 것이 道(도)란 말인가.

진실로 道(도)란, 듣고자 원하지도 않는 곳에서 오히려 들을 수가 있으니, 어찌 이것을 道(도)의 참모습이라고 말하지 않겠는가?

주왈
註曰,

지도자부재기야
至道者不在其他

◀ 해설 解說

至道(지도)의 경지란 他處(타처)에 있는 것이 아니라,

在自己也

▶ 해설解說

自己自身이 곧 道의 眞體다.

爾旣欲聞,

▶ 해설解說

그대들이 기왕 道를 듣고자 願하지만,

若明自己之道, (원본 79쪽)

▶ 해설解說

만일 自身의 道를 밝히고 나면,

是不必聞也.

▶ 해설解說

남에게 들을 필요가 없게 된다.

是云無聞者,

▶ 해설解說

누구에게 듣지 않고 말하는 者(자)가 있으면,

시무문무견
是無聞無見,
▶해설 解說
듣지고 않고 보지도 않는 그것이 옳으니,

즉시진도
即是眞道.
▶해설 解說
그것이 곧 참 道(도)의 경지이다.

무문타인지설
無聞他人之說,
▶해설 解說
남의 말을 듣지 않고,

자기유견
自己有見,
▶해설 解說
자기 見解(견해)를 말하는,

즉시진도
卽是眞道.

◀ 해설 解說

그것이 곧 참된 道(도)이다.

문견역민
聞見亦泯,

◀ 해설 解說

듣고 보고 해도 깨우치기가 어려우므로,

개불필문견의
皆不必聞見矣.

◀ 해설 解說

아예 듣고 볼 必要(필요)마저도 없다. (원본 80쪽)

인약위비유
人若謂非有,

◀ 해설 解說

만약 사람이 道(도)가 없다고 말한다면,

기불문도이욕문
旣不聞道而欲聞,

◀ 해설 解說
道(도)를 듣고자 해도 듣지 못할 것이므로,

불가여담도의
不可與談道矣.
◀ 해설 解說
더불어 道(도)를 이야기할 수조차도 없을 것이다.

대도무형무아무피
大道無形無我無彼,
◀ 해설 解說
大道(대도)는 形象(형상)도 없으며, 또 我彼(아피)도 따로 없다.

유무무유
有無無有,
◀ 해설 解說
있지도 않고 없지도 않은,

즉시진도
即是眞道.
◀ 해설 解說

그것이 곧 참 道(도)의 모습인 것이다.

유위무형도재하처
有爲無形道在何處,
◀ 해설 解說
있기는 한데 形象(형상)은 없으니 도대체 道(도)는 어디에 있는가?

입도지사
入道之士,
◀ 해설 解說
入道(인도)를 하고자 하는 者(자)도,

당어무무처착각
當於無無處着脚.
◀ 해설 解說
아예 없거니와 있다면 이는 발을 헛디딘 者(자)들이다.

석왈
釋曰,

언무소언
言無所言,
◀ 해설 解說

말 없는 가운데 말을 하고,

행무소행
行無所行,

▲ 해설 解說
行(행)함이 없는 가운데 行(행)하며,

학무행학
學無行學,

▲ 해설 解說
배우지 않고서도 學(학)을 行(행)하며,

식무행식
識無行識,

▲ 해설 解說
앎이 없으면서도 앎을 行(행)하는,

시왈지도
是曰至道.

▲ 해설 解說
이것을 곧 至道(지도)라 한다.

찬왈
讚曰,

도도도설착가소
道道道說着可笑,

◀ 해설 解說
道(도)를 모르면서 道(도)를 論斷(논단)하니 참으로 가소롭고,

천지아인일가일규
天地我人一家一竅.

◀ 해설 解說
하늘과 땅, 그리고 사람이 온통 빈집(空家)(공가)과 같은 것을. . . . .

제칠장 도이성입장 해설
第七章 道以誠入章 解說

天尊이 言하사대 道者는 以誠而入하고 以默而守하며 以柔而用하여 用誠似愚하고 用默似訥하며 用柔似拙하느니 夫 如是則 可如忘形하며 可與忘我하여 可與忘忘하여 入道者 知止하고 守道者 知謹하며 用道者 知微하느니 能知微則 慧光生하며 能知謹則 誠智全하며 能知止則 泰定安하고 泰定安則 聖智全하며 聖智全則 慧光生하며 慧光生則 與道爲一하느니 是名眞忘이라 惟其忘而不忘하며 忘無可忘 無可忘者를 卽是至道라 道在天地하되 天地도 不知하느니 有情無情이 惟一無二하느니라.

第七 道以誠入章

天尊言 道者 以誠而入 以默而守 以柔而用 用誠似愚 用默似訥 用柔似拙 夫 如是則 可如忘形 可與忘我 可與忘忘 入道者 知止

수도자 지근 용도자 지미 능지미즉 혜광생 능지근즉 성지전
守道者 知謹 用道者 知微 能知微則 慧光生 能知謹則 誠智全
능지지즉 태정안 태정안즉 성지전 성지전즉 혜광생 혜광생즉
能知止則 泰定安 泰定安則 聖智全 聖智全則 慧光生 慧光生則
여도위일 시명진망 유기망이불망 망무가망 무가망자
與道爲一 是名眞忘 惟其忘而不忘 忘無可忘 無可忘者
즉시지도 도재천지 천지불지 유정무정 유일무이
卽是至道 道在天地 天地不知 有情無情 惟一無二

第七章 解說 제칠장 해설 (원본 83쪽)

天尊이 말씀하시되, 道는 誠으로서 入하고, 黙으로서 守하며, 柔로서 用하라고 하셨다.

大道는 바다처럼 깊고 넓어서 形象도 없고, 意識도 느낄 수가 없지만, 그러나 이와 같은 無形無識의 道에 入함에 있어서는 거쳐야할 關門이 있고, 道를 지킴에 있어서는 필요로 하는 要諦가 있으며, 또 道를 쓰고자(行하고자)함에는 가장 中樞的인 요건이 있으니, 이른바 「入之有門이요, 守之有要며, 用之有樞라」고 한 말이 그것이다.

以上의 門, 要, 樞는 「以誠而入」의 誠과, 「以黙而守」의 黙과, 「以柔而用」의 柔가 그것

이니, 入道之門(입도지문)이 되는 것이고,

[誠者(성자)]는 眞實無妄(진실무망)하여 妄去則眞還(망거즉진환)하고 眞還則誠復(진환즉성부)라 하였으므로 誠(성)이란 즉,

[黙者(묵자)]는 黙識之黙(묵식지묵)이라 하니, 이는 막연한 침묵을 뜻함이 아니요, 오로지 아는 것을 아는 체하지 말아야 하는 黙(묵)이 곧 黙識之黙(묵식지묵)이니, 道(도)란 참으로 妙(묘)한 것이어서 말로서는 감히 道(도)를 안다고 할 수가 없으며, 또 안다는 것은 다분히 말의 향연에 불과할 뿐임으로, 오직 [黙(묵)]만이 守之要(수지요)가 될 수 있는 것이다.

[柔者(유자)]는 濡弱(유약)함을 謙卑(겸비)한 것을 가리키는 말로써, 以柔制强(이유제강)이라는 말이 있듯, 道(도)를 用(용)함에 있어서는 오직 謙卑(겸비)한 자세로서 遲滯(지체)하면서 濡柔(유유)하게 行(행)해야 한다는 뜻이다.

知識(지식)을 雄(웅)과 白(백)에다 比(비)한다면, 그 知識(지식)을 보존할 守(수)는 雌(자)와 黑(흑)에다 比(비)할 수가 있으니, 이와 같이 지식이 아무리 소중해도 그 소중함을 지켜나가는 것은 더욱 소중한 것이므로 知(지)와 守(수)를 雌雄(자웅)으로, 또는 黑白(흑백)으로 대조시켜서 그 뜻을 강조한 것이니, 이는 이른바 相對性原理(상대성원리)라고도 표현할 수가 있겠지만, 그러나 이것은 서구적인 표현방식이고, 이것을 干支文化(간지문화)

圈(권)의 표현방식으로 말하자면 「陰陽對照原理(음양대조원리)」라거나, 아니면 「對沖的原理(대충적원리)」라고 해야 옳을 것이다. (원본 84쪽)

道(도)로서 體(체)를 삼고, 柔(유)로서 用(용)을 삼으니, 「用誠似愚(용성사우)하고 用黙似訥(용묵사눌)하며 用柔似拙(용유사졸)하느니,」라 하였다.

결국 誠(성)을 用(용)함에는 愚直(우직)함과 같게 하고, 黙(묵)을 用(용)함에는 語訥(어눌)함과 같게 하며, 柔(유)를 用(용)함에는 마치 拙劣(졸렬)함과 같게 하라는 뜻인 것이다.

大智(대지)는 若愚(약우)하고, 大辯(대변)은 若訥(약눌)하며, 大勇(대용)은 若怯(약겁)하라는 말은 이를 두고 한 말이다.

「夫如是則(부여시즉)」이란 말은 즉, 誠(성), 黙(묵), 柔(유)를 지칭한 말이고, 「可如忘形(가여망형), 可與忘我(가여망아), 可與忘忘(가여망망)」이라는 말의 뜻은 곧 誠(성), 黙(묵), 柔(유)를 入道(입도), 守道(수도), 用道(용도)의 要諦(요체)로 삼는다면 능히 道(도)의 形象(형상)도 잊을 수가 있으며, 또 나 자신도 잊을 수가 있고, 더 나아가서는 잊는다는 그 자체마저도 잊어버린다는 뜻이다.

如似(여사)한 三忘(삼망)의 뜻을 좀 더 깊이 해설하자면 다음과 같다.

가, 內觀其心(내관기심), 心無其心(심무기심),

▶ 해설 解說

內心(내심)을 오래 觀照(관조)하면 마음속에 이미 그 마음은 없어져 버리고,

나, 外觀諸形(외관제형), 形無其形(형무기형),

▶ 해설 解說

外形(외형)을 오래 觀照(관조)하면 形相(형상) 속에 이미 그 형상은 없어 져버리고,

다, 遠觀諸物(원관제물), 物無其物(물무기물),

▶ 해설 解說

멀리서 제반 事物(사물)을 관찰하면 사물 가운데 이미 그 사물은 없어져 버리고,

라, 近觀諸我(근관제아), 我無其我(아무기아),

▶ 해설 解說

가까이서 모든 我(아)를 관찰하면 我(아) 가운데 이미 그 我(아)는 없어지고 말며, (원본 85쪽)

[既忘我矣則無色相(기망아의즉무색상),]

▶ 해설 解說

기왕에 나를 잊어버린 뒤라면 色相(색상)도 이미 없을 것이며,

「無我相, 無人相, 渾我人, 已而忘之矣,」
(무아상 무인상 혼아인 이이망지의)

▶해설解說
無我相, 無人相이면 我他가 渾然一體로, 궁극에 가서는 모두 다 忘却에 들 수밖에 없고,

「入道者 知止, 守道者 知謹, 用道者 知微.」
(입도자 지지 수도자 지근 용도자 지미)

▶해설解說
止의 뜻은 「安其所而不遷之謂」이니, 즉 그 자리가 편안하므로 옮길 필요를 느끼지 못하는 상태를 말하고, 知止라는 말은 大學의 이른바 「知止以後에 有定」이라는 말과 같은 의미이다.

守는 지킴을 말하고 지킴은 즉, 執字와 같은 뜻이니, 이른바 「執天地行」이란 말과 같다.

謹은 「守之固也」이니, 즉 굳게 지킴을 뜻하며, 微는 顯의 대칭적 말이다.

「能知微則 慧光生, 能知謹則 誠智全, 能知止則 泰定安.」
(능지미즉 혜광생 능지근즉 성지전 능지지즉 태정안)

▶해설解說
微는 顯之幾요, 幾는 期約이니, 곧 顯의 징후라 하겠으므로 「旣知微則光輝發越」이라 하

여, 微를 알면 곧 光輝가 發越함을 말한다.

또 지혜로운 性情이 日光을 관통할 때를 가리켜 生이라 함으로, [慧性日通謂之生也]라고 한 말을 음미할 필요가 있다.

聖智全이란 始終條里整然함을 말하니, 知謹이면 聖無不通이라 했다.

泰란 즉, 天君의 泰然함을 말하고, 泰定의 定은 知止以後에 有定이라는 大學의 구절을 의미하며, [定安]의 安은 즉, 靜以後에 能安이니, 非靜이면 搖라 하여 편안함을 얻지 못한다. (원본 86쪽)

[泰定安則 聖智全, 聖智全則 慧光生, 慧光生則 與道爲一, 是名眞忘, 惟其忘而不忘, 忘無可忘, 無可忘者, 即是至道.]

▶ 해설 解說

心之坦然을 爲泰라 하니, 즉 마음이 너그럽고 넓어야 편안하다는 뜻이 된다.

心之有守를 爲定이라 하니, 즉 마음을 굳게 지키는 것을 곧 定이라 하고,

心之不搖(심지불요)를 安(안)이라 하니, 이와 같이 마음을 坦(탄)하고 굳게 守(수)하면 不搖(불요)하니, 이를 이행하는 者(자)를 聖(성)이라 한다. (旼岡 註: 聖人(성인)은 실천 이행 하는 자)

知之爲智(지지위지)라 함은, 아는 것이 곧 智(지)라는 뜻이요,

融之爲慧(융지위혜)라 함은, 融和(융화)함이 곧 慧(혜)라는 뜻이며,

燭之爲光(촉지위광)이란 밝음을 가리켜 光(광)이라 하니, 如斯(여사)한 경지에 오르게 되면 이를 가리켜 照無所照 覺無所覺(조무소조 각무소각)이라 하니, 이때에는 幻身滅(환신멸)하고, 幻心亦滅(환심역멸)하며, 幻心滅(환심멸)이면 幻塵(환진)도 亦(역) 滅(멸)이라, 非滅非幻(비멸비환), 非幻非滅(비환비멸)의 경지에 이르는 것을 소위 忘無可忘(망무가망)이라 한다.

[在天地, 天地, 不知, 有情無情, 惟一無二.] (재천지 천지 불지 유정무정 유일무이)

◀ 해설 解說

天地(천지)가 있어도 天地(천지)도 알지 못하니, 有情無情(유정무정)이 곧 오직 하나일 뿐, 둘일 수가 없다.

註曰(주왈),

道(도)란 三界由遊之路(삼계유유지로)라고 하니, 곧 三界(삼계)를 오르내리는 길이라는 뜻이 된다.

연입즉유 수필유방 기용 고유리야
[然入則由, 守必有方, 其用, 固有理也.]라고 했으니,

그러므로 入道(입도)함에 있어서는 따라야 할 규칙이 있고, 守道(수도)함에 있어서는 그 나름의 方策(방책)이 있으며, 또 그것을 用(용)함에 있어서도 확고한 이치가 있게 마련이다. (원본 87쪽)

개도내천지무위지칭 즉인지진상야
[蓋道乃天地無爲之稱, 即人之眞常也.]

▶ 해설 解說

대개 道(도)는 天地間(천지간)에 稱(칭)(명칭)함이 없으니, 이는 사람이 진실을 行(행)하면 그것이 곧 道(도)가 되기 때문이며,

성자단각불이 무망지리야
[誠者端恪不移, 無忘之理也.]

▶ 해설 解說

誠(성)이란 언제나 端正(단정)하고 敬恪(경각)함을 잊지 않으면서 온당한 이치를 잊어버리지 않는 것을 말한다.

고유유이무망지성이입어진상지도 연진상지도

「故有惟以無忘之誠而入於眞常之道, 然眞常之道.」

▶ 해설 解說

그러므로 오직 誠(성)을 잊지 않고, 항상 진실하게 道(도)에 入(입)하는 거기에 과연 진실한 道(도)가 있는 것이니,

오자 자득고 묵식심융이후 능수

「悟者, 自得故, 黙識心融以後, 能守.」

▶ 해설 解說

깨달음이란 스스로 터득하는 것인 고로, 아는 바를 묵묵히 지켜, 物我(물아)가 融合(융합)함을 얻은 연후에라야 능히 道(도)를 지킬 수가 있으며,

옹용불박이 능용

「雍容不迫而, 能用.」

▶ 해설 解說

너그럽게 감싸주고 핍박하지 않아야 능히 用(용)할 수가 있다.

부입불능수즉 비소위인

「夫入不能守則, 非所謂人.」

▶ 해설 解說

무릇 入道(입도)를 하고서도 道(도)를 지키지 못한다면, 入道(입도)하지 않음만 같지 못하고,

[守不能用摘, 非所謂守.]
(수불능용적, 비소위수.)

▼ 해설解說 지킬 줄만 알고 所用(소용)할 줄 모르면, 이는 지키지 않음만 갖지 못하며, (원본 88쪽)

[故用眞實者, 如愚而默.]
(고용진실자, 여우이묵.)

▼ 해설解說 그러므로 진실로 用(용)할 줄 아는 者(자)는 어리석은 자와도 같이 默默(묵묵)해야만 하고,

[雍和而不剛暴, 是亦如拙者.]
(옹화이불강폭, 시역여졸자.)

▼ 해설解說 和平(화평)하게 감싸서 强暴(강폭)하지 않음이 每樣(매양) 拙(졸)한 者(자)와 같아야 하고,

[何異焉, 然, 其爲愚訥拙也.]
(하이언, 연, 기위우눌졸야.)

▼ 해설解說 愚(우), 訥(눌)하고 拙(졸)함이 어찌 다르다고 하겠는가?

입능입지 수지 용지 여시자즉 불특가여망물이 역가여망아
[入能入之, 守之, 用之, 如是者則, 不特可如忘物而, 亦可如忘我.]

▶ 해설解說

入(입), 守(수), 用(용)을 自在(자재)로 할 수 있는 사람이라면 별다름 없이 事物(사물)은 물론 自我(자아)까지도 능히 잊을 수가 있을 것인즉,

지어물아 구망역망 기소위망의
[至於物我, 俱望亦忘, 其所謂忘矣.]

▶ 해설解說

物我(물아)를 함께 잊어버리고 난 다음, 마지막에 가서는 잊어버렸다는 사실마저도 잊어버릴 수 있는 경지에 도달해야만 비로소 완전한 忘(망)이 될 수가 있다.

하형언호망형아자 심불지동 담연상적무피차지간야
[何形言乎忘形我者, 心不之動, 湛然常的無彼此之間也.]

▶ 해설解說

어떠한 형태로 自我(자아)를 忘却(망각)했다고 말할 수가 있겠는가? 그것은 彼此之間(피차지간)에 마음을 움직이지 않은 채, 沒我境(물아경)에 빠져들어 조용히 머물러 있는 者(자)라야 眞正(진정)으로 忘我忘形(망아망형)한 者(자)가 될 수 있으니, 湛然常的(담연상적)이란 寂滅爲樂(적멸위락)과도 같은 뜻으로

서 湛(담)은 오래 즐긴다는 뜻이니, 일종의 沒我狀態(몰아상태)가 持續(지속)되는 것을 말한다.

지자 식지명이현지진지위야
[知者, 識之明而現之眞之謂也.] (원본 89쪽)

▶해설 解說 知者(지자)는 모든 사물을 밝게 알고 참되게 볼 줄 아는 者(자)를 말함이며,

입도이지지 수도이지근즉 고순어도이불리
[入道而知止, 守道而知謹則, 固循於道而不離.]

▶해설 解說 入道(입도)함에 있어서 능히 停止(정지)할 줄도 알고, 守道(수도)함에는 謹而修行(근이수행)해야 하니, 그래야만 진실로 道(도)와 我(아)가 循環(순환)함과 동시에 道(도)에서 떠나지 않는다.

지자 안기소이불천지위야
[止者, 安其所而不遷之謂也.]

▶해설 解說 止者(지자)는 安靜(안정)된 위치에서 떠나지 않음을 말하며,

수자 집자지의 소위집천지행시야
[守者, 執字之義, 所謂執天地行是也.]

守者(수자)는 執字(집자)와 같은 뜻이니, 이른바 執天地行(집천지행)이란 말의 뜻과 같고,

근즉수지고야
【謹則守之固也.】

▶해설解說

謹(근)해야만 진실되게 道(도)를 지킬 수가 있고,

미자현지기야
【微者顯之機也.】

▶해설解說

微(미)함은 곧 顯(현)함의 발단이 되며,

용도이지미즉능반약이불혹어원대 차기도체지본원
【用道而知微則能反若而不惑於遠大, 此其道體之本原.】

▶해설解說

用道者(용도자)는 微(미)함을 볼 줄 알아야 하니, 그래야만 능히 遠大(원대)한 道體(도체)의 本源(본원)에 迷惑(미혹)하지 않고 도달할 수가 있기 때문이다.

일심지묘용 소유생야즉 범소위무소불통 무소부지 내본성지소구자
【一心之妙用, 所由生也則, 凡所謂無所不通, 無所不知, 乃本性之所俱者.】

▶해설解說

一心으로 道를 妙用하고자 하는 것은 그것이 곧 萬物을 生하는 까닭이니, 무릇 이른바 無所不通하고 無所不知함은 곧 내가 道의 本性을 갖추었기 때문이다.

◀解說 지차 역복전어아의 원기소자즉우개제지지
[至此, 亦復全於我矣, 原其所自則又皆諸知止.] (원본 90쪽)

이에 이르러, 역시 나의 全部가 스스로 본래의 모습으로 되돌아갈 수 있는 것은 諸事萬物은 本來에 止靜한 상태에서 출발했기 때문이며, 我(모든 사람) 또한 出來以全의 모습은 止靜한 상태였기 때문이다.

◀解說 지지이후유정 정이후능안 정정일구 총명일전 천광내촉
[知止以後有定, 定以後能安, 靜定日久, 總名日全, 天光乃燭.]

능히 止함을 알고 난 뒤라야 定함이 있고, 定함이 있은 뒤에야 능히 편안함이 있으며, 靜定한 태양은 悠久하고, 聰明한 태양은 그 밝기가 完全하니, 이는 天光이 속에서 비치기 때문이다.

심순호도 여도합진 억부지취위도 취위아

【心純乎道, 與道合眞, 抑不知就爲道, 就爲我.】

▶ 해설解說

마음이 순수함을 道라 이를지니, 거기에다 眞理와 合하면 더욱 道를 이룰 수 있게 되고, 道를 이루고 나면 스스로 나(我)를 완성한다는 사실을 어찌 모른다고 할 수 있겠는가?

단각기도즉아 아즉도 피차상망어무망가망지중 차소위지도야

【但覺其道即我, 我即道, 彼此相忘於無忘可忘之中, 此所謂至道也.】

▶ 해설解說

깨달은 연후에는 道가 곧 我요, 我가 곧 道이니, 彼此에 서로를 잊어버린 다음에, 또한 잊어버렸다는 그 사실마저도 마저 잊어버릴 때에 비로소 완전한 忘이 될 수가 있으며, 이러한 때를 至道의 경지라고 하겠으며, 至道는 在天地之間이나 도리어 그 所在마저도 不知하니, 이것이 곧 眞道이다.

지도자즉범유정지물아준동 무정지산하초목 기출어지순이불잡지외야

【至道者即凡有情之物我蠢動, 無情之山河草木, 豈出於至純而不雜之外也.】

▶ 해설解說

무릇 有情之物 뿐만이 아니라 無情之山河草木은 물론, 심지어는 飛走蠢動에 이르기까

지 모두가 다 道(도)의 경지에 이를 수가 있으니, 어찌 이를 無情之物(무정지물)이라 하여 至純不雜(지순부잡)한 곳이 아닌 곳에서 出來(출래)했다고 말할 수가 있겠는가? (원본 91쪽)

기유포일위천하식자 지차 범인수진련도 유수일이불잡즉진덕무마
[其惟抱一爲天下式者, 知此, 凡人修眞鍊道, 惟守一而不雜則進德無魔,
승거유일의
昇擧惟日矣.]

◀ 해설 解說

오직 그 하나(一)만을 포용하는 것이 天下(천하)의 法式(법식)임을 알아야 하니, 무릇 사람이 眞理(진리)와 道(도)를 수련하여 오직 그 하나만을 지켜나가기 위해 雜駁(잡박)함을 피해 나가면 魔鬼(마귀)도 범접하지 못하고 오직 태양 같은 밝은 빛만이 떠오를 것이다.

다음은 本章(본장)의 本元的(본원적) 해설을 통하여 道(도)의 概要(개요)를 簡明(간명)하게 밝혀 보고자 한다.

본문 本文.

천존언 도자 이성이입 이묵이수 이용이유
[天尊言, 道者, 以誠而入, 以默而守, 而用以柔.]

◀ 해설 解說

大道는 넓고 茫茫해서 無形無體하며 또한 無情하지만,

入하면 有門이니, 誠으로서 入해야 하고,

守하면 有要라, 默으로서 守해야 하며,

用하면 有樞라, 柔로서 用해야 한다.

誠者는,

眞實無妄하여,

妄去則眞還하고,

眞還則誠復이니,

이것이 入道의 門이다. (원본 92쪽)

默이란, 默識之默이니, 道는 知로서는 不可解하다.

知란, 識之明하고 見之眞해야 謂之知也다.

知(지)란, 어둠이 모여서 이루어졌음으로 知(지)로서 守道(수도)의 要(요)를 삼는다.

柔(유)란, 濡弱(유약)과 謙卑(겸비)를 뜻하니, 知(지)를 雄(웅)이라 한다면 守(수)는 雌(자)라 하고, 知(지)를 白(백)이라 한다면 守(수)는 黑(흑)이라고도 할 수 있으며,

氣(기)가 極盡(극진)하면 柔(유)로 變(변)하므로, 그러므로 道(도)를 體(체)로 삼고, 柔(유)를 用(용)으로 삼는다.

本文(본문).

用誠似愚(용성사우)하고,

用黙似訥(용묵사눌)하며,

用柔似拙(용유사졸)하니,

大智(대지)는 若愚(약우)하고,

大辨(대변)은 若訥(약눌)하고,

大勇은 若怯하다.

本文 본문

夫如是則,
可與忘形하며,
可與忘我하고,
可與忘忘하나니,

如是란 곧 誠과 默과 柔의 三者를 말하니, 이 三者를 갖춘 연후라면 內觀其心을 自在로 할 수가 있다.

心無其心이면 外觀諸形하고,
形無其形이면 遠觀諸物하고,
物無其物이면 近觀諸我하고,

我無基我(아무기아)면 旣忘我則無色相(기망아즉무색상)하고,
無我相無人相(무아상무인상)이면, 渾我物人(혼아물인)하여 己而忘之矣(기이망지의)야.

外觀(외관)으로 보이는 諸形(제형)으로서는 心其自體(심기자체)를 볼 수가 없으며, 遠觀(원관)으로 나타나는 諸物(제물)로서는 形(형), 그 自體(자체)의 바른 形(형)을 볼 수가 없으며, 近觀(근관)으로 나타나는 諸我(제아)는 我其自體(아기자체)를 바로 볼 수가 없으며, 이미 我(아)를 忘(망)한 뒤라면 我(아), 그 自體(자체)가 어디에 있겠는가?
즉, 나(我)(아) 自體(자체)를 잊은 뒤라면 一切(일체)가 無色相(무색상)이요, 나의 相(상)이 없으면 모든 사람의 相(상)도 없으리니, 이때에는 나(我)(아)와 남(他)(타), 그리고 一切(일체)의 사물이 渾然一體(혼연일체)로 忘却(망각)의 늪 속에 잠기고 마니, 이 어찌 茫茫(망망)하다 하지 않겠는가? (원본 94쪽)

本文(본문).

入道者(입도자) 知止(지지)하고,
守道者(수도자) 知謹(지근)하며,

用道者 知微하니,

止는 安이니 그것은 곧, 不遷함을 뜻하며,

知止는 곧, 大學의 「知止以後有定」의 뜻을 말한다.

守는 執字의 뜻으로서 이른바, 「執天地行」의 의미와 같은 것이고,

謹은 守之固를 말한다.

微는 顯의 對句이며, 知微는 微를 안다는 뜻이니 곧, 顯함을 안다는 뜻도 된다.

本文

能知微則, 慧光生하고,

能知謹則, 聖智全하며,

能知止則, 泰定安하니,

微는 顯之機라, (원본 95쪽)

旣往에 微함을 알고 나면 光輝가 發越하니, 이것을 곧 慧性이라 하고,
慧性은 곧 日(태양)과 通하므로 이를 生이라 한다.
始終하여 理致를 닦음으로써 聖智를 분별할 수가 있다.
知謹則, 聖無不通하고 智無不照하니, 이것을 소위 全이라 한다.
泰란, 天君의 泰然함을 말하고,
定은, 곧 知止以後에 有定이라는 말의 뜻이고,
安이란, 定以後에 能安이라는 뜻이 된다.

本文(본문)

泰定安則, 聖智全하고,
聖智全則, 慧光生하며,
慧光生則, 與道爲一하느니,

시명진망
是名眞忘이라,

유기망이불망
惟其忘而不忘하며,

망무가망
忘無可忘하여,

무가망자 즉시지도
無可忘者를 卽是至道라 한다.

심지탄연 위태
心之坦然, 爲泰.

▶ 해설 解說

탄탄
마음이 坦坦하면 편안하고,

심지유수 위정
心之有守, 爲定. (원본 96쪽)

▶ 해설 解說

안정
마음을 굳게 지키면 安定하고,

심지불요 위안
心之不搖, 爲安.

▶ 해설 解說

마음이 흔들리지 않으면 편안하며,

履之爲聖.

◀ 解說 實踐履行하는 者는 聖이라 한다.

知之爲智.

◀ 解說 知는 智이니 앎이란 곧 智慧이다.

融之爲慧.

◀ 解說 融和함은 慧가 되고,

慧之爲燭.

◀ 解說 慧는 곧 燭이 되고,

촉지위광
燭之爲光.

◀ 해설 解說
燭(촉)은 곧 光(광)(광명)이 된다.

기등차안즉 조무소조
其登此岸則, 照無所照.

◀ 해설 解說
언덕(彼岸(피안))을 다 오르고 나면, 비춰줄 빛이 있어도 비칠 곳이 없어지고,

각무소각 환신멸
覺無所覺, 幻身滅.

◀ 해설 解說
더없이 다 깨닫고 나면 몸에 迷惑(미혹)함이 없어지고,

환신역멸 환심멸
幻身亦滅, 幻心滅.

◀ 해설 解說
몸에 迷惑(미혹)함이 없어진 뒤에는 마음의 미혹도 없어지고, (원본 97쪽)

환진역멸 비멸비환
幻塵亦滅, 非滅非幻.

◀ 해설解說
塵世(진세)의 미혹도 滅(멸)하고 나면, 滅(멸)도 아니고 幻(환)도 아닌 것이다. (旼岡 註: 무아지경)

소위망무가망야
所謂忘無可忘也.

◀ 해설解說
이를 가리켜 이른바 忘無可忘(망무가망)이라 한다.

지어망망비지도호
至於忘忘非至道乎!

◀ 해설解說
忘忘(망망)한 경지에 들지 않고서야 어찌 道(도)의 경지에 이르렀다고 할 수 있겠는가?

본문
本文.

道在天地(도재천지)하되,
天地(천지)도 不知(부지)하느니,
有情無情(유정무정)이 惟一無二(유일무이)하느니라.

道(도)가 天地間(천지간)에 自在(자재)하지만,

天地(천지)도 이를 알지 못하니,

有情無情(유정무정)이 비록 다르다고 하나, 그 本元(본원)은 一(일)이요, 二(이)가 아니다.

有情者(유정자)는 我(아)와 더불어 飛走蠢動(비주준동)이요, 無情者(무정자)는 山河草木(산하초목)이다.

義曰(의왈),

此章(차장)은 玉淸眞王(옥청진왕)께 나아가는 端緖(단서)로서 入道(입도), 守道(수도), 體道(체도) 등을 열거한 것이다.

玉樞大敎(옥추대교)를 封(봉)하는 志士(지사)는 此障(차장)을 再三窮究(재삼궁구)하여 自由自得(자유자득)함을 바라는 바이니, 玉淸眞王(옥청진왕)의 말씀은 결코 虛(허)가 아닌 것이다. (원본 98쪽)

釋曰(석왈),

大道(대도)는 無言(무언)이니,

有言則非道(유언즉비도)라, 是故(시고)로 我天尊(아천존)은 말씀이 있기 前(전)에, 이미 前障(전장)의 至道深窈章(지도심요장)에서 得聞(득문)

으로서는 道를 알고자 함이 不可하다고 지적했었다.

如此之論은 後世人들이 모두 다 天尊의 德化를 벗어남으로 因하여 其道의 有起有止가 無見無聞인데도 불구하고, 마치 起止現狀을 見聞하듯 생각하여 一體의 造化가 天尊의 德化에서 벗어나 개개인의 마음에서 우러나오는 造化(皆由心造)인양 착각할까봐 근심해서다.

* 皆不被天尊之化 - 天尊의 德化에서 벗어남을 말한다.
* 皆由心造 - 일체의 造化가 마음에서 비롯된다고 생각하는 그릇된 認識.

九氣의 由來는 昔時에 我天尊께서 始生九氣한 다음에야 처음으로 九氣가 成하였는데, 어찌 그 이전에 道를 보고 들었다고 할 수 있겠는가?

此障은 天尊께서 敎化修道하는 참된 방법과 用功守成하는 捷路를 밝힌 것이니, 天地之誠과 人之誠이 合함으로 해서 至道의 경지에 오를 수 있는 길을 열어 주신 것이다.

대체로 誠者는 一이요, 天道도 一(一理)인데 一生二하고, 二生三하니, 三生萬物이

라, 그러므로 天地(천지)의 生成之造化(생성지조화)가 오직 하나의 誠(성)으로서 이루어짐은 아무도 否定(부정)할 수 없는 사실이다.

用默而守(용묵이수)하고, (원본 98쪽)
用柔而用(용유이용) 然後(연후)에 得誠(득성)하나니,
得誠者(득성자)는 似愚(사우)하고,
得默者(득묵자)는 似訥(사눌)하고,
得柔者(득유자)는 似拙(사졸)하니,
誠(성), 默(묵), 用(용)은 體(체)와 用(용)이 되며,
愚(우), 訥(눌), 拙(졸)은 道(도)의 玄(현)이 된다.

이와 같은 方途(방도)로 道(도)와 混然(혼연)하여 忘形(망형)하고, 忘我(망아)하며, 忘忘(망망)하면, 이것이 곧 道(도)의 實體(실체)요, 또한 진실된 道(도)의 妙(묘)라 하겠다.

入必要知止하고,

守必要知謹하고,

用必要知微하니,

能知微者는 九氣之光이 現顯하고,

能知謹者는 萬靈之聖이 穩全하고,

能知止者는 三元之神이 편안케 해주니,

神安則 智必備하고,

智備則 靈光生하고,

靈光生則, 本元之氣라 편안한 고로,

名曰 眞忘이라 하니, (원본 100쪽)

終當엔 그 眞妄마저도 잊고 난 뒤라야 忘無可忘이 될 수 있는 고로, 그것이 곧 진실로 하나의 大道(대도)를 이룩할 수 있는 길인 것이다.

讚曰(찬왈),

守一守一當用謹默, 無我無人.
(수일수일당용근묵 무아무인)

▶ 해설 解說
守道(수도)를 함에 있어서 첫째 요건이 무엇인가 하니, 오로지 謹(근)과 默(묵)으로써 無我無人(무아무인)의 경지에 接(접)하는 것이다.

郤有一賊若還捉住, 湛然凝碧.
(극유일적약환착주 담연응벽)

▶ 해설 解說
하나의 작은 틈바구니가 마음의 盜賊(도적)을 請(청)해 들이는 결과가 되므로, 언제나 淸淨(청정)한 深淵(심연) 속을 응시하면서, 碧玉(벽옥) 속에다 몸과 마음을 파묻고 精進(정진)에 精進(정진)을 거듭해야만 至道(지도)의 경지에 도달할 수가 있게 된다.

講曰(강왈),

수위득도 수위실도 군물망언
誰爲得道, 誰爲失道, 君勿妄言,

피운일월명랑 합안만탁자락
披雲日月明朗, 合眼萬濁自樂,

도재하처 적적정야 초당리
道在何處, 寂寂靜夜, 草堂裏,

묵묵백광철고금 음허공장취주
黙黙白光徹古今, 飮虛空長醉酒.

타멸군철제경기
妥滅群哲諸經欺.

묘재묘재 오불살 설교대도
妙哉妙哉, 吾不殺, 說敎大盜,

서불등천존옥부 가가대소
誓不登天尊玉府, 呵呵大笑.

해시
解詩,

◀ 해설 解說

누가 得道者(득도자)이고, 누가 失道者(실도자)인 가를,

그대는 망령되게 함부로 말하지 말라.

구름이 흩어지고 난 뒤에는 日月(일월)이 明朗(명랑)한 법이고,
두 눈을 감고 나면, 濁流世上(탁류세상)도 스스로 즐거운 것을,
道(도)는 어디에 있는가 했는데,
寂寂(적적)한 靜夜(정야) 草堂(초당) 속에 있었구나!
한 가닥 白光(백광)(旼岡 註: 하늘의 빛)은,
古今(고금)을 통하여 默默(묵묵)히 비추는데,
虛空(허공)을 향해 한 잔 술을 기울이고 나니,
몽롱한 醉氣(취기)는 오래도록 깨지 않는구나.
屢代(누대)의 群哲(군철)들은,
거짓 經典(경전)에 打滅(타멸)을 당했는데,
(旼岡 註: 잘못된 경전을 따르면 몸은 멀쩡해도 정신은 죽은 것과 마찬가지라는 뜻)
奇異(기이)할 손 이 몸은,

設教(설교)를 憑藉(빙자)삼아 妄言(망언)을 戲弄(희롱)해온 大盜(대도)이것만,

그 어찌 打滅(타멸)을 免(면)했을꼬?

天仙(천선)이 되고자 맹서는 굳게 했건만,

天尊玉府(천존옥부)엔 아직도 오르지 못하니,

참으로 가소롭기만 하구나.

제팔장 연묘보장 해설

第八章 演玅寶章 解說 (원본 102쪽)

天尊(천존)이 言(언)하사대 吾今於世(오금어세)에 何以利生(하이리생)하며 爲諸天人(위제천인)하여 演此玅寶(연차묘보)오 得悟之者(득오지자)로 卑蹄(비제)仙阼(선조)하리라.

學道之士(학도지사)도 信有氣數(신유기수)하니 夫風土不同(부풍토불동)이면 則稟受自異(즉품수자이)라, 故(고)로 謂之氣(위지기)며 智愚不同(지우불동)이면 則淸濁(즉청탁)이 自異(자이)라, 故(고)로 謂之數(위지수)니 數繫乎命(수계호명)하고 氣繫乎天(기계호천)하니 氣數所囿(기수소유)에 天命所梏(천명소곡)이라, 若得眞道(약득진도)면 愚可以智(우가이지)하며 濁可以淸(탁가이청)하여 惟命俾之(유명비지)하고 愚昏昏(우혼혼)하며 濁冥冥(탁명명)함도 亦(역)風土稟受之異之(풍토품수지이지)니라.

天地(천지)도 神其機(신기기)하여 使人不知(사인불지)하고 則曰自然(즉왈자연)이라하며 使知其不知(사지기불지)하고 則亦曰自然(즉역왈자연)이라하니, 自然之玅(자연지묘)는 雖玅於知(수묘어지)라도 而所以玅(이소이묘)는 則自乎不知(즉자호불지)로대 然於道(연어도)는 則未始有以愚之(즉미시유이우지)濁之(탁지)니라.

諸天(제천)이 聞已(문이)하고 四衆(사중)이 咸悅(함열)하니라.

제팔장 연묘보장
第八章 演玅寶章

천존언 오금어세 하이리생 위제천인 연차묘보 득오지자 비제선조 학도지사
天尊言 吾今於世 何以利生 爲諸天人 演此玅寶 得悟之者 卑蹄仙阼 學道之士

신유기수부 풍토불동즉 품수자이 고위지기 지우불동즉 청탁자이 고위지수
信有氣數夫 風土不同則 稟受自異 故謂之氣 智愚不同則 淸濁自異 故謂之數

수계호명 기계호천 기수소유 천명소곡 약득진도 우가이지 탁가이청 유명비지
數繫乎命 氣繫乎天 氣數所囿 天命所梏 若得眞道 愚可以智 濁可以淸 惟命俾之

우혼혼 탁명명 역풍토품수지이지 천지 신기기 사인불지 즉왈자연 사지기불지
愚昏昏 濁冥冥 亦風土稟受之異之 天地 神其機 使人不知 則曰自然 使知其不知

즉역왈자연 자연지묘 수묘어지 이소이묘 즉자호불지 연어도즉 미시유이우지탁지
則亦曰自然 自然之玅 雖玅於知 而所以玅 則自乎不知 然於道則 未始有以愚之濁之

제천 문이 사중 함열
諸天 聞已 四衆 咸悅

第八章 解說 제팔장 해설 (원본 103쪽)

天尊(천존)께서 言(언)하사대, 내가 세상과 諸天人(제천인)을 위해 무엇으로 이로움을 줄 수 있을까를 궁리한 끝에, 이 玅寶(묘보)(寶經(보경)을 지칭)의 뜻을 演義(연의)하니, 이를 깨달은 자는 末席(말석)이나마 仙人(선인)의

반열에 올라 先仙들의 시중이나마 들게 하리라.

* 卑蹄仙祚 - 東便의 列仙을 接賓하는 처소인데 道를 깨우친 者는 이의 處所 末席에서 심부름하는 직책을 맡게 된다.

무릇 道를 공부하고자 하는 선비의 정신 속에는 氣, 數(氣陰數陽)가 有하나, 人人各異하므로 사람마다 稟受가 自異한 원인이 된다.

즉, 風土가 不同이라 稟受가 自異하다는 말은 이로써 생긴 말이니, 그래서 氣를 論謂하게 되고, 또 智愚가 不同이면 淸濁이 自異하다는 말은 이를 가리킨 말이니, 그러므로 數를 論謂하게 되는 것이다.

氣와 數는 天命에 所梏함인 고로, 氣와 數가 所囿하게 됨도 이의 所致라 하겠지만, 그러나 만약 眞道를 得하게 되면 어리석은 者는 지혜로워지고 濁한 氣를 타고난 사람은 淸한 氣로 바뀌게 되니, 오직 어리석고 昏迷하며 濁하고 冥冥함은 역시 태어난 곳의 풍토에 따라 稟受하는 氣가 같지 않기 때문이니, 稟受의 氣가 淸한 者는 淸氣를 타고나고, 濁한 者는 濁氣를 타고나게 된다.

天地神命(천지신명)은 機微(기미)(낌새)가 있으되 사람으로서는 알 수가 없겠기에, 이를 가리켜 自然(자연)이라 하니, 따지고 보면 인간이 무엇을 안다고 하는 그 자체마저도 偏見(편견)과 誤謬(오류)로 가득 차 있어, 올바르게 알지 못하는 이것 또한, 자연의 이치로 돌릴 수밖에 없다.

그러나 自然之妙(자연지묘)는 本(본)바탕이 昏冥愚濁(혼명우탁)한데서 이루어질 수 없는 것이라고 하니, 諸天(제천)이 이에 感服(감복)하여 귀를 기울이고, 四部衆生(사부중생)은 모두 기뻐하였다.

註曰(주왈),

무릇 사람이 태어난 風土(풍토)가 土厚水深(토후수심)한데 地氣(지기)가 多寒(다한)한 곳이라면, 萬物(만물)은 造化(조화)의 결실은 晩成(만성)이지만, 그러나 地氣(지기)가 厚(후)하므로 인간의 壽命(수명)은 長壽(장수)하게 되고, 반대로 若(약) 土薄(토박)水淺(수천)한데 地氣(지기)가 多熱(다열)하면 萬物(만물)의 造化(조화)는 速成(속성)이지만, 그러나 土薄(토박)한 고로 인간의 수명은 多夭(다요)라 하니, 비유컨대 風土(풍토)가 不同(부동)함에 따라 稟受(품수)도 自異(자이)한 고로, 만약 사람의 胎氣(태기)(근원적 氣(기))가 淸(청)함을 받은 者(자)는 그 氣(기)가 淸(청)하며 爲人(위인)이 慈善(자선)하고 품행이 단정하여 忠(충)孝之心(효지심)이 강하고 지혜총명에 樂仙慕道(낙선모도)하는 인물이라 하겠고, 반대로 胎氣(태기)가 濁(탁)함을 입

은 者는 稟受之氣가 濁할 뿐아니라, 爲人이 흉폭스럽고 邪妄狼毒하며 愚癡悖毒無한
無道之人으로서 不仁不義를 恒茶飯으로 자행하는 爲人이다.

智愚가 不同함은 淸濁이 自異한 까닭이요,
氣數가 囿한 곳에는 花木이 開發하고,
智愚淸濁에 各有時함은 역시 皆稟天地之氣함이니,
氣數는 天命에 所梏되어 있기 때문이다.
고로 不善之人은 갖가지 악취미에 깊이 빠져들지만,
若得眞道면 愚者도 智慧門에 들어, (원본 105쪽)
化함을 입을 수 있고,
濁者도 淸淨門에 들어,
化함을 입을 수 있으나,

다만 惡者(악자)는 항상,
스스로가 昏暗(혼암)에서 벗어나지 못하고,
濁者(탁자)는 항시 冥冥之間(명명지간)을 헤매게 되는,
이 모두가 다 자연스레 일어나는 결과이고 보면,
모든 風土(풍토)는 稟受(품수)대로 分配(분배)하여 定(정)해짐을 알 수가 있다.

氣(기)가 天地之間(천지지간)의 萬物(만물)을 生殺(생살)함은 역시 四時之氣候(사시지기후)를 쫓음이니, 만일 뜻있는 人士(인사)가 五(오)行(행)의 氣(기)를 得(득)한 연후에 陰陽之精氣(음양지정기)를 수련하고 나면 이로서 保固其身命(보고기신명)하게 되고, 또한 便與天地(편여천지)하여 同久日月齊明(동구일월제명)하리라.

그러나 이를 알지 못하여 수련을 게을리하면, 그때엔 害其身命(해기신명)하리니, 學道之人(학도지인)은 如此(여차)之點(지점)을 항시 머릿속에 넣어 두어서 身命(신명)에 害(해)됨이 없어야 할 것이니라.

義曰(의왈),

天地間의 生物은 모두가 陰陽二氣의 形成으로 이루어지니,

淸氣를 많이 타고 난 者는 賢淑하고,

濁氣를 重하게 타고 난 者는 奸惡하다.

이 모두가 風土가 고르지 못한 所致이고 보니, (원본 106쪽)

稟受之氣가 어찌 自異하지 않겠는가?

釋曰,

夫風土之不齊로 實氣數之所繫也니라.

▶ 해설 解說

무릇 風土가 고르지 못한 관계로 氣數의 맺음이 실제로 各異하다.

是故로 我天尊은 擧此一章으로서,

▶ 해설 解說

그러므로 나의 天尊께서는 此一章의 妙寶로서,

열대도지후자 하야
列大道之後者하니 何也오?

▶ 해설 解說 後世를 위해 大道를 펼치고자 하니 그 까닭은 무엇인가?

개세인 실어조양 사의경생
蓋世人이 失於調養하여, 肆意輕生하며,

▶ 해설 解說 세상 사람들은 거개가 修養이 부족하고, 放恣한 마음이 앞섬으로써,

숙부지 경청지기 위천 중탁지기 위지
熟不知로 輕清之氣, 爲天과 重濁之氣, 爲地니,

▶ 해설 解說 하늘의 輕清之氣와 땅의 重濁之氣를 자세히 알지 못하나,

범위인신 득천기 성정 성률 성액
凡爲人身은 得天氣로서 成精, 成律, 成液하고,

▶ 해설 解說 무릇 사람의 몸은 天氣를 得함으로써 精氣와, 律禮와, 精液을 形成케 되고,

득지기 성골 성육 성근
得地氣로서 成骨, 成肉, 成筋함이니,

◀ 해설解說

地氣(지기)를 得(득)함으로써 뼈와 살, 그리고 근육 등을 형성하게 되니,

기품이기이생 하 유수 지현우지분야
旣稟二氣而生, 何? 有修, 知賢愚之分耶라,

◀ 해설解說

사람은 天地二氣(천지이기)의 稟受(품수)를 받아 태어남은 사실이나, 知(지)의 賢愚(현우)를 어떻게 분간하겠는가?

그것은 오로지 수련의 有無(유무)로써만 가능한 것이다. (원본 107쪽)

기비풍토지후박 음양지편새야
豈非風土之厚薄, 陰陽之偏塞耶.

◀ 해설解說

풍토의 厚薄(후박)함과 陰陽調和(음양조화)의 불균형으로 인하여 智愚(지우)의 차이가 있음을 어찌 不定(부정)할 수가 있겠는가?

천명지여곡 기지수여유
天命之如梏하고, 氣之數如囿하니,

◀ 해설解說

天命(천명)은 마치 수갑을 찬 죄인과도 같고, 氣數(기수)는 흡사 가둬둔 물과 같아서,

언 인인 불가도천명이월기수
言, 人人, 不可逃天命而越氣數.

◀ 해설 解說
사람마다 말하듯, 타고난 天命은 逃避할 수도 없고, 稟受之氣數는 뛰어넘기 어려우니,

유아학도지사 존숭차경
惟我學道之士는 尊崇此經으로,

◀ 해설 解說
오직 學道之士는 此經을 尊崇함으로써,

출어천명이발호기수지외야
出於天命而拔乎氣數之外也니,

◀ 해설 解說
天命을 벗어날 수도 있을 뿐만 아니라, 氣數의 늪에서 빠져나갈 수도 있으리니,

아천존 설시언필
我天尊은 說是言畢하시고,

◀ 해설 解說
나의 天尊께서는 說法을 마치신 뒤에,

양반경사 뇌사호옹 사조제천제군 용약찬탄
兩班卿師와 雷師皓翁과 使祖諸天諸君과 踊躍讚歎하시니,

▶ 해설 解說

兩班卿師(양반경사)와 雷師皓翁(뇌사호옹)과 諸天諸君(제천제군)과 더불어 춤추고 뛰면서 讚歎(찬탄)을 하시니,

亦皆不知, 手舞足蹈之悅也. (역개부지 수무족도지열야)

▶ 해설 解說

역시 모든 사람들이 어쩔 줄을 모르고, 손뼉치고 춤추면서 기뻐 날뛰었다.

讚曰, (찬왈)

風土所宜亦由氣血, (풍토소의역유기혈) (원본 108쪽)

▶ 해설 解說

風土(풍토)가 宜(의)하면 그로 말미암아 血氣(혈기)에도 영향을 끼치게 되고,

水各有源, 人皆有刦, (수각유원 인개유겁)

▶ 해설 解說

흐르는 물마다 根源(근원)이 있듯, 사람마다 各己(각기) 終末(종말)이 있고,

輕淸還玄, 重濁不白, (경청환현 중탁불백)

◀ 해설解說 輕清(경청)한 氣數(기수)는 검은색으로 되돌아가지만, 중탁한 氣(기)는 白色(백색)으로 돌아갈 수 없듯,

도본무이 차심사월
道本無二, 此心似月.

◀ 해설解說 道(도)는 본래 둘이 될 수 없으니, 마치 心(심)과 月(월)이 둘이지만 근원은 하나인 것과 같다.

강왈
講曰,

일원유청탁수
一源有清濁水,

◀ 해설解說 한 골에서 흘러내린 물도 清濁(청탁)으로 갈라지고,

점령유지우별
點靈有智愚別,

◀ 해설解說 一點(일점) 靈氣(영기)도 智愚(지우)로 구별되지만,

갈생송리 능연천장
葛生松裡, 能延千丈,

▶ 해설 解說
솔밭 속에서 자란 칡넝쿨은 千(천)길이나 뻗어나는데,

목생모중미면삼척
木生茅中味免三尺,

▶ 해설 解說
왕골밭에 심어진 나무는 석 자를 채 자라지 못하니,

하천지지편야
何天地之偏也,

▶ 해설 解說
어찌 天地(천지)는 이렇게 공평하지가 못할까?

등성이지지자중
登城而指知者衆, (원본 109쪽)

▶ 해설 解說
城(성)마루에 올라가 손가락질하면 城(성)안에 있는 백성들이 다 알게 되고,

당풍이호문자군
當風而呼聞者群,

당장 불어오는 바람 소리는 群衆(군중)이 모두 들을 수가 있지만,

음양번복 중생화복 천수만변
陰陽飜覆, 衆生禍福, 千殊萬變,

◀ 해설 解說 陰陽飜覆(음양번복)으로 衆生(중생)에게 福(복)이 千殊萬變(천수만변)한다 해도,

세세효효시비
世世囂囂是非,

◀ 해설 解說 세상 사람들은 世世(세세)토록 한가롭고 시끄럽게 是非(시비)만 일삼으니,

하위자연 대갈일성
何謂自然, 大喝一聲.

◀ 해설 解說 이 어찌 自然(자연)의 造化(조화)라는 말로만 큰 소리 치겠는가?

마병일진 검광황처
魔兵一進, 劍光恍處,

◀ 해설 解說 魔兵一進(마병일진)으로 劍光(검광)이 번득이는 그곳에는,

온성괴야 파
蘊城壞也, 破.

▶ 해설解說
견고하던 성벽도 一瞬(일순)에 함락되고,

천거지부동 이궤즉일
千車之不同, 而軌則一.

▶ 해설解說
千(천) 가지 수레마다 그 모양은 달라도, 다만 바퀴는 한 가지이듯,

지귤지수형 이근즉동
枳橘之殊形, 而根則同.

▶ 해설解說
탱자와 귤이 모양은 달라도 그 뿌리는 같으며,

만지지굴곡 이체즉직
萬枝之屈曲, 而體則直.

▶ 해설解說
만 가지의 가지는 屈曲(굴곡)이 져 있어도, 그 몸체는 곧은 法(법)이듯,

성범지철 암이영즉균
聖凡之哲, 暗而靈則均.

◀ 해설 解說

聖人(성인)이나 凡人(범인)이, 어둡고 靈(영)한 것은 같은 法(법)이듯,

塵清無二, 擇者當罪.

진청무이 택자당죄

◀ 해설 解說

塵世(진세)와 清世(청세)가 本無二(본무이)인 것을, 둘로 가리는 者(자)는 곧 罪(죄)로다.

제구장 설보경장 해설
第九章 說寶經章 解說

天尊이 言하사대 吾今所說이 卽是玉樞寶經이니 若未來世에 有諸衆生이 得聞吾名하고 但冥心黙想하여 作是念言하대,

九天應元雷聲普化天尊이라 하여 或一聲하며 或五七聲하며 或千百聲하면 吾卽化形十方하고 運心三界하여 使稱名者로 咸得如意하리니 十方三界에 諸天諸地와 日月星辰과 山河草木과 飛走蠢動에 若有知 若無知와 天龍鬼神이 聞諸衆生에 一稱吾名하고 如有不順者면 馘首刳心하여 化爲微塵하리라.

제구 설보경장
第九 說寶經章

천존언 오금소설 즉시옥추보경 약 미래세 유제중생 득문오명 단명심묵상
天尊言 吾今所說 卽是玉樞寶經 若 未來世 有諸衆生 得聞吾名 但冥心黙想

작시염언 구천응원뢰성보화천존 혹일성 혹오칠성 혹천백성 오즉화형십방
作是念言 九天應元雷聲普化天尊 或一聲 或五七聲 或千百聲 吾卽化形十方

운심삼계 사칭명자 함득여의 십방삼계 제천제지 일월성신 산하초목 비주준동
運心三界 使稱名者 咸得如意 十方三界 諸天諸地 日月星辰 山河草木 飛走蠢動
약유지 약무지 천룡귀신 문제중생 일칭오명 여유불순자 괵수고심 화위미진
若有知 若無知 天龍鬼神 聞諸衆生 一稱吾名 如有不順者 馘首刳心 化爲微塵

第九章 解說 제구장 해설 (원본 112쪽)

天尊이 말씀하시기를, 내가 방금 說하는 이 經이 곧 玉樞寶經이니, 만약 먼 뒷날의 衆生 가운데 나의 이름을 듣고자 하는 者가 있으면, 오직 조용한 가운데 默想을 하고서 暗頌을 하되 「九天應元雷聲普化天尊」이라고 외우고, 이를 一聲이나 혹은 五, 七聲, 또는 百千聲을 외우면, 그때 내가 즉시 十方에 現顯하여 運心三界하리니, 이때에 내 이름을 부르는 者가 있다면 그로 하여금 뜻과 같이 소원을 성취할 수 있게 해주리니, 十方三界의 諸天諸地와 日月星辰, 山河草木, 飛走蠢動, 天龍鬼神, 惑有知者, 惑無知者, 그리고 天龍鬼神에 이르기까지, 이 經을 傾聽한 모든 衆生에게는 필히 一稱吾名케 하리니, 이때에 만약 不順者가 있다면 이는 용납지 않으리라. (馘首刳心 - 머리를 베어버리고 심장을 쪼갠다는 말의 뜻이니, 무서운 刑罰과 災殃을 내린다는 뜻이다.)

註曰,

夫玉樞者는 玉淸之氣를 말하니, 玉은 至尊함을 뜻하며, 玉淸은 元始天尊을 지칭하는 尊號이기도 하다.

昊天皇帝를 가리켜 玉皇上帝, 太上道君, 太上老君, 혹은 玉晨, 또는 高上玉帝라고 稱한다.

玉京은 三淸之都의 號를 말한다.

神霄眞王을 玉淸이라 稱하니,

玉者는 寶中之尊貴者다.

樞者는 天地의 樞紐가 되고,

雷霆者는 天地의 樞機가 되므로 天樞地機라 하니, 天에는 樞가 있고, 地에는 機가 있으며, 동시에 樞는 陽이 되고, 機는 陰이 되며, 樞는 樞星이니, 즉 北斗의 貪狼星을 말한다. (원본 113쪽)

수왈천양지음 개천일생수야
雖曰天陽地陰, 蓋天一生水也.

▶ 해설解說
비록 天陽地陰(천양지음)이 配(배)가 된다 할지라도, 대체로 天(천)은 北方一水(북방일수)를 生(생)하느니라.

북두탐랑성 호위추성
北斗貪狼星, 號爲樞星.

▶ 해설解說
北斗(북두)의 斗柄(두병)인 貪狼星(탐랑성)은 號(호)를 樞星(추성)이라 하며,

탐랑배천원 내칠정지수야
貪狼配天元, 乃七政之首也. (七政(칠정)은 七星(칠성)을 뜻한다)

▶ 해설解說
貪狼(탐랑)은 天元(천원)에 配(배)하며, 또한 七星(칠성)의 斗(頭)星(두두성)이다.

여추밀원 역조망지추기야
如樞密院, 亦朝網之樞機也.

▶ 해설解說
樞密院(추밀원)이 마치 朝廷(조정)의 중추적 기관인 것과 같다.

총국지기밀정무 장살벌지목야
總國之機密政務, 掌殺伐之目也.

◀ 해설解說 一國(일국)을 총괄하는 機密(기밀)한 정무는 殺伐(살벌)을 장악하는 頭目(두목)인 樞星(추성)이 맡게 된다.

옥추지경 내천부지뢰문야
玉樞之經, 乃天府之雷文也.

◀ 해설解說 玉樞寶經(옥추보경)은 天府(천부)의 雷文(뇌문)이다.

여유불순지물 당고심참수
如有不順之物, 當刳心斬首.

(刳心斬首(고심참수) - 심장을 꺼내어 칼로 자르고 머리를 베는 것)

◀ 해설解說 만일 사람에게 不順(불순)한 짓을 加(가)하는 무리가 있으면, 당장에 심장을 쪼개고 머리를 베는 刑罰(형벌)을 내리는 것이니,

개재뇌사지주영야
皆在雷司之主令也.

◀ 해설解說 이 모두가 다 雷司(뇌사)의 主令(주령)에 따르는 것이다. (원본 114쪽)

이창현기천지위의
以彰顯其天地威矣.

◀ 해설解說

이러한 刑罰은 모두 다 하늘의 威嚴을 땅 위에 나타내기 위함인 것이다.

義曰,
의왈

천존이호생지심 위심화형십방
天尊以好生之心, 爲心化形十方.

◀ 해설 解說
天尊은 好生之心으로써 그 心을 十方에 化形하니,

불사일물 불피기택야
不使一物, 不避其擇也.

◀ 해설 解說
어느 한 가지 事物도 그의 使함을 받지 않음이 없고, 그 혜택을 입지 않은 것이 없다.

여유훼방도자 뇌사괵수고심 의의
如有毁謗道者, 雷司馘首刳心, 宜矣.

◀ 해설 解說
만일 道를 훼방하는 者가 있으면 雷師皓翁께서 司令을 내리시어 목을 베고 심장을 쪼개는 刑罰을 加해도, 오히려 그것이 마땅한 응징인 것이다.

석왈
釋曰,

차장 천존발광대원 명의
此章, 天尊發廣大願, 明矣.

▶ 해설解說
此章(차장)은 天尊(천존)의 廣大(광대)한 發願(발원)을 밝힌 것이다.

천존염염생생 무문가명고
天尊念念生生, 無文可明故.

▶ 해설解說
天尊(천존)의 念念生生(염염생생)함은 비록 無文(무문)일지라도 可(가)히 밝힐 수가 있으며,

수옥추지령문 이화중생
垂玉樞之靈文, 以化衆生.

▶ 해설解說
玉樞之靈文(옥추지령문)은 以化衆生(이화중생)에 垂範(수범)이 되어,

기혹중생 득화성진지후
其或衆生, 得化成眞之後,

▶ 해설解說
혹 衆生(중생)이 得化(득화)를 입어 成眞(성진)한 後(후)에는 天尊(천존)의 尊號(존호)를 一稱(일칭)하고, (원본 115쪽)

전천존지부 지어세간산하초목비주준동
篆天尊之符, 至於世間山河草木飛走蠢動.

◀ 해설 解說
天尊靈符(천존령부)를 篆書(전서)하여 보존하면, 世間(세간)은 물론이고 山河草木(산하초목)이나 飛走蠢動(비주준동)에 이르기까지도,

단품이기지물 즉당송이이청
但稟二氣之物, 卽當悚爾耳聽.

◀ 해설 解說
한갓 二氣(이기)의 稟性(품성)을 타고난 諸物(제물)은 당장에 悚懼(송구)하여 傾聽(경청)하지 않을 수가 없으며,

관감소태여유불순자 뇌사불용쇄위징진야
毋敢小怠如有不順者, 雷師不容碎爲懲塵也.

◀ 해설 解說
조금이라도 게으름을 피우지 말아야 할 것이니, 만약 順服(순복)하지 않는 者(자)가 있다면 雷師(뇌사)께서 이를 不容(불용)하리니, 이들을 징계하되 가루를 만들어 먼지처럼 날려버릴 것이다.

찬왈
讚曰,

천존천존발원광대 훼방현문뇌사진해
天尊天尊發願廣大, 毀謗玄文雷師瞋害.

▶ 해설 解說

아! 天尊(천존)의 廣大無邊(광대무변)한 發願(발원)은 雷司(뇌사)로 하여금 玄文(현문)을 훼방하는 무리들을 向(향)해 瞋害(진해)하는 데 있다.

강왈
講曰,

음진해수일어부동 취과절목군봉난타
飮盡解水一魚不動, 取果折木群棒亂打.

▶ 해설 解說

바닷물을 다 마시고 나니 고기떼가 놀지 못하고, 果實(과실)을 다 따고 가지를 꺾어버리니 뭇 막대가 亂舞(난무)하는구나!

분전포증전차후위 두수후시지매가욕
分錢布增前遮後衛, 斗殊後施指罵加辱.

▶ 해설 解說

돈을 거두어 포목을 사서 앞뒤를 가리고 나니, 北斗(북두)가 삐뚤어진 채 이상하게 보이고, 손가락질로 욕설을 퍼붓는 듯하구나.

하청천지위일가 무중지척장만리
霞清天地爲一家, 霧中咫尺長萬里.

◀ 해설 解說

맑은 노을에 쌓인 天地(천지)는 한 집 같이만 보이는데, 겹겹이 낀 雲霧(운무)는 咫尺(지척)도 萬里長程(만리장정)으로만 보이네.

玉樞寶經(옥추보경) 天集(천집) (끝)

地經 解說 지경 해설

玉樞寶經註解 地經集 (옥추보경주해 지경집)

海瓊 白眞人 註解 (해경 백진인 주해) (본문 해설 중 註曰(주왈))

祖天師 張眞君 義著 (조천사 장진군 의저) (본문 해설 중 義曰(의왈))

五雷使者 張天君 釋訓 (오뢰사자 장천군 석훈) (본문 해설 중 釋曰(석왈))

純陽孚佑帝君 讚頌 (순양부우제군 찬송) (본문 해설 중 讚曰(찬왈))

秋汀 崔秉斗 (추정 최병두) (師門의 第三十一代 道祖 (사문의 제삼십일대 도조)) 講意 (강의) (본문 해설 중 講曰(강왈))

九天應元雷聲普化天尊說玉樞寶經 地經 (구천응원뢰성보화천존설옥추보경 지경) (正經(정경)) 粹峯 李奇穆 註解 (수봉 이기목 주해) (全文(전문) 해설)

지경 제일장 학도희선장 해설
地經 第一章 學徒希仙章 解說

天尊이 言하사대 吾是九天正明大聖이라

每月初六 及 旬中辛日에 監觀萬天하며 浮遊三界하노니 若或有人이 欲學道이거나 欲希仙이거나 欲逭九玄이거나 欲釋三災면 當命正一道士하고 或自同親友하야

於樓觀이나 於家庭이나 於里社에 醮水饋花하고 課誦此經하대 或一過나 或三五過나

乃至數十百過면 即得 神清氣爽하며 心廣體胖하야 凡所希求를 悉應其感하리라.

지경 제일장 학도희선장
地經 第一章 學徒希仙章

천존언 오시구천정명대성 매월초육 급 순중신일 감관만천 부유삼계 약혹유인
天尊言 吾是九天正明大聖 每月初六 及 旬中辛日 監觀萬天 浮遊三界 若或有人

욕학도 욕희선 욕환구현 욕석삼재 당명정일도사 혹 자동친우 어루관 어가정
欲學道 欲希仙 欲逭九玄 欲釋三災 當命正一道士 或 自同親友 於樓觀 於家庭

어리사 조수궤화 과송차경 혹일과 혹삼오과 내지수십백과 즉득 신청기상
於里社 醮水饋花 課誦此經 或一過 或三五過 乃至數十百過 即得 神清氣爽

心廣體胖 凡所希求 悉應其感
(심광체반 범소희구 실응기감)

地經 第一章 第九章 解說 지경 제일장 해설, (원본 118쪽)

天尊께서 말씀하시되, 나는 곧 「九天正明大聖」이라, 매월 初六日이나, 또는 旬中 辛日에 監觀萬天하면서 三界를 浮遊할 적에, 만약에 道를 공부하고자 하는 사람이 있거나, 혹은 仙道를 익히고자 하는 사람, 그리고 속세를 멀리 떠나서 九玄으로 숨어들고자 하는 사람이 있거나, 또한 三災의 고통 속에서 풀려나고자 하는 사람이 있으면 당장 正一道士에게 命하되, 혹은 自己 혼자이거나, 아니면 친구들과 함께 正明大聖께 懇求할 적에, 樓觀(樓館)에서나 또는 가정에서, 또는 洞里의 社稷堂에서, 醮水饋花(井華水, 또는 井一水와 設花水盤)한 다음에, 本課의 經을 誦하되, 혹 한 번만 誦하거나, 아니면 세 번이나 다섯 번, 또는 數十 百番을 誦하게 되면, 즉시 정신이 맑아지고 기분이 상쾌해 짐을 얻을 수가 있으며, 또 한편으로는 마음이 넓어지고 몸은 살이 찌게 되어, 무릇 希求하는 바는 모두 다 應함을 體感할 수가 있게 된다.

주왈
註曰, (원본 119쪽)

천존호정명대성
天尊號正明大聖.

▶ 해설解說 天尊(천존)의 號(호)는 正明大聖(정명대성)이시다.

부정자 정관기천지
夫貞者, 定觀其天地,

▶ 해설解說 大抵(대저) 貞者(정자)는 天地(천지)를 定觀(정관)함을 말하니,

정승기길흉 이내천지변화
貞勝其吉凶, 而乃天地變化.

▶ 해설解說 슬기로서 吉凶(길흉)을 이기고, 또한 天地(천지)의 변화를 主管(주관)한다.

성인효지 길흉수상
聖人效之, 吉凶垂象,

▶ 해설解說 聖人(성인)은 吉凶之間(길흉지간)을 막론하고 모두 본받을 만한 垂範的(수범적) 象(상)이 되며,

성인즉지 대역 건 원형이정

聖人即之, 大易, 乾, 元亨利貞,

◀ 해설解說

聖人(성인)은 곧 大易(대역)의 乾(건)이시며, 元亨利貞(원형이정)의 四德(사덕)이시다.

정자 사시위동 사방위북

貞者, 四時爲冬, 四方爲北,

◀ 해설解說

貞(정)은 四時(사시)로서는 冬節(동절)이고, 四方(사방)으로서는 北方(북방)이며,

동역속북 천일생수

冬亦屬北, 天一生水.

◀ 해설解說

겨울 또한 北(북)에 속하여 天一生水(천일생수)하니, 水(수) 또한 北(북)인고로, 북방은 玉清眞王(옥청진왕)의 祖氣(조기)가 發(발)하는 곳이다.

천존 매월초육 급신일 하강

天尊, 每月初六, 及辛日, 下降,

◀ 해설解說

天尊(천존)은 매월 初六日(초육일)과 辛日(신일)에 下降(하강)하고,

초육자 육양 강이생건 육음 성이생곤
初六者, 六陽, 降而生乾, 六陰, 成而生坤,

◀ 해설 解說 六辛者는 六陽이며, 六陽은 降하여 乾宮을 生하고, 六陰은 升하여 坤宮을 生한다.

소식승강 주유육허 이위도극
消息升降, 周遊六虛, 而爲道極. (원본 120쪽)

◀ 해설 解說 天地萬物은 虛方을 周遊하며 消息升降을 되풀이하니, 이것이 곧 道의 本質이다.

성공 생언 신명 출언개천지생수일 성수육
聖功, 生焉, 神明, 出焉蓋天地生數一, 成數六.

◀ 해설 解說 大聖의 功은 生成에 있으며, 神明하므로 出하여 天一生數하고 地六成數하였다.

천지득 윤택제세 신일 천지수수 당선호신
天地得, 潤澤齊世, 辛日, 天地水數, 當先號辛.

◀ 해설 解說 辛日에는 天地가 윤택함을 입어 세상을 가지런히 하는 날이니, 辛日은 곧 天의 水의 數로서 辛이라 號함이 당연하다.

신수건천야 천일생수 개선천일기지의

辛數乾天也, 天一生水, 皆先天一氣之義.

◀해설 解說 辛數는 乾天이며, 天은 一水를 生하니, 이는 모두 先天一氣로서의 意志의 표현이다.

만천자 자대라 청미 우여 대적 삼경지천

萬天者, 自大羅, 淸微, 禹餘, 大赤, 三境之天.

◀해설 解說 萬天은 스스로 크게 펼쳐 萬有를 포용하니 그 氣象은 淸微하며, 그 餘力은 창공 끝에서부터 三境之天까지 펼쳐져 있어 包羅萬象이라 하겠다.

주편제천 무불감관 기천인공과

周遍諸天, 無不監觀, 其天人功過.

◀해설 解說 諸天을 두루 遍歷하면서 天과 人의 功過를 빠짐없이 監觀한다.

지우삼계 무불부유 찰녹기만령공과야

至于三界, 無不浮遊, 察錄其萬靈功過也.

◀해설 解說 三界에 이르러 浮游하면서 萬靈의 功過를 두루 살펴 기록한다.

약인 송차경자 범소희구 실응기감

若人, 誦此經者, 凡所希求, 悉應其感.

▶ 解說

만약, 이 經을 誦하는 者는, 무릇 所求之事를 모두 이루게 된다.

(旼岡 註 - 다만, 供養을 올리는 각자의 功力에 따라 功德은 각각 다르게 나타난다.)

의왈

義曰,

천존 언 유정 무정 유지 무지 함득성진 이선대화

天尊, 言, 有情, 無情, 有知, 無知, 咸得成眞, 以宣大化, (원본 121쪽)

▶ 解說

天尊이 말씀하시되, 有情 無情과 有知 無知를 가릴 것 없이 모두 다 成眞함으로서 大化함을 베풀어 주시니,

자견기공덕 불가칭량야

自見其功德, 不可稱量也.

▶ 解說

그 不可稱量한 功德을 스스로 볼 수 있겠다.

석왈
釋曰,

천존강림지일 공세인 부지오범천률
天尊降臨之日, 恐世人, 不知誤犯天律,

◀해설 解說
天尊(천존)이 監觀(감관)하는 날에는 世人(세인)이 不知不識間(부지불식간)에 天律(천률)을 범한 잘못에 대하여 두려워하나,

천존 석군생인지명
天尊, 惜群生人之命,

◀해설 解說
天尊(천존)은 群生(군생)의 人命(인명)을 아끼시니,

지어여차 여혹학도희선지사 조수헌화
至於如此, 如或學徒希仙之士, 醮水獻花,

◀해설 解說
이러한 경우에 이르러 만약, 혹 道(도)를 배우고자 하는 사람이 있다면 希仙(희선)의 성취를 위해 醮(조)水獻花(수헌화)로써 공양을 하고 나서,

혹친우 혹도사 일송차경
或親友, 或道士, 一誦此經,

◀해설 解說

혹 친구나, 혹 道士(도사)로 하여금 此經(차경)을 一誦(일송)하게 하면,

기득선반유위 천부표명

其得仙班有位, 天府標名,

▶ 해설解說 곧 仙人(선인)의 반열에 位(위)를 얻어 天府(천부)에 이를 標(표)하리니,

혹유하우 홀기성 심 과송차경

或有下愚, 忽起誠, 心, 課誦此經,

▶ 해설解說 혹 下界(하계)의 어리석은 群生(군생)일지라도 홀연히 誠(성)과 心(심)을 發(발)하여 此課(차과)의 經(경)을 誦(송)하면,

사인 심광 체반 혹유효자순손

使人, 心廣, 體胖, 或有孝子順孫, (원본 122쪽)

▶ 해설解說 그로 하여금 마음이 넓어지고 몸은 살이 찌며, 동시에 子孝順孫(자효순손)도 얻게 되리니,

제심척려 연치단장 독송차경

齊心滌慮, 延值壇場, 讀誦此經,

▶ 해설解說 마음을 가지런하게 하고 깊게 생각한 뒤에 壇場(단장)을 排設(배설)하고서 此經(차경)을 讀誦(독송)하면,

즉득초승 소이석삼재환구

卽得超昇, 所以釋三災逭九,

▶ 해설解說

즉시 超昇함을 얻게 됨과 동시에 三災에서 풀려남은 물론이고, 오히려 三災厄이 九天九地로 달아나고 말며,

현 개득여순 무불감응

玄, 皆得如順, 無不感應.

▶ 해설解說

玄妙한 이치로 뜻한 바를 모두 순조롭게 得하니, 何事든 感應하지 않는 것이 없다.

찬왈

讚曰,

성불용물이기상진

誠不用物以氣相臻,

▶ 해설解說

誠은 物로써 이루어지는 것이 아니라, 氣로써 相應하게 되며,

일칭존호천지회춘

一稱尊號天地回春.

▶ 해설解說

尊號(존호)를 한 번만 불러도 天地(천지)에 봄이 돌아온다.

講曰(강왈),

차경송지만편즉 이향진단
此經誦之萬遍則, 異香震壇,

◀ 해설解說 此經(차경)을 萬番(만번) 읽으면 이상한 香(향)이 祭壇(제단)을 진동하고,

오만편즉 몽배천존
五萬遍則, 夢拜天尊,

◀ 해설解說 五萬(오만) 遍(편)을 誦(송)하면 꿈속에서 天尊(천존)을 拜禮(배례)하게 되고,

십만편즉 백광호신 합안유서광
十萬遍則, 白光護身, 合眼有瑞光,

◀ 해설解說 十萬(십만) 番(번)을 誦(송)하면 白光(백광)이 護身(호신)하고, 合眼(합안)하면 瑞光(서광)이 나타나고,

구구송지 진욕돈제 망념점식
久久誦之, 塵慾頓除, 忘念漸息,

◀ 해설 解說

무한정 읽게 되면 塵世(진세)의 욕심이 모두 제거되며, 忘念(망념)도 점차 없어져서,

대도홀각 만신청령
大道忽覺, 萬神聽令.

◀ 해설 解說

마침내 홀연히 大道(대도)를 깨우치고 나니, 萬神(만신)이 내 令(영)을 듣고 이를 좇는구나!

지경 제이장 소구령장 해설
地經 第二章 召九靈章 解說

天尊(천존)이 言(언)하사대 身中九靈(신중구령)을 何不召之(하불소지)리오 하시니 一曰天生(일왈천생)이며, 二曰無英(이왈무영)이며, 三曰玄珠(삼왈현주)며, 四曰正中(사왈정중)이요, 五曰子丹(오왈혈단)이며, 六曰回回(육왈회회)며, 七曰丹元(칠왈단원)이요, 八曰太淵(팔왈태연)이며, 九曰靈童(구왈영동)이니 召之則吉(소지즉길)하고, 身中三精(신중삼정)을 何不呼之(하불호지)리오 하시니, 一曰太光(일왈태광)이요, 二曰爽靈(이왈상령)이며, 三曰幽精(삼왈유정)이니, 呼之則慶(호지즉경)하나니 五心(오심)이 煩懣(번만)하고, 六脈(육맥)이 猖攘(창양)하며, 四肢失寧(사지실녕)하야 百節(백절)이 告急(고급)커든 宜誦次經(의송차경)이니라.

지경 제이장 소구령장
地經 第二章 召九靈章

천존 언 신중구령 하불소지 일왈천생
天尊 言 身中九靈 何不召之 一曰天生

이왈무영 삼왈현주 사왈정중 오왈혈단
二曰無英 三曰玄珠 四曰正中 五曰子丹

육왈회회 칠왈단원 팔왈태연 구왈영동 소지즉길 신중삼정 하불호지 일왈태광
六曰回回 七曰丹元 八曰太淵 九曰靈童 召之則吉 身中三精 何不呼之 一曰太光

이왈상령 삼왈유정 호지즉경 오심번만 육맥창양 사지실녕 백절고급 의송차경
二曰爽靈 三曰幽精 呼之則慶 五心煩懣 六脈搶攘 四肢失寧 百節告急 宜誦次經

地經 第二章 解說(지경 제이장 해설), (원본 125쪽)

天尊(천존)이 말하기를, 사람의 人體(인체) 중에 九個(구개)의 靈(영)이 있으니, 이를 어찌 부르지 않겠는가.

그 一靈(일령)은 天生(천생)이요, 二靈(이령)은 無英(무영)이며, 三靈(삼령)은 玄珠(현주)요, 四靈(사령)은 正中(정중)이며, 五靈(오령)은 子丹(혈단)이요, 六靈(육령)은 回回(회회)며, 七靈(칠령)은 丹元(단원)이요, 八靈(팔령)은 太淵(태연)이며, 九靈(구령)은 靈童(영동)이니, 이들 九(구)개의 靈(령)을 부르면 吉事(길사)가 重重(중중)하리라 했고,

또한 身中(신중) 三精(삼정)을 어찌 부르지 않겠는가.

그 一精(일정)은 台光(태광)이요, 二精(이정)은 爽靈(상령)이며, 三精(삼정)은 幽精(유정)이니, 부르면 慶事(경사)가 있으리라고 했다.

九靈三精(구령삼정)을 어느 시기에 부르는가 하면, 五心(오심)에 번민이 가득하고, 六脈(육맥)이 풀어헤쳐지며, 四肢(사지)가 安寧(안녕)을 잃은 채, 百節(백절)이 急作(급작)스레 이완해 질 때, 此經(차경)을 誦(송)할지니라.

註曰(주왈),

九靈者, 人身中之本神也. (구령자 인신중지본신야)

九靈은 곧 人身 中의 本神을 말하니,

天生者 玄牝也, 無英者 嬰兒也, 玄珠者 谷神也, 正中者 泥丸夫人也, 子丹者 靈臺神也, 回回者 貴券神也, 丹元者 心神也, 太淵者 腎宮列女水府神也, 靈童者 主制五臟神也,

▶ 해설解說

天生은 玄牝이라 하니, 玄은 幽玄함을 말하고 牝은 암컷을 가리키므로, 곧 女神을 말한다. 無英은 嬰兒이니 이는 곧 兒鬼神이요, 玄珠는 谷神이요, 谷神은 계곡에 居하는 神이니 즉, 陰神을 말한다.

正中은 정수리(大腦의 중추)를 말하므로 泥丸夫人이라 한다. 子丹은 靈臺神이라 하니, 靈臺란 腦精의 본원지를 말한다. 回回란 貴券神이므로 九靈가운데 가장 貴骨格의 神을 말한다. (원본 126쪽)

丹元은 心神이니 마음의 바탕 神이요, 太淵은 腎宮列女水府神이라 하므로, 이는 下焦

부위를 관장하는 女神이다. 남녀를 불문하고 下淫部는 모두 다 陰位에 속하는 고로, 이 부위를 관장하는 神은 자연 陰神이어야 하니, 女神이 되기 마련이다. 靈童은 주로 五臟을 制裁하는 神이며,

태광자 남녀구정 포태시영야 상영자 혼야 유정자 백야
台光者 男女構精, 胞胎始榮也, 爽靈者, 魂也, 幽精者, 魄也,

▶ 해설 解說

台光은 男女의 構精으로 血氣를 응결시켜 처음으로 胞胎를 가능케 하는 神이며, 爽靈은 이른바 魂이라 하니 三魂이라 하고, 幽精은 謂之魄이니 이른바 七魄을 말한다. (三魂은 天, 人, 地 三才의 精이며, 七魄은 七星의 靈이니, 사람의 命은 七星이 주관하므로 人死後에는 七星이 命을 거두어 간다. 그러므로 사람이 태어남은 三魂七魄의 結合이요, 죽음은 이의 분리현상을 말하는 것이다.)

범위인 기지신중 유차신령 하불시시호소 연성일가즉 학도희선 무제장애야
凡爲人, 旣知身中, 有此神靈, 何不時時呼召, 煉成一家則, 學徒希仙, 無諸障隘也,

약 오심번만 육맥창양 송차경즉 신중제신 함득이녕 즉사인안일야
若, 五心煩懣, 六脈搶攘, 誦此經則, 身中諸神, 咸得以寧, 即使人安逸也.

▶ 해설 解說

무릇 사람이 身中(신중)의 九靈三精(구령삼정)을 기왕에 알고 있는 바에야 어찌 適時適所(적시적소)를 當(당)하여 此神靈(차신령)을 부르지 않겠는가! 필요할 시에 때때로 불러서 煉成(연성)을 하여 一家(일가)를 이룬다면, 學徒之士(학도지사)는 希仙(희선)을 함에 있어서 모든 장애가 다 없어지리라.

만일 五心(오심)이 煩懣(번만)하고 六脈(육맥)이 猖攘(창양)할 때는 此經(차경)을 誦(송)하면 身中諸神(신중제신)이 모두 편안함을 얻으리니, 이때에 그들을 使(사)하면 安逸(안일)함을 얻으리라.

義曰, (의왈)

구령삼정 비외동야 주아본가 신물방출

九靈三精, 非外動也, 住我本家, 愼勿放出, (원본 127쪽)

◀해설 解說 九靈三精(구령삼정)은 外界(외계)에 動(동)하는 것이 아니라, 곧 나의 本家(본가) 즉, 身中(신중)에 所居(소거)함이니 放出(방출)을 삼가야 한다.

당령상시좌우 조진예성즉 이현이득야

當令常侍左右, 朝眞禮聖則, 易現易得也,

◀해설 解說 마땅히 이들을 좌우로 常侍(상시)하고서 正明大聖(정명대성)께 진심으로 朝禮(조례)를 드리면, 諸神(제신)이 쉽사리

나타날 뿐만 아니라, 또 쉽사리 얻을 수도 있느니라.

차내천존 공인 부지대도소재고 이차지지야
此乃天尊, 恐人, 不知大道所在故, 以此指之也.

◀ 해설 解說
이에 天尊(천존)께서는 사람들이 大道(대도)의 소재가 어디인지를 몰라 의심을 하기 때문에 이를 바로 지적해 주고자 한 것이다.

석왈
釋曰,

천유구요 인유구령 천유삼태 인유삼혼
天有九曜, 人有九靈, 天有三台, 人有三魂,

◀ 해설 解說
天(천)에는 九曜(구요)(九星(구성))가 있고 人(인)에는 九靈(구령)이 있으며, 天(천)에는 三台(삼태)(三台星(삼태성))가 있고 人(인)에는 三魂(삼혼)이 있어,

천지구요실도 삼태천위즉 수한음회
天地九曜失度, 三胎遷位則, 水旱陰晦,

◀ 해설 解說
하늘의 九曜(구요)가 제자리를 잃거나 三台(삼태)가 자리를 바꾸게 되면 水旱(수한)이 고르지 못하여 가물거

나 장마가 들고,

인지구령실수 삼혼망행즉 재화생의

人之九靈失守, 三魂妄行則, 災禍生矣,

◀ 해설 解說

사람의 九靈이 定位를 이탈하거나 三魂이 妄靈되게 움직이면 災禍가 일어나게 된다.

여유차액자 지심송경분부즉 삼혼안 구령식 오심정 육맥화 사지태

餘有此厄者, 至心誦經焚符則, 三魂安, 九靈息, 五心靜, 六脈和, 四肢泰,

백절무양야

百節無恙也.

◀ 해설 解說

이 밖의 여러 가지 厄을 만난 사람은 至心으로 此經을 誦하고 符를 焚하여 마시게 되면, 九靈은 잠잠해지고, 三精은 安穩해지며, 五心은 조용하고 六脈은 和氣로우며, 四肢가 편안하니, 百節이 無恙하다.

찬왈

讚曰, (원본 128쪽)

구령삼정시아지정 시시호소영보장생

九靈三精是我之精, 時時呼召永保長生.

◀ 해설 解說

九靈三精은 나의 精氣이니, 시시각각으로 호소하면 永保長生할 수 있는 至寶의 護身策이 될 수 있으리라.

講曰,

此經有報法, 誦之三七日, 耳鳴,

▶解說 이 經은 耳報通靈하는 法으로서 二十一日을 誦하면 귓가에 소리가 들리고,

七七日, 夢現董子, 百日, 蜂蛾聲至,

▶解說 四十九日을 誦하면 董子가 꿈속에 現顯하고, 百日을 誦하면 벌과 개미소리가 귓전을 울리고,

自由神語玄竅明朗, 諸事豫知,

▶解說 神과의 通語를 자유로이 할 수가 있으며, 아무리 어두운 곳이라도 훤하게 밝아지니,

上根氣 百日通, 中根氣 二百日通, 下根氣 三百日通靈.

◀ 해설解說

上根氣者는 百日만이면 通靈이 가능하고, 中根氣者는 二百日이면 될 수가 있고, 下根氣者는 三百日通이라야 通靈이 가능하다.

地經 第三章 五行九曜章 解說
(지경 제삼장 오행구요장 해설)

天尊이 言하사대 若或有人이 五行奇蹇하야 九曜嶔崎하며 年逢刑衝하야 運値剋戰하고 孤辰寡宿과 羊刃劍鋒과 劫殺亡神과 鬼門鉤絞와 祿遭破敗와 馬落空亡이 動用凶危하고 行藏坎壈커든 卽誦此經하야, 上請하면 天官은 解天厄하고 地官은 解地厄하고 水官은 解水厄하고 五帝는 解五方厄하고 四聖은 解四時厄하고 南辰은 解本命厄하고 北斗는 解一切厄하느니라.

지경 제삼장 오행구요장
地經 第三章 五行九曜章

천존언 약혹유인 오행기건 구요험기 (00년)봉형충 운치극전 고신과숙
天尊言 若或有人 五行奇蹇 九曜嶔崎 (00年)年逢刑衝 運値剋戰 孤辰寡宿

양인검봉 겁살망신 귀문구교 록조파패 마락공망 동용흉위 행장감람 즉송차경
羊刃劍鋒 劫殺亡神 鬼門鉤絞 祿遭破敗 馬落空亡 動用凶危 行藏坎壈 卽誦此經

상청 천관 해천액 지관 해지액 수관 해수액 오제 해오방액 사성 해사시액 남신
上請 天官 解天厄 地官 解地厄 水官 解水厄 五帝 解五方厄 四聖 解四時厄 南辰

解本命厄 北斗 解一切厄(해본명액 북두 해일체액)

地經 第三章 解說 지경 제삼장 해설, (원본 130쪽)

天尊(천존)이 이르기를, 혹시 사람에게 만약 五行(오행)이 균형을 잃고 九曜(구요)가 고르지 못한 채, 年運(연운)에서 刑冲(형충)을 만나거나, 또는 遊年(유년)이 剋戰(극전)을 하고, 또 孤辰寡宿殺(고신과숙살)이나 羊刃劍鋒(양인검봉)에 劫殺亡神(겁살망신)이나 鬼門鉤絞(귀문구교)와 祿遭破敗(녹조파패)에 馬落空亡(마락공방) 등의 제반 凶厄(흉액)이 用事時(용사시)에 動(동)하여 위태로운 지경에 이르게 되고, 또는 路中(노중)에 함정이 가로막아 行路(행로)를 중단하게 됨으로 해서 失意(실의)에 빠져 落膽(낙담)을 할 때면, 즉시 此經(차경)을 誦(송)하고 上天(상천)에 간청하면, 天官(천관)은 天厄(천액)을, 地官(지관)은 地厄(지액)을, 水官(수관)은 水厄(수액)을, 五帝(오제)는 五方厄(오방액)을, 四聖(사성)은 四時厄(사시액)을, 南辰(남신)은 本命厄(본명액)을, 北斗(북두)는 一切厄(일체액)을 각각 解赦(해사)해 주리라.

註曰(주왈),

凡人, 五行不遇, 九曜失度,
(번인 오행불우 구요실도)

◀ 해설 解說 무릇 사람이 五行(오행)을 갖추지 못했거나, 九星(구성)이 度數(도수)를 어기고,

又値刑衝, 及諸神殺,
(우치형충 급제신살)

◀ 해설 解說 다시금 모든 神殺(신살)이 運路(운로)에 놓이게 되고,

動用行藏, 皆不順和,
(동용행장 개불순화)

◀ 해설 解說 用處(용처)마다 나타나서 장애물처럼 行路(행로)를 막아 順和(순화)하지 못하게 되면,

大則天譴地責, 喪身殞命,
(대즉천견지책 상신운명)

◀ 해설 解說 크게는 하늘의 꾸지람과 땅의 叱責(질책)을 입어, 喪身殞命(상신운명)하게 되리니,

皆由三官五帝, 四聖二斗, 以主之.
(개유삼관오제 사성이두 이주지)

◀ 해설 解說

이 모두가 다 三官五帝(삼관오제)와 四聖二斗(사성이두)께서 主管(주관)하는 바라, (원본 131쪽)

귀명차경 송축분부 일체액난 개능해석
歸命此經, 誦祝焚符, 一切厄難, 皆能解釋.

◀ 해설 解說
此經(차경)에 身命(신명)을 바쳐서 至誠(지성)으로 誦祝(송축)하고 焚符呑飮(분부탄음)하면, 일체 厄難(액난)이 능히 풀어지리라.

의왈
義曰,

삼계지중 위인최령 부지향상일보
三界之中, 爲人最靈, 不知向上一步,

◀ 해설 解說
三界(삼계)의 萬物(만물) 가운데 사람이 最靈(최령)하지만, 한발 앞일도 알지 못하는 것이 또한 사람이다.

치사성진극전 행지함가
致使星辰剋戰, 行止轗軻,

◀ 해설 解說
가령, 星辰(성진)이 剋戰(극전)에 이르고, 출행 시에 車馬(차마)가 장애로 인해 길을 잃고 進行(진행)을 못 하게 될 때에는,

급의귀봉진문 삼관오제 이소기죄석야

急依歸奉眞文, 三官五帝, 以消其罪釋也,

◀ 해설解說

급히 此經(차경)에 귀의하여 眞文(진문)을 받들면, 三官五帝(삼관오제)와 四聖二斗(사성이두)께서 그 허물을 소멸시켜 곤경에서 풀어나게 해 주리라.

차경 천존령인 지기피이욕양지야

此章, 天尊令人, 知忌避而欲禳之也.

◀ 해설解說

本章(본장)은 天尊(천존)께서 사람으로 하여금 자신들의 허물과 죄를 감추기만 하고, 잘못에 대해서 赦(사)함을 받기 위해 祈求(기구)하는 것은 기피하려는 생각을 깨닫게 하는데 뜻이 있는 것이다.

석왈

釋曰,

차언 인지오행 불리 구요작요시야

此言, 人之五行, 不利, 九曜作擾是也,

◀ 해설解說

이 章(장)의 뜻은 사람에 있어서 五行(오행)이 不利(불리)하고 天上(천상) 九曜(구요)가 作擾(작요)함을 말하니,

(원본 132쪽)

소이제다신살 개청아천존지칙
所以諸多神殺, 皆聽我天尊之勅,

◀ 해설 解說

이는 여러 神殺(신살)들의 所行(소행)이지만, 모두 다 我天尊(아천존)의 勅令(칙령)은 傾聽(경청)하는 고로,

여혹유인 조차화환
如或有人, 遭此禍患,

◀ 해설 解說

혹시 사람 가운데 如此(여차)한 禍患(화환)을 만나는 者가 있으면,

송차경즉천존 명본인지가
誦此經則天尊, 命本人之家,

◀ 해설 解說

此經(차경)을 誦(송)하면 天尊(천존)께서 本人之家(본인지가)의 司命六神(사명육신)에게 命(명)하여

상청 천관 해천액 지관 해지액 수관 해수액 오제 해오방액 사성
上請, 天官, 解天厄, 地官, 解地厄, 水官, 解水厄, 五帝, 解五方厄, 四聖,
해사시액 남신 해본명액 북두 해일체액
解四時厄, 南辰, 解本命厄, 北斗, 解一切厄,

◀ 해설 解說

上天(상천)에 請(청)하면, 天官(천관)은 天厄(천액)을, 地官(지관)은 地厄(지액)을, 水官(수관)은 水厄(수액)을, 五帝(오제)는 五方厄(오방액)을, 四(사)

聖(성)은 四時厄(사시액)을, 南辰(남신)은 本命厄(본명액)을, 北斗(북두)는 一切厄(일체액)을 각각 풀어 주리니,

◀ 해설 解說

개연차삼관 오제 사성 남두 북신 역내천존지유사야

蓋緣此三官, 五帝, 四聖, 南斗, 北辰, 亦乃天尊之有司也,

이 모두가 다, 三官(삼관), 五帝(오제), 四聖(사성), 南斗(남두), 北辰(북신)에 緣由(연유)함이며, 또한 이 모두는 역시 天尊(천존)께서 司令(사령)하는 바에 의해서 行(행)해지는 것이다.

◀ 해설 解說

고운 상청자 욕인지천존지소사지광설야

故云, 上請者, 欲人之天尊之所司之廣設也.

그러므로 上天(상천)에 所請(소청)하여 알고자 하는 바는, 광범하게 펼쳐진 天尊(천존)의 司令(사령)하는 영역에 관해서인 것이다.

찬왈

讚曰,

지망천라불가도 흉성임병약위소

地網天羅不可逃, 凶星臨併若爲消,

성심송취천존호 옥전금부급급소
誠心誦取天尊號, 玉篆金符急急燒.

◀ 해설 解說

도망할 수조차 없는 地網(지망) 天羅殺(천라살)에 凶星(흉성)마저 아울러 臨(임)하는구나. 或(혹)이 禍患(화환)을 소멸시키려면, 성심껏 此經(차경)을 念誦(염송)하고, 또 天尊(천존)의 尊號(존호)를 외우면서 玉篆(옥전) 金符(금부)를 急急(급급)히 燒(소)하여 이를 마시면 百厄(백액)이 自消(자소)되리라.

강왈
講曰,

차경 음양불순 오행상역 일기불조
此經, 陰陽不順, 五行相逆, 日氣不調,

◀ 해설 解說

이 經(경)은 陰陽(음양) 不順(불순)에 五行(오행)이 相逆(상역)하고, 日氣(일기)마저 고르지 못한데,

유병대치 가중불안 육축사망
流病對熾, 家中不安, 六畜死亡,

◀ 해설 解說

유행성 疾病(질병)이 여기저기 熾烈(치열)하며, 家中(가중)이 不安(불안)하고, 六畜(육축)이 죽어 나갈 때는,

성심지경 설단 송지 외사불침 유병불범 가녕신태
誠心至敬, 設壇, 誦之, 外邪不侵, 流病不犯, 家寧身泰.

▸ 해설解說
誠心至敬으로 設壇하여 經을 읽으면, 外邪가 不侵할뿐더러 流行病도 不犯하니, 家宅이 平安하고 몸은 太平하리로다.

삼일 혹칠일 북향연송분부 암유신우
三日, 或七日, 北向連誦焚符, 暗有神佑.

▸ 해설解說
三日이나 或七日間을 北向하여 連誦하고 焚符하면 암암리에 神의 도움이 있으리라.

地經(지경) 第四章(제사장) 沈痾痼疾章(침아고질장) 解說(해설)

天尊(천존)이 言(언)하사대 沈痾伏枕(침아복침)하고 痼疾壓身(고질압신)하여 積時弗瘳(적시불추)하야 求醫罔效(구의망효)하며 五神無主(오신무주)하며 四大不收(사대불수)하면 或是(혹시) 五帝三官之前(오제삼관지전)이나 泰山五道之前(태산오도지전)이나 日月星辰之前(일월성신지전)이나 山林草木之前(산림초목지전)이나 靈壇古跡之前(영단고적지전)이나 城隍社廟之前(성황사묘지전)이나 理巷井竈之前(이항정조지전)이나 寺觀塔樓之前(사관탑루지전)과 或(혹) 地府三十六獄(지부삼십육옥)과 冥官七十二司(명관칠십이사)에 有諸冤枉(유제원왕)하야 致此牽纏(치차견전)하며 或盟咀呪(혹맹저주)하야 誓之所招(서지소초)며 或債垜負(혹채타부)하야 償之所致(상지소치)며 三世結釁(삼세결흔)하고 累劫興仇(루겁흥구)하야 埒其咎尤(날기구우)하며 庫其執對(사기집대)라 皆當首謝(개당수사)하리니 卽誦此經(즉송차경)하라.

地經(지경) 第四章(제사장) 沈痾痼疾章(침아고질장)

天尊言(천존언) 沈痾伏枕(침아복침) 痼疾壓身(고질압신) 積時弗瘳(적시불추) 求醫罔效(구의망효) 五神無主(오신무주) 四大不收(사대불수) 或是(혹시)

五帝三官之前(오제삼관지전) 泰山五道之前(태산오도지전) 日月星辰之前(일월성신지전) 山林草木之前(산림초목지전) 靈壇古跡之前(령단고적지전)

성황사묘지전 이항정조지전 사관탑루지전 혹 지부삼십육옥 명관칠십이사
城隍社廟之前 理巷井竈之前 寺觀塔樓之前 惑 地府三十六獄 冥官七十二司
유제원왕 치차견전 혹맹저주 서지소초 혹채타부 상지소치 삼세결흔 루겁홍구
有諸冤枉 致此牽纏 或盟咀呪 誓之所招 或債垜負 償之所致 三世結釁 累劫興仇
날기구우 사기집대 개당수사 즉송차경
埒其咎尤 厙其執對 皆當首謝 卽誦此經

地經 第四章 解說 지경 제사장 해설, (원본 135쪽)

天尊(천존)께서 이르시기를, 사람이 病苦(병고)에 신음하면서 오직 베개에 의지한 채, 자리 보존하고 누워 痼疾(고질) 病勢(병세)는 날로 깊어져 全身(전신)을 억누르고, 四肢(사지)도 채 가누지 못할 重病(중병)이라, 의원을 불러 갖은 약을 다 써보고, 명산에 빌어도 봤지만 효험이 전무하며, 天地神明(천지신명)도 그를 돌보지 않아 命之傾刻(명지경각)에 이르거든, 혹 三官五帝(삼관오제)나, 五道泰山(오도태산)이나, 日月星辰(일월성신) 및 山林草(산림초)木(목)이나 里巷(이항) 井竈(정조)에, 또는 寺刹(사찰) 道觀(도관)의 塔樓前(탑루전)이거나 어디서든 무방하니, 至誠(지성)으로 誦(송)經(경)하면 病苦(병고)가 풀릴 것이며, 또한 地府(지부)의 三十六獄(삼십육옥)과 冥官(명관) 七十二司(칠십이사)에 억울하게 결박된 채 갇혀 있는 冤鬼(원귀)들이며, 맹서하고 남을 咀呪(저주)한 자가 그로써 입은 禍厄(화액)이거나, 또 만약

화살로서 남의 목숨을 앗아 갔거나, 또는 자신이 그로 인해 傷害를 당한 者와 三世에 걸쳐 허물이 쌓이고 쌓여서 비교할 수 없으리만큼 큰 죄과가 되어, 그로 말미암은 仇敵이 자신을 對敵하며 잡으려 한다 할지라도, 이 모두가 머리 숙여 謝罪하면 畢境엔 解免되리니 卽誦此經 할지어다.

註曰,

침아고질 복침상욕 의도무효
沈痾痼疾, 伏枕床蓐, 醫禱無效,

◀ 해설 解說
깊은 病勢에 빠져들어 오직 베개에만 의지한 채 병상에 누워 있어, 의원을 불러 약을 써 봐도, 명산대찰에 찾아가서 기도 정성을 다 드려 봐도 百方이 無效할 때는,

개 삼관오제 태산대옥 일월성신 성황사묘
蓋, 三官五帝, 泰山岱獄, 日月星辰, 城隍社廟,

◀ 해설 解說
대개 禍福을 主管하는 者는 三官五帝, 泰山岱獄, 日月星辰, 城隍社廟, 그리고,

이항정조 영단고적 사관탑루 오도제사
理巷井竈, 靈壇古跡, 寺觀塔樓, 五道諸司, (원본 136쪽)

◀ 해설 解說
마을의 오래된 우물이나, 또는 竈王神(조왕신)이나, 옛사람이 자주 찾던 神靈(신령)을 모신 祭壇(제단)이나, 또는 五道(오도)에 있는 모든 司命神(사명신)이나,

지부명관 지어산천초목 개유신지 고오모범
地府冥官, 至於山川草木, 皆有神祇, 故悞冒犯,

◀ 해설 解說
또 地府(지부)의 差使(차사)와, 심지어는 山川草木(산천초목)에 이르기까지도 모두 神(신)이 있어서, 이를 공경하고 섬겨야 하는데, 이를 함부로 범한 까닭으로 禍厄(화액)이 일어날 수도 있고,

혹 숙유원건 부재치명 혹피인저주 혹자설위맹
或, 夙有寃愆, 負財致命, 或被人咀呪, 或自說違盟,

◀ 해설 解說
혹시 해묵은 寃釁(원흔)이 있거나, 갚지 못한 舊債(구채)가 있다거나, 혹시 남한테 저주를 받았거나, 아니면 說(설)한 자신의 誓盟(서맹)을 어겼거나 하여,

누겁이래 흥구결흔 개당회과 발로죄우
累劫以來, 興仇結釁, 皆當悔過, 發露罪尤.

◀ 해설 解說

累劫(누겁)을 내려오는 동안 쌓이고 쌓인 罪業(죄업)이 仇敵(구적)으로 化(화)하였으니, 더 큰 죄업을 맺기 전에 모든 죄과를 들어내 놓고 悔過(회과)한 다음에는 마땅히,

讀誦經呪(독송경주), 焚此篆符(분차전부), 悉得消癒(실득소유).

◀ 해설 解說

經(경)을 읽고 呪(주)를 외운 다음에는 篆符(전부)를 焚(분)하면 모든 죄악이 소멸되고, 重病(중병)도 쾌유가 될 것이니라.

義曰(의왈),

此章(차장), 專言人之積病(전언인지적병), 及禁忌相刑(급금기상형),

◀ 해설 解說

此章(차장)은, 사람의 오랫동안 積滞(적체)된 病(병)과 相刑(상형) 등의 禁忌(금기) 사항에 대해서 전적으로 언급한 것이다.

당칭천존지호즉 화거이복래 하필의야
當稱天尊之號則, 禍去而福來, 何必疑也. (원본 137쪽)

▶ 해설解說 天尊(천존)의 號(호)를 부르면 災難(재난)은 가고 福(복)이 오는 것은 당연한 이치인데, 어찌 이를 의심하겠는가.

석왈
釋曰,

범인병염침아 고질불추 세약무공
凡人病染沈痾, 痼疾弗瘳, 世藥無功

▶ 해설解說 무릇 사람의 病(병)이 沈重(심중)하여 좀처럼 차도가 없으니, 이는 세상의 醫藥(의약)은 효험이 없기 때문이다.

혹음인작요 혹자주혹타저 혹적타혹사건
或陰人作擾, 或自呪或他詛, 或積堁或私愆,

▶ 해설解說 혹시 陰人(음인)이 擾亂(요란)을 作(작)하거나, 또 혹시 자기가 남을 저주했거나, 아니면 남의 저주를 받았거나, 또 혹시 積推(적추)된 물건에서 비롯된 妖鬼(요귀)의 作亂(작란)이거나, 또는 私事(사사)로운 허물로 인함이거나,

즉명부욕문구유 욕추집대 하이사면
則冥府欲問究由, 欲追執對, 何以赦免,

◀ 해설 解說
冥府의 使者가 詰問을 하고자 追跡 執對하는 것을 어찌 赦免될 수가 있겠는가 말이다.

즉송보경분령부 즉시안일의
即誦寶經焚靈符, 即時安逸矣,

◀ 해설 解說
곧장 寶經을 誦하고 靈符를 焚하면 즉시 편안해 지리라.

찬왈
讚曰,

음견양죄 침아시보 금기범지 경부시도
陰譴陽罪, 沈痾是報, 禁忌犯之, 經符是禱. (원본 138쪽)

◀ 해설 解說
陰鬼는 꾸짖고 陽鬼는 罪를 주니, 깊은 病苦에 시달림은 곧 자신의 果報다.

강왈
講曰,

차경 병불이신 구성고질 제약무효
此經, 病不移身, 久成痼疾, 諸藥無效,

◀ 해설解說

此經(차경)은 病魔(병마)가 몸에서 떠나지 않고, 해를 거듭하여 고질병이 되니 百藥(백약)이 無效(무효)하여,

차병식즉피병생 명의무령지시

此病息則彼病生, 明醫無靈之時,

◀ 해설解說

이 病(병)이 그치면 저 病(병)이 생기고, 天下(천하) 明醫(명의)로도 영험이 없을 때는,

취남방백보외황토 가중사방부지

取南方百步外黃土, 家中四方敷之,

◀ 해설解說

南方(남방) 百步(백보) 밖의 黃土(황토)를 가져다 집안의 네 귀퉁이에 붓고,

설제수어천존상전 혹영부전

設祭需於天尊像前, 或靈符前,

◀ 해설解說

天尊像前(천존상전)이나 혹은 靈符前(영부전)에다 祭需(제수)를 陳設(진설)해 놓고,

송지칠일 자유영험

誦之七日, 自有靈驗.

◀ 해설解說

此經(차경)을 七日(칠일) 동안만 읽으면 자연히 영험을 맛볼 수 있을 것이다.

地經 第五章 官符章 解說
(지경 제오장 관부장 해설)

天尊(천존)이 言(언)하사대 天官符(천관부)며 地官符(지관부)며 年(년)月(월)日(일)時(시)에 各有官符(각유관부)하며 方隅向背(방우향배)에 各有官符(각유관부)하야 大則官符(대즉관부)요 小則口舌(소즉구설)이니 是有(시유) 赤白口舌之神(적백구설지신)이 以主之(이주지)하니 凡諸動作興擧(범제동작흥거)와 出入起居(출입기거)에 不知避忌(불지피기)하고 如遇官符(여우관부) 口舌(구설)하면 則(즉) 使人擊聒(사인격괄)하며 曉夜煎熁(효야전초)하야 多招唇吻(다초순문)하고 面是背非(면시배비)하야 動致口牙(동치구아)하고 盟神詛佛(맹신저불)하나니 始于謗讟(시우방독)하고 終于詬詆(종우후저)하야 由是(유시)로 獄訟(옥송)이 生焉(생언)하며 刑憲(형헌)이 存焉(존언)이라, 若欲脫之(약욕탈지)커든 卽誦此經(즉송차경)하면 遂得口舌(수득구설)이 全消(전소)하며 官符永息(관부영식)하리라.

지경 제오장 관부장
地經 第五章 官符章

천존언 천관부 지관부 연 월 일 시 각유관부 방우향배 각유관부 대즉관부
天尊言 天官符 地官符 年 月 日 時 各有官符 方隅向背 各有官符 大則官符

소즉구설 시유 적백구설지신 이주지 범제동작흥거 출입기거 불지피기 여우관부
小則口舌 是有 赤白口舌之神 以主之 凡諸動作興擧 出入起居 不知避忌 如遇官符

구설 즉 사인격괄 효야전초 다초순문 면시배비 동치구아 맹신저불 시우방독
口舌 則 使人擊聒 曉夜煎熠 多招脣吻 面是背非 動致口牙 盟神詛佛 始于謗讟
종우후저 유시 옥송생언 형헌존언 약욕탈지 즉송차경 수득구설전소 관부영식
終于詬詆 由是 獄訟生焉 刑憲存焉 若欲脫之 卽誦此經 遂得口舌全消 官符永息

地經 第五章 解說 지경 제오장해설, (원본 140쪽)

天尊께서 이르기를, 天地 및 年月日時에 各有官符하며 方隅向背에도 每方 各有 官符하여, 크게는 官災數로 번지고 작게는 구설수로 끝나지만, 이는 모두가 赤口白舌之神者들의 所作으로서, 무릇 諸般動作과 興擧一切며 出入起居에 있어서도 이들 官符神을 기피할 방도를 몰라서 官災와 口舌을 만나게 되고, 이들 赤口白舌之神者들은 밤새도록 지지고 볶아 입술이 부풀어터지도록 요란을 떨며, 面是背非와 盟神詛佛을 하기에, 입과 이빨이 닳아빠질 지경에 이르고, 또 謗讟으로 시작하여 詬詆로 끝을 맺게 되니, 이들 赤口白舌之神者들을 만난 사람은 獄訟事가 생기에 되고, 또 그로 인하여 마침내는 刑罰까지 따르게 되니, 만일 이들 官符神의 作亂으로부터 벗어나고자 하는 사람은 卽誦此經하면 口舌이 全消할뿐더러, 官符도 永息됨을 얻을 수가 있으리라.

주왈
註曰,

차장 천존언 제관부 적구 백설지신자 내천성하지악요야
此章, 天尊言, 諸官符, 赤口, 白舌之神者, 乃天星下之惡曜也,

◀ 해설 解說
此章(차장)은 諸官符(제관부)에 관한 天尊(천존)의 말씀으로서, 赤口(적구)와 白舌(백설)을 가진 神(신)들이 있으니, 이들은 하늘에서 땅을 내려다보고 있는 惡曜(악요)의 精靈(정령)들이다.

개인세인 불수정도 불외공법 독뢰양우고
蓋因世人, 不修正道, 不畏公法, 瀆雷襄雨故,

◀ 해설 解說
대개 세상 사람들이 正道(정도)를 修行(수행)하지 않고, 公法(공법)도 두려워하지 않으며, 또한 雷聲(뇌성)을 冒(모)瀆(독)하고, 雨雪(우설)을 더럽히는 까닭으로,

견차신 이요지 약인 범자
遣此神, 以撓之, 若人, 犯者,

◀ 해설 解說
세상을 요란하게 하는 사람과 天律(천률)을 犯(범)하는 사람이 있으면, 此神(차신)을 보내어 이들을 懲治(징치)케 하리니,

급송차경 분제부전 즉시소멸
急誦此經, 焚諸符篆, 即時消滅. (원본 141쪽)

▶ 해설 解說
이러한 懲罰을 면하려거든 급히 此經을 읽고 符篆을 焚하면, 즉시 소멸될 수가 있다.

의왈
義曰,

인지행장 각유가부 단자불능식기기
人之行藏, 各有可否, 但自不能識其機,

▶ 해설 解說
사람이 行하고 藏함은 각기 時機가 있어, 들어낼 때(行)와 감출 때(藏)가 있게 마련이지만, 다만 그 機微(時期)를 알지 못할 따름이다.

이조기리야 여혹범지 차경능면야
而造其理也, 如或犯之, 此經能免也.

▶ 해설 解說
그 기미는 다 理致에 따라 성숙되는 것이므로, 혹여 犯하더라도 此經으로써 능히 免消될 수가 있는 것이다.

釋曰(석왈),

天尊發願廣大(천존발원광대), **施化無方**(시화무방),

◀ 해설 解說 天尊(천존)의 念願(염원)하는 바는 넓고도 큰 것이어서, 그 施化(시화)함에는 空間的(공간적)인 한계가 없어,

此章(차장), **專言諸官符者**(전언제관부자),

◀ 해설 解說 이 章(장)에는 모든 官符(관부)로부터 免(면)할 수 있는 방법에 관해 專言(전언)을 한 것이다.

叢此神(총차신), **易犯難釋**(이범난석),

◀ 해설 解說 수많은 官符神(관부신)을 범하기는 쉬워도 풀려나기는 어렵다. (원본 142쪽)

以致庶人(이치서인), **一或千之**(일혹천지), **則赤白口舌**(즉적백구설), **乘勢而生也**(승세이생야),

◀ 해설 解說 이로써 뭇사람들이, 하나에서 千(천)에 이르는 갖가지의 赤白口舌(적백구설)을 겪으면서도, 그 틈새를

타고 살아가는 것이다.

이세인 하불예송보경 분옥전 즉차화자멸의
而世人, 何不豫誦寶經, 焚玉篆, 則此禍自滅矣.

◀ 해설解說
세인(世人)은 어찌 보경(寶經)을 송(誦)하여 제반관부(諸般官符)를 미리 막지 못할까? 보경(寶經)을 송(訟)하고 옥전(玉篆)을 분(焚)하면 이러한 화액(禍厄)은 자멸(自滅)되고 만다.

찬왈
讚曰,

천부지부 인불사촉
天符地符, 人不司觸,

◀ 해설解說
천관부(天官符)와 지관부(地官符)는 사람이 접촉할 수 없는 흉신(凶神)이라서,

욕석송흉 경전삼고
欲釋誦凶, 經篆三告.

◀ 해설解說
이에서 풀려나려면 경(經), 전(篆)으로서 세 번 고(告)해야 한다.

강왈
講曰,

차경 구설병행 혹옥송기언 혹관형장해
此經, 口舌並行, 或獄訟起焉, 或官刑將害,

해설解說 이 經은 口舌과 獄訟, 그리고 寬刑이 竝하여 일어나서 장차 害를 끼칠 적에,

혹신령전불경소치 심신불안시
或神靈前不敬所致, 心神不安時,

해설解說 혹 神靈前에 不敬스러운 所行을 하여 일어난 소치로 心神이 불안전할 때는,

황지 사연월일시사주 매어동거실첨전
黃紙, 寫年月日時四柱, 埋於東居室簷前.

해설解說 黃紙에다 年月日時 四柱를 써넣어서 東便 居室 추녀 앞에다 묻어두고 三日間만 誦하면, 필시 꿈속에서 現夢하여 免禍하는 법을 알려줄 것이다.

地經(지경) 第六章(제육장) 土皇章(토황장) 解說(해설)

天尊(천존)이 言(언)하사대 土皇九壘(토황구루)에 其司(기사)가 千二百神(천이백신)이니 土侯(토후) 土伯(토백)과 土公(토공) 土母(토모)와 土子(토자) 土孫(토손)과 土家眷屬(토가권속)이 若太歲(약태세)와 若將軍(약장군)과 若鶴神(약학신)과 若太白(약태백)과 若九狼(약구랑)과 若劍鋒(약검봉)과 若雌雄(약자웅)과 若金神(약금신)과 若火血(약화혈)과 若身黃(약신황)과 若撞命(약당명)과 若三煞(약삼살)과 若七煞(약칠살)과 若黃旛豹尾(약황번표미)와 若蜚廉刀砧(약비렴도침)에 如是等(여시등) 土家神煞(토가신살)이라, 若人(약인)이 興修卜築(흥수복축)에 一或犯之(일혹범지)면 即致病患(즉치병환)하야 以迄喪亡(이흘상망)하나니 纔誦此經(재송차경)하면 即萬神(즉만신)이 皆起(개기)하야 天無忌(천무기)하며 地無忌(지무기)하며 陰陽無忌(음양무기)하며 百無禁忌(백무금기)하니라.

지경 제육장 토황장
地經 第六章 土皇章

천존언 토황구루 기사 천이백신 토후 토백 토공 토모 토자 토손 토가권속
天尊言 土皇九壘 其司 千二百神 土侯 土伯 土公 土母 土子 土孫 土家眷屬

약태세 약장군 약학신 약태백 약구랑 약검봉 약자웅 약금신 약화혈 약신황
若太歲 若將軍 若鶴神 若太白 若九狼 若劍鋒 若雌雄 若金神 若火血 若身黃

약당명 약삼살 약칠살 약황번표미 약비렴도침 여시등 토가신살 약인 흥수복축
若撞命 若三煞 若七煞 若黃旛豹尾 若蜚廉刀砧 如是等 土家神煞 若人 興修卜築
일혹범지 즉치병환 이흘상망 재송차경 즉만신 개기 천무기 지무기 음양무기
一或犯之 卽致病患 以迄喪亡 纔誦此經 卽萬神 皆起 天無忌 地無忌 陰陽無忌
백무금기
百無禁忌

地經 第六章 解說 지경 제육장 해설, (원본 144쪽)

天尊(천존)이 이르기를, 土皇(토황)의 領地(영지)는 九壘(구루)에 達(달)하고 그가 司令(사령)하는 手下(수하) 鬼卒(귀졸)은 勿驚(물경) 千二百(천이백)의 神煞(신살)에 이르니, 그 眷屬(권속)과 神煞(신살)은 대략 다음과 같다.

土皇(토황), 土侯(토후), 土公(토공), 土母(토모), 土子(토자), 土孫(토손) 등은 土皇家(토황가)의 眷屬(권속)이고, 太歲(태세), 將軍(장군), 鶴神(학신), 太白(태백), 九狼(구랑), 劍鋒(검봉), 雌雄(자웅), 金神(금신), 火血(화혈), 身黃(신황), 撞命(당명), 三煞(삼살), 七煞(칠살), 黃旛(황번), 豹尾(표미), 蜚廉(비렴), 刀砧(도침) 등은 土皇家(토황가)의 神煞(신살)들이다.

사람이 家屋(가옥)을 중수(집수리)하거나 새로 짓게 되면, 자연 破土(파토)와 伐木(벌목), 그리고 石取(석취) 등을 하게 되니, 이러한 破土(파토), 石取(석취), 伐木(벌목) 등의 행사가 어느 한 가지도 土皇家(토황가)의 영역을、

하지 않는 것이 없다.

그러나 만일, 사람이 이 가운데 어느 한 가지라도 범했다고 하면 그로 인해 病患(병환)에 눕게 되고, 마침내는 喪亡(상망)에까지 이르게 되니, 이 무서운 禍厄(화액)을 免厄(면액)하고자 하면, 모름지기 잠깐씩이라도 此章(차경)의 經(경)을 訟(송)하면 萬神(만신)(喜神(희신)을 가리킴)이 皆起(개기)하므로 天地間(천지간)에 無忌神(무기신)하고, 陰陽(음양)에도 無忌神(무기신)하니, 결국에는 天上天下(천상천하)에 百無忌神(백무기신)하리라.

注曰(주왈),

凡人(범인), 動作興工(동작흥공), 不無有犯神煞(불무유범신살),

◀ 해설 解說

무릇 사람이 살기 위해서는 공산품을 생산하지 않을 수 없고, 그러자니 제반 동작 가운데 어느 한 가지도 神煞(신살)을 犯(범)하지 않는 것이 없으니,

其禍立至(기화입지), 大則喪命(대즉상명), 小即官非(소즉관비),

◀ 해설 解說

그 禍(화)가 크게는 喪命(상명)을 당하게 되고, 작게는 官訟(관송)에 이르게 된다.

가불신탄 의의서전 행지송경 기도즉백무소기야
可不愼歎, 依儀書篆, 行持誦經, 祈禱則百無所忌也. (원본 146쪽)

◀ 해설 解說
이러한 不幸之事(불행지사)를 막기 위해서는 일체의 행동을 신중히 하고 어여쁘게 보이게 해야 하며, 또한 가는 곳 마다 經(경)을 지니고 다니면서 읽고 祈禱(기도)하면, 百事(백사)에 있어서 아무런 거리낌이 없어지게 된다.

의왈
義曰,

천존 석군생 지어여사야
天尊, 惜群生, 至於如斯也,

◀ 해설 解說
天尊(천존)은 群生(군생)을 아끼시고 사랑하사, 이와 같이 慈悲(자비)를 베푸시는 것이다.

수운생역토 이사역토
雖云生亦土, 而死亦土,

◀ 해설 解說
生氣(생기)가 비록 土(토)에서 비롯된다지만, 死氣(사기) 또한 土(토)에서 비롯되는 것이므로,

수부지토지위해 대우심야
殊不知土之爲害, 大尤甚也,

◀ 해설 解說 土의 危害가 대단히 심하다는 사실을 잘못 알아서는 안 된다.

개토 의정 불의동지위야
蓋土, 宜靜, 不宜動之謂也.

◀ 해설 解說 대개, 土가 조용한 것을 좋아한다는 것은 곧 움직이는 것을 싫어한다는 말인 것이다.

(旼岡 註 - 즉, 土는 파헤쳐지는 것을 싫어한다는 뜻)

석왈
釋曰,

천복기지 인숙부지 개아천존 위구천지존
天覆其地, 人孰不知, 蓋我天尊, 爲九天之尊,

◀ 해설 解說 하늘이 땅을 엎질러버린다 해도, 모든 사람은 그 누구도 天尊이 九天 가운데서 제일 尊貴한 者라는 사실을 알지 못한다.

통제삼계이구루황군 권속가신 제다악살 해인불경
通制三界而九壘皇君, 眷屬家神, 諸多惡煞, 害人不輕, (원본 147쪽)

▶ 해설 解說

그러나 天尊께서는 三界를 통제할 뿐만 아니라, 九壘皇家의 眷屬과 家神惡煞들이 사람을 해치는 일이 가볍지 않음을 아시고,

천존 용옥문보전 이진양지
天尊, 用玉文寶篆, 以鎭禳之,

▶ 해설 解說

天尊은 이에 群生을 구하기 위하여 玉文寶篆으로서 祈功을 드리게 하여, 이로써 모든 皇家의 惡煞들을 진정케 하며,

사세간 상사하우 범동작지시 백무금기야
使世間, 上士下愚, 凡動作之時, 百無禁忌也.

▶ 해설 解說

世間의 上士下愚로 하여금, 무릇 제반 動作을 할 때에, 百事를 行하더라도 거리낌이 없게 해주기 위함인 것이다.

찬왈
讚曰,

만물개종무기래 우연상범즉위재
萬物皆從戊己來, 偶然相犯卽爲災,

약비보화진문력 처처개위백골퇴
若非普化眞文力, 處處皆爲白骨堆.

▶ 해설解說
萬物(만물)은 모두가 戊己土(무기토)를 좇아 往來(왕래)를 하므로, 우연히 범한 실수로 인하여 즉시 災難(재난)을 입게 된다.

만일, 普化眞文(보화진문)의 힘을 빌리지 않는다면 가는 곳마다 白骨(백골)이 쌓이고, 또 쌓일 것이다.

강왈
講曰,

차경 세인부지피기 촉동토살
此經, 世人不知避忌, 觸動土煞;

▶ 해설解說
此經(차경)은 世人(세인)이 피할 줄을 몰라서 動土煞(동토살)을 범하게 되니, (원본 148쪽)

정초축담 범상문방 가중불안 병생전연
正礎築墻, 犯喪門方, 家中不安, 病生纏連,

▶ 해설解說
혹 정초를 묻고 담장을 쌓을 때나, 또는 喪門方(상문방)을 범접했거나 해서 집안이 불안하고 憂患(우환)

이 끊이지 않을 時(시)에는,

玉樞靈符(옥추령부), 掛於家四方(괘어가사방), 敬誦三日(경송삼일), 土煞永息(토살영식), 急病忽差(급병홀차).

◀ 해설解說
玉樞靈符(옥추령부)를 집 안 四方(사방)의 네 귀퉁이에 걸어놓고 三日間(삼일간)만 敬誦(경송)하면, 土煞(토살)은 영원히 사라지고 急病(급병)은 忽然間(홀연간)에 差度(차도)가 있게 되리라.

地經 第七章 婚合章 解說 (지경 제칠장 혼합장 해설)

天尊(천존)이 言(언)하사대 世人夫婦(세인부부)가 其於婚合(기어혼합)에 或犯咸池(혹범함지)하며 或犯天狗(혹범천구)하고 三刑六害(삼형육해)가 隔角交加(격각교가)하며 孤陰寡陽(고음과양)에 天羅地網(천라지망)으로 艱於嗣息(간어사식)하야 多是孤獨(다시고독)하니 若欲求男(약욕구남)이면 卽誦此經(즉송차경)하면 當有九天(당유구천)이 監生大神(감생대신)하사 招神攝風(초신섭풍)하야 遂生賢子(수생현자)하리니 於其生産之時(어기생산지시)에 太乙(태을)이 在門(재문)하고 司命(사명)이 在庭(재정)하나니 或有寃愆(혹유원건)이나 或有鬼魅(혹유귀매)나 或有禁忌(혹유금기)나 或有凶厄(혹유흉액)하야 致令難産(치령난산)이어든 讀誦此經(독송차경)하면 卽得九天(즉득구천)이 衛房(위방)하사 聖母(성모) 黙與抱送(묵여포송)하사 故能臨盆有慶(고능임분유경)하며 坐草無虞(좌초무우)하리라. 犯有嬰孩(범유영해)가 在於襁褓(재어강보)하야 爲旃壇神王座下(위전단신왕좌하)의 一十五種鬼(일십오종귀)가 加(가)諸惱害(제뇌해)하야 因多驚癎(인다경간)커든 宜誦此經(의송차경)하라.

제칠 혼합장
第七 婚合章

천존언 세인부부 기어혼합 혹범함지 혹범천구 삼형육해 격각교가 고음과양
天尊言 世人夫婦 其於婚合 或犯咸池 或犯天狗 三刑六害 隔角交加 孤陰寡陽

천라지망 간어사식 다시고독 약욕구남 즉송차경 당유구천 감생대신 초신섭풍
天羅地網 艱於嗣息 多是孤獨 若欲求男 卽誦此經 當有九天 監生大神 招神攝風
수생현자 어기생산지시 태을재문 사명재정 혹유원건 혹유귀매 혹유금기
遂生賢子 於其生産之時 太乙在門 司命在庭 或有寃愆 或有鬼魅 或有禁忌
혹유흉액 치령난산 독송차경 즉득구천위방 성모 묵여포송 고능임분유경
或有凶厄 致令難産 讀誦此經 卽得九天衛房 聖母 黙與抱送 故能臨盆有慶
좌초무우 범유영해 재어강보 위 전단신왕좌하 일십오종귀 가제뇌해 인다경간
坐草無虞 犯有嬰孩 在於襁褓 爲 旃壇神王座下 一十五種鬼 加諸惱害 因多驚癎
의송차경
宜誦此經.

地經 第七章 解說 지경 제칠장 해설, (원본 150쪽)

天尊(천존)이 이르기를, 世人夫婦(세인부부)가 婚姻(혼인)을 함에 있어서, 혹은 咸池(함지), 혹은 天狗(천구), 혹은 三刑六害(삼형육해)와 隔角煞(격각살) 등을 번갈아 가면서 범하거나, 孤陰寡陽(고음과양)으로 인한 陰陽(음양) 偏枯(편고)로 夫婦(부부)가 不合(불합)이거나, 또한 天羅地網煞(천라지망살)이 곁들여서 子公(자공)을 보기가 어렵거나 하여 많은 고독을 겪을 때에, 만약 子公(자공)을 갖기를 소원하거든 此經(차경)을 誦(송)하면 즉시 九天(구천)이 應(응)하사,

大神(대신)으로 하여금 監生(감생)케 하여, 神(신)을 請(청)하고 바람을 부려서 賢子(현자)를 보게 하리니, 출생 시에는 太乙聖神(태을성신)이 在門(재문)하고, 司命吉神(사명길신)은 뜰악을 비쳐, 萬(만)에 하나라도 해묵은 怨情(원정)이 있거나, 鬼魅(귀매)의 作亂(작란)이나 혹은 禁忌之事(금기지사) 등의 凶厄(흉액)이 있어 難産(난산)을 할 지경이거든, 此經(차경)을 독송하면 九天(구천)께서 房中(방중)을 호위하고, 聖母(성모)께서는 말없이 抱送(포송)하사 賢子(현자)를 점지하시되, 乳量(유량)은 마치 坐草(좌초)를 키우고도 남음이 있을 만큼 풍부하여, 많은 기쁨과 慶事(경사)를 즉시 得(득)할 수가 있지만, 반면에 단 한 가지 근심사라면, 모든 嬰兒(영아)가 다 그러하듯 襁褓(강보)에 있을 동안에는 언제나 조심스럽게 神王座下(신왕좌하)에 열심히 빌어야 하니, 만일 그렇지 않을 시에는 十五種鬼(십오종귀)가 惱(뇌)에 加(가)하여 驚癇(경간)(驚氣(경기), 간질)을 일으키게 되리라. 다만 이때에도 此經(차경)을 誦(송)해야 한다.

註曰(주왈),

世人(세인), 婚合育産(혼합육산), 皆有神煞(개유신살),

◀ 해설 解說

世人(세인)이 婚姻(혼인)하여 자식을 낳고 키우는데도 神煞(신살)의 作戯(작희)가 따라다니지만,

부지방향 불피태세 우이범지
不知方向 不避太歲, 偶爾犯之,

◀ 해설解說 그러나 方向(방향)을 알지 못하므로 太歲方(태세방)도 피하지 못하고, 우연 중에 犯(범)하고 말게 된다.

기화불천 급선송경분부 이기양지 즉자안락야
其禍不淺, 急宣誦經焚符, 以祈禳之, 即自安樂也. (원본 151쪽)

◀ 해설解說 그 禍(화)가 결코 가볍지 않으니, 급히 誦經(송경)하고 焚符(분부)로서 빌고 또 빌면, 곧 스스로 편안함을 얻고 榮達(영달)을 누리리라.

의왈
義曰,

흉길양도호상치지 여혹불해불육
凶吉兩道互相齒之, 如或不諧不育,

◀ 해설解說 吉凶兩道(흉길양도)는 마치 입속의 아래윗니와도 같은 것이어서, 때로는 서로 맞고, 또 맞지 않을 때가 있어서, 제대로 자라나지 못하는 것과 같은 이치다.

천존지호 의송지 필자연이소석의

天尊之號, 宜誦之, 必自然而消釋矣.

◀해설 解說 天尊의 尊號를 誦하면 이 모든 흉액이 자연 消釋되리라.

석왈

釋曰,

구천지대 전석 입의 차장

九天之大, 前釋, 立矣, 此章,

◀해설 解說 九天의 크고 광활함은 이미 前章에서 밝힌 바로서, 此章에서는 다시 如斯한 사실을 입증하는 데 주된 목적이 있다.

위인간 혼인자사 계어천존소속

謂人間, 婚姻子嗣, 係於天尊所屬,

◀해설 解說 사람이 婚姻하여 자식을 낳고 살아가는 것은 모두 다 天尊이 主管하는 바에 의한 것이라는 사실을 말한 것이다.

자사빙가양육 비소사야

子嗣聘家養育, 非小事也,

▶ 해설 解說

장가들고 시집가서 자식 낳아 키우는 일이 결코 쉬운 일은 아니건만, (원본 152쪽)

세속 망지이공어감합지사

世俗, 罔知而空於勘合之私,

▶ 해설 解說

世俗事(세속사)에 얽매여 空虛(공허)로움을 다 잊어버린 채, 私事(사사)로운 일을 감당하느라 애쓰다 보니,

기오다의 여혹범지 부북처남

其悞多矣, 如或犯之, 夫北妻南,

▶ 해설 解說

其實(기실) 過誤(과오)도 한두 가지가 아니구나. 不知不識間(부지불식간)에 남편은 북쪽에서, 아내는 남쪽에서 각각 허물을 犯(범)하는 사례가 어찌 없다고 하겠는가?

자식간득 의송보경 분영부

子息艱得, 宜誦寶經, 焚靈符,

▶ 해설 解說

이러한 허물로 인해 자식을 얻기가 어렵거든 寶經(보경)을 誦(송)하고 靈符(영부)를 焚(분)하라.

이석지 즉자연화목 자손창태야

以釋之, 則自然和睦, 子孫昌泰也.

▶ 해설 解說

그리하면 이로써 厄이 다 풀리고, 자연히 화목해지며 子孫도 昌盛하리라.

讚曰,

夫婦人倫事, 兒男骨肉恩,
要令家道睦, 歸經玉樞文.

◀ 해설解說

夫婦는 人倫의 和合事요, 子孫은 父母 骨肉의 크신 은혜이니, 원컨대, 家道의 화목을 얻고 자손의 昌盛함을 바라거든 玉樞經文에 歸依하라.

講曰,

此經, 婚姻之後, 家宅搖亂, 口舌往來,

◀ 해설解說

此經은 婚姻 이후에 家宅이 擾亂하고 口舌이 往來하며, (원본 153쪽)

혹부위반목 부위역륜 혹잉자난산시

或夫爲反目, 婦爲逆倫, 或孕子難産時,

◀ 해설 解說

혹 남편이 反目(반목)하고 부인이 逆倫(역륜)을 할 때나, 또는 자식을 難産(난산)할 때는,

동도지 주사 서황백대장군오자

東桃枝, 朱砂, 書黃白大將軍五字,

◀ 해설 解說

동쪽을 향한 복숭아나무 가지를 꺾어서 「黃白大將軍(황백대장군)」이라는 다섯 글자를 쓴 다음에,

삽어옥상 송차경즉 불출칠일 제살영식

插於屋上, 誦此經則, 不出七日, 諸煞永息.

◀ 해설 解說

옥상에다 꽂아 놓고 문밖 출입을 삼간 채 七日間(칠일간)을 읽으면, 모든 煞氣(살기)가 영원히 소멸되고 만다.

地經 第八章 鳥鼠章 解說

天尊이 言하사대 若人居止에 鳥鼠送妖하며 蛇蟲이 嫁孽하야 拋磚擲瓦하며 驚鷄弄拘하야 邀求祭祀하며 以至影脅夢逼하고 及於奸盜하야 以敢據其所居하야 以爲巢穴하고 遂使生人으로 被惑하며 庭戶不淸하야 夜嘯於樑하고 晝瞰其室하며 牛馬犬豕가 亦遭瘟疫하야 禍連骨肉가고 災及孽生하며 淫祠妖社로 黨庇神奸하면 吊客이 頻仍하고 喪車疊出하나니 若誦此經하면 卽使鬼精으로 滅爽하고 人物이 咸寧하리라.

지경 제팔장 조서장
地經 第八章 鳥鼠章

천존언 약인거지 조서송요 사충가얼 포전척와 경계롱구 요구제사 이지영협몽핍
天尊言 若人居止 鳥鼠送妖 蛇蟲嫁孽 拋磚擲瓦 驚鷄弄拘 邀求祭祀 以至影脅夢逼

급어간도 이감거기소거 이위소혈 수사생인 피혹 정호불청 야소어량 주감기실
及於奸盜 以敢據其所居 以爲巢穴 遂使生人 被惑 庭戶不淸 夜嘯於樑 晝瞰其室

우마견시 역조온역 화련골육 재급자생 음사요사 당비신간 조객빈잉 상거첩출
牛馬犬豕 亦遭瘟疫 禍連骨肉 災及孽生 淫祠妖社 黨庇神奸 吊客頻仍 喪車疊出

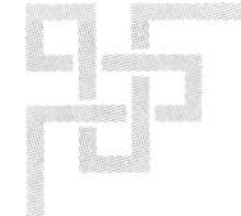

약송차경 즉사귀정 멸상 인물함녕
若誦此經 卽使鬼精 滅爽 人物咸寧

地經 第八章 解說 지경 제팔장 해설, (원본 155쪽)

天尊(천존)이 이르기를, 사람이 거주하는 집안에 새와 쥐들이 난장판을 부리고, 蛇蟲(사충)이 妖邪(요사)를 떨면서 벽돌과 기왓장을 깨트리고 또한 무너트리면서 개와 닭들을 놀라게 하여, 이를 진정시키기 위해 告祀(고사)를 드리기도 하지만, 그래도 이들 요물들의 作戱(작희)를 완전히 떨쳐버리지 못한 채, 그 그림자가 꿈속에까지 나타나서 정신을 옥죄이게 할 뿐만 아니라, 마침내는 奸暴(간폭)한 도둑 떼처럼 감히 집안의 곳곳을 점거한 채, 이를 거처 삼아 巢穴(소혈)을 任意(임의)로 作(작)함으로써 집안사람들을 곤혹하게 만들고, 또한 庭戶(정호)를 더럽히고, 대낮에도 실내를 굽어보면서 牛馬犬豕(우마견시)를 瘟疫(온역)에 들게까지 하더니, 끝내는 禍(화)가 骨肉(골육)에까지 이어지게 하여 災難(재난)의 파급에서 벗어나지 못하게 하고, 또 이들의 作擾(작요)가 새끼를 쳐서 엄숙하고 성스러워야 할 祠(사)社之間(사지간)에서 까지 淫妖(음요)를 作行(작행)하는 데도, 간사스런 神(신)이 편벽하게 이를 덮어주기만 하므로, 이로 인해 弔客(조객)이 빈번하게 꼬리를 물고 일어나고, 喪車(상차) 행렬의 요란하고 구슬픈 소리가 끊이지 않을 때, 그러나 이때에도 만일 此經(차경)을 誦(송)하면 鬼精(귀정)이 滅爽(멸상)하게 되고, 人物(인물)이 咸寧(함녕)하리라.

주왈
註曰,

개차등지가 불숭망상리도 불외천지신명
蓋此等之家, 不崇綱常理道, 不畏天地神明,

◀ 해설 解說

대개 이러한 집들은 天地神明(천지신명)을 不敬(불경)하고, 人倫(인륜)의 正道(정도)(三綱五倫(삼강오륜) 등의 常道(상도))를 벗어난 행위로 인해서 당하게 되는 필연적인 果報(과보)라고 하겠다.

구미압예 훈전신이 사음살도 불준공법
口味壓穢, 葷羶身履, 邪淫殺盜, 不遵公法,

◀ 해설 解說

입으로는 불결스러운 음식을 즐겨 먹고, 몸에는 運身(운신)을 할 때마다 고약스런 냄새를 풍기며, 행동으로는 邪淫(사음)과 殺盜(살도)를 일삼아 公法(공법)은 지키지 않고, (원본 156쪽)

유무사영 사독령흉 자행불선 시 귀투신증 요사경기
唯務私榮, 肆毒逞凶, 恣行不善, 是, 鬼妬神憎, 妖邪競起,

◀ 해설 解說

오직 사리사욕에 관한 일밖에는 하는 것이 없고, 마음은 방자하고 혹독해서 흉악한 짓을 하는 데만 이골이 나서, 가는 곳마다 不善(불선)한 일만 자행하게 되니, 사람한테만 미움받는 것이 아니라, 귀신한테도 미움과 증오를 동시에 받아, 妖魔(요마)가 앞다투어 일어난다.

약능회과수사 송경분부 즉득화란불생 인물안녕야
若能悔過首謝, 誦經焚符, 即得禍亂不生, 人物安寧也.

◀ 해설 解說

만약 능히 悔過遷善(회과천선)하고 진정으로 머리 숙여 사죄하고 나서 誦經(송경)하고 焚符(분부)한다면, 즉시 禍亂不生(화란불생)함을 얻을 것이며, 또한 사람들도 편안함을 누릴 것이다.

의왈
義曰,

벽괴도입 업중 귀래 치사육축흥재 가신불리
壁壞盜入, 業重, 鬼來, 致使六畜興災, 家神不利

◀ 해설 解說

벽이 무너져 도적이 침입하고, 해야 할 일은 태산 같은데 鬼(귀)가 찾아들어 六畜(육축)으로 하여금 災難(재난)을 입게 되니, 家神(가신)도 不利(불리)하다.

천존 불이소고 역수대은 다송경문 기화지의

天尊, 不以小故, 亦垂大恩, 多誦經文, 其禍止矣.

◀ 해설 解說

天尊께서는 작은 일에도 역시 큰 은혜를 내려주시므로, 寶經을 많이 읽으면 그 禍亂이 그치게 된다.

석왈

釋曰, (원본 157쪽)

정기여천 사마감범 개인세인 치가불리 간독신혼

正氣如天, 邪魔敢犯, 蓋因世人, 治家不利, 干瀆神魂,

◀ 해설 解說

正氣란 마치 하늘과도 같은 것인데, 邪魔가 감히 범하는 것은 대개 사람 스스로에게 그 원인이 있어, 그것은 곧 治家에 있어서 天理를 어기고 神靈을 冒瀆함으로 해서다.

이치육신 불거즉사기승간이입 혹서정사소 포척경형

以致六神, 不居則邪氣乘間而入, 或鼠精蛇魈, 抛擲驚形,

◀ 해설 解說

六神(모든 守護家神)이 不居하는 사이에 邪氣가 틈을 타고 들어오니, 이는 혹 鼠精(쥐의 精華)이거나 아니면 蛇魈(뱀의 精華로서 생겨난 도깨비)로서, 그 本形像을 떨쳐버린 채

무서운 형상으로 나타나서,

혈식무시 심지염미 가인 기화불측 혹도 인가재물
血食無時, 甚至染味, 家人, 其禍不測, 或盜, 人家財物,

◀ 해설解說

無時(무시)로 피를 빨아 먹으며, 심지어는 식구들의 음식물에까지 染色(염색)을 함으로써 정신을 혼돈하게 만들어, 그 미치는 禍(화)가 헤아릴 수 없다. 혹은 집안에 도둑이 들어 재물을 훔쳐가기도 하지만,

이동역서 개차류야 치사조객상문 협령사지
移東易西, 皆此類也, 致使弔客喪門, 挾靈肆志,

◀ 해설解說

동에 번쩍, 서에 번쩍하여 종을 잡을 수가 없고, 끝내는 弔客(조객)과 喪門(상문) 등의 凶厄(흉액)을 안겨다 주니, 그 惡靈(악령) 속에는 방자한 뜻이 감추어져 있기 때문이다.

즉송보경 분부즉인물 구득이안녕야
即誦寶經, 焚符則人物, 俱得以安寧也.

◀ 해설解說

이때에도 역시 寶經(보경)을 즉시 읽고 焚符(분부)를 하면, 사람들이 즉시 편안함을 얻게 된다.

讚曰,

自作惡時邪亦作, 我行善處即天行,

▶ 解說 스스로 惡業을 지으면 邪魔도 동시에 惡을 짓게 되고, 나의 행위가 善한 곳에는 그곳이 곧 天上行이 된다.

世人忽有如斯難, 宜篆靈符誦寶經, (원본 158쪽)

▶ 解說 世人의 災難이 忽然之間에 일어나거든, 靈符를 焚하고 寶經을 誦하면 모든 災難이 풀어진다.

講曰,

此經, 惡夢連夜, 六畜多妖怪之事, 或盜賊數犯, 姦人弄害,

▶ 解說 此經은 밤마다 惡夢에 시달리고, 六畜이 妖怪에게 놀람을 당하는 등의 일로서, 혹 수차례

에 걸쳐서 도적이 들기도 하고, 또 간사한 여인의 농간으로 인한 害(해)를 입기도 하여,

심신상상축축 시 황금 백은 현어량상
心身常常縮縮, 時, 黃金, 白銀, 懸於樑上,

◀ 해설 解說
心身(심신)이 언제나 위축될 때는, 黃金(황금)과 白金(백금)을 적당량만큼 대들보 위에다 매달아 놓은 다음,

취사방백토 매정중 분옥추령부 중정송경 불과삼일유험
取四方白土, 埋庭中, 焚玉樞靈符, 中庭誦經, 不過三日有驗.

◀ 해설 解說
四方(사방)의 白土(백토)를 取(취)하여 마당 가운데 쏟아부은 다음, 그 속에다 玉樞靈符(옥추령부)를 묻고, 庭中(정중)에 서서 寶經(보경)을 읽으면, 불과 三日(삼일)만에 효험을 보리라.

地經 第九章 伐廟遺祟章 解說

지경 제구장 벌묘견수장 해설

天尊曰 九天雷公將軍과 五方雷公將軍과 八方雲雷將軍과 五方蠻雷使者와 雷部總兵神將과 莫嫌判官이 發號施令을 疾如風火하야 有廟可伐하며 有壇可擊하며 有妖可除하며 有祟可遣하나니 季世末法에 多諸巫覡하야 邪法流行하며 陰肆魔禱하니 是故로 上淸에 乃有天延禁鬼 錄奸之廷과 帝猷束妖 考邪之房하니 能誦此經하면 其應如響하리라.

지경 제구장 벌묘견수장
地經 第九章 伐廟遺祟章

천존왈 구천뢰공장군 오방뢰공장군 팔방운뢰장군 오방만뢰사자 뢰부총병신장
天尊曰 九天雷公將軍 五方雷公將軍 八方雲雷將軍 五方蠻雷使者 雷部總兵神將

막잠판관 발호시령 질여풍화 유묘가벌 유단가격 유요가제 유수가견 계세말법
莫嫌判官 發號施令 疾如風火 有廟可伐 有壇可擊 有妖可除 有祟可遣 季世末法

다제무격 사법류행 음사염도 시고 상청 내유 천연금귀 록간지정 제유속요
多諸巫覡 邪法流行 陰肆魔禱 是故 上淸 乃有 天延禁鬼 錄奸之廷 帝猷束妖

고사지방 능송차경 기응여향
考邪之房 能誦此經 其應如響

地經 第八章 지경 제팔장 해설, (원본 160쪽)

天尊(천존)이 말하기를, 九天雷公將軍(구천뢰공장군)과 五方雷公將軍(오방뢰공장군)과 八方雲雷將軍(팔방운뢰장군) 및 五方蠻雷使者(오방만뢰사자)와 雷部總兵神將(뇌부총병신장)과 莫賺判官(막잠판관)이 施令(시령)을 發號(발호)하면, 이는 마치 빠르기가 바람결 같고 타오르는 불꽃같기도 하며, 廟堂(묘당)이나 神堂(신당)에 까지도 능히 伐擊(벌격)할 수 있으리니, 모든 妖氣(요기)들은 있는 대로 모두 다 쓸어버릴 수 있으며, 모든 惡神(악신)들의 빌미까지도 없앨 수가 있다.

本是(본시), 季世末法(계세말법)에는 數多(수다)한 무당과 판수들이 삿된 法(법)을 유행시켜 陰肆魘禱(음사염도)를 일삼으므로, 上淸(삼청)에서는 如斯(여사)한 妖鬼(요귀)들을 懲治(징치)키 위해, 天延禁鬼錄奸之廷(천연금귀록간지정)과 帝猷束妖考邪之房(제유속요고사지방)이 있어서, 저들의 奸狡(간교)한 邪行(사행)을 응징하리니, 그렇게 되기를 바란다면 此經(차경)을 誦(송)하여라. 그리하면 그 應(응)이 마치 音響(음향)과도 같이 분명하게 發效(발효)하리라.

註曰(주왈),

경중범이십일단지천존언 유차장운천존왈
經中凡二十一段之天尊言, 惟此章云天尊曰,

◀ 해설解說 무릇 二十一段(이십일단)으로 돼 있는 經中(경중)의 天尊(천존) 말씀 가운데서, 유독 此經(차경)의 말씀만은,

개칭양뢰공장군 사자 판관 발호시령
蓋稱揚雷公將軍, 使者, 判官, 發號施令,

◀ 해설解說 모두가 雷公將軍(뇌공장군)이 아니면, 使者(사자), 判官(판관) 등의 發號施令(발호시령)에 관해서만 稱揚(칭양)했음은,

응향위덕 고불직언야 무격지도 무행사술 망구요언
應響威德, 故不直言也, 巫覡之徒, 務行邪術, 妄構妖言,

◀ 해설解說 그 미치는바 위력이 크기 때문이며, 그러므로 그 말씀은 정직하지 않은 것이 없어, 무당이 나 박수 따위 같은 邪術(사술)에만 힘쓰는 者(자)들의 거짓으로 꾸며대는 요망스런 언동으로 하여금,

염도부부분리 고미여류구합 치차요무 송보경분부전
魘禱夫婦分離, 蠱媚女流苟合, 値此妖巫, 誦寶經梵符篆, (원본 161쪽)

◀ 해설解說 賢婦佳郎(현부가랑)끼리의 정겨운 夫婦(부부)사이를 갈라놓기 위해서 갖은 妄言(망언)을 弄(농)한 나머지, 꿈속에서

까지 서로를 증오하고 악몽에 시달리게 하여, 끝내는 갈라서게 하는 등의 요사스러운 무당 따위들의 妄動(망동)에도, 寶經(보경)을 誦(송)하고 符篆(부전)을 焚(분)하면,

즉뢰사초제 응보여향 인득안녕
則雷司剿除, 應報如響, 人得安寧.

◀ 해설解說 雷司(뇌사)에서 수고롭게도 곧 이를 제거해 주니, 應報(응보)는 卽確(즉확)하고 사람은 平安(평안)을 얻는다.

의왈
義曰,

천지무사 유덕시보 선악지보 동여영향
天地無私, 惟德是報, 善惡之報, 動如影響,

◀ 해설解說 天地(천지)에는 私私(사사)로움이 없어 오직 德(덕)을 베푼 자에게는 報應(보응)이 있게 마련이니, 善惡之間(선악지간)에 業報(업보)는 그 나타남이 마치 실물과 그림자와의 관계와 같고, 물체의 소리와 같이 정확하다.

학도지사 체천심이명이심즉 화환견소 복록진의
學徒之士, 體天心而明已心則, 禍患蠲消, 福祿臻矣.

◀ 해설解說 공부하는 선비는 天心(천심)을 본받아 마음을 밝게 가지면, 禍患(화환)도 밝게 소멸되어 福祿(복록)이 찾아

온다.

석왈
釋曰,

차장 천존 자언뇌사지성야 여차 소이주귀참사
此章, 天尊, 自言雷司之聖也, 如此, 所以誅鬼斬邪,

▶ 解說 此章(차장)에서 天尊(천존)이 스스로를 雷司(뇌사)의 聖(성)이라고 한 말의 뜻은, 天尊(천존)께서는 誅邪(주사)를 능히 誅斬(주참)할 수가 있기 때문이다.

흥운강우 개아천존 칙하방행 금세도속 난분
興雲降雨, 皆我天尊, 勅下方行, 今世道俗, 難分, (원본 162쪽)

▶ 解說 구름을 일으키고 비를 내리게 하는 것도 모두 다 天尊(천존)의 權能(권능)이시니, 이러한 권능은 오직 勅令(칙령)을 下方(하방)에 내려서 이를 집행하게 하지만, 今世(금세)의 俗(속)된 道類(도류)들은 이를 분간조차도 하지 못하니,

혹이부정지술 괴인륜이범천률 송차경분차부즉입응 여향 기불경호외호
或以不正之術, 壞人倫而犯天律, 誦此經焚此符則入應, 如響, 豈不敬乎畏乎.

▶ 解說

혹은 不正(부정)한 속임술로 人倫(인륜)을 깨트릴 뿐만 아니라 天律(천률)마저도 犯(범)하게 되기 때문이니, 이 때에도 此經(차경)을 誦(송)하면서 符篆(부전)을 焚(분)하면 곧 효력이 音響(음향)같이 분명하니, 어찌 공경하지 않을 수 있으며, 또한 두려워하지 않겠는가!

찬왈
讚曰,

뇌사명선악 선발악당주
雷司明善惡, 善拔惡當誅,

사법상침해 유다송옥추
邪法相侵害, 惟多誦玉樞.

◀해설解說 뇌사(雷司)께서는 善惡(선악)을 밝히시어, 善(선)은 가려서 권장하고 惡(악)은 당장에 誅斬(주참)함으로, 만일에 삿된 法(법)들이 서로 침해를 해올 때는 오직 玉樞寶經(옥추보경)을 자주 誦(송)하면 이를 물리칠 수가 있다.

강왈
講曰,

차경 가택 귀요작난 야혹호지 인염광병
此經, 家宅, 鬼妖作亂, 夜或號之, 人染狂病,

◀해설解說

此經은 家宅 內에 妖鬼의 作亂이 심하여, 밤에는 괴상한 소리를 내고 사람에게 못된 病을 옮게 하며,

목견이괴 오심난동 구출허망언 시내귀얼

目見異恠, 五心亂動, 口出虛妄言, 是乃鬼孼, (원본 163쪽)

◀ 해설 解說

눈에는 怪異한 것이 보이고, 온통 마음은 난동질을 치며, 입으로는 헛된 망언을 뇌까리니, 이것이 모두가 요물의 농간이므로,

취벽력조목 집수송경 삼일혹칠일 혹칠칠일 혹백일 병유귀멸

取霹靂棗木, 執手誦經, 三日或七日, 或七七日, 或百日, 病癒鬼滅.

◀ 해설 解說

벼락 맞은 대추나무를 取하여 손에다 잡고서 經을 읽되, 三日이나 혹은 七日, 또는 七七四十九日이거나, 아니면 百日 間을 계속 읽으면, 病이 쾌유가 되고 鬼는 소멸하고 만다.

地經 第十章 蠱勞瘵章 解說

天尊이 言하사대 天瘟地瘟이 二十五瘟이며 天蠱地蠱가 二十四蠱며 天瘵地瘵가 三十六瘵니 能誦此經하면 即使瘟癀이 清淨하고 蠱毒消除하며 勞瘵를 平復하니 亦有其由하니라. 或者 先亡復連커나 或者 伏屍故氣커나 或者 塚訟墓注커나 或者 死魂染惹커나 或者 屍起感招면 凡此鬼神이 或悲思하며 或恚恨하야 牽連執證하고 併緣注射하야 乘隙伺間하야 乃得其便하나니 故로 此經者는 上通三天하며 下徹九泉하야 可以 追薦魂爽하며 超度祖玄하야 太上이 遣 素車白馬大將軍하야 以鑑之하시니라.

지경 제십장 고로채장
地經 第十章 蠱勞瘵章

천존언 천온지온 이십오온 천고지고 이십사고 천채지채 삼십육채 능송차경
天尊言 天瘟地瘟 二十五瘟 天蠱地蠱 二十四蠱 天瘵地瘵 三十六瘵 能誦此經

즉사온황 청정 고독소제 로채평복 역유기유 혹자 선망부련 혹자 복시고기 혹자
即使瘟癀 清淨 蠱毒消除 勞瘵平복 亦有其由 或者 先亡復連 或者 伏屍故氣 或者

총송묘주 혹자 사혼염야 혹자 시기감초 범차귀신 혹비사 혹에한 견련집증
塚訟墓注 或者 死魂染惹 或者 屍起感招 凡此鬼神 或悲思 或恚恨 牽連執證
병연주사 승극사간 내득기편 고 차경자 상통삼천 하철구천 가이 추천혼상
併緣注射 乘隙伺間 乃得其便 故 此經者 上通三天 下徹九泉 可以 追薦魂爽
초도조현 태상 견 소거백마대장군 이감지
超度祖玄 太上 遣 素車白馬大將軍 以鑑之

地經 第十章 解說 지경 제십장 해설, (원본 165쪽)

天尊께서 天瘟地瘟이 二十五瘟이라 한 말씀은 二十四方에다 五方을 합한 총체적 방위를 통한 溫疫의 고통을 뜻한 것이며, 天蠱地蠱가 二十四蠱라 한 것은 二十四方에서 들이닥치는 인간의 困惑之事를 말한 것이요, 또 天瘵地瘵가 三十六瘵라 한 것은 三界의 총체적 방위를 말하니, 인간의 勞瘵가 이와 같이 莫甚하다는 뜻을 나타낸 것으로서, 이와 같이 인간계에는 무려 八十五種의 瘟癀勞瘵가 시시각각으로 닥쳐오니, 이를 어찌 인간의 힘만으로 막을 수가 있으며, 어찌 극복할 수가 있단 말인가?

그러나 我天尊께서는 此章의 寶經을 통해서 이를 超克할 수 있는 방편을 제시해 주었으니

참으로 다행한 일이 아닐 수가 없다.

하지만 인간의 고통은 반드시 疾痼(질고)를 통해서만 오는 것은 아니며, 憂患(우환)과 질병을 떠난 여타 인간의 고통도 수없이 많음을 알 수가 있다. 그 가운데서도 惡靈(악령)의 作戱(작희)에 시달림을 받고 있는 여러 가지 징후들을 한데 묶어서 이를 퇴치하는 방법도 동시에 適示(적시)해 준 것이니, 참으로 다행한 일이 아닐 수 없다.

疾痼(질고)를 떠난 여러 가지 고통의 징후들이란 다음과 같은 사례들인 것이다.

즉, 先亡者(선망자)의 魂靈(혼령)에 끌려다니면서 갖은 괴로움을 당하는 사람들이나, 또는 喪家(상가)(초상집)에 妖氣(요기)가 범접하여 屍身(시신)이 마치 공포영화의 강시처럼 숨었다가 나타났다가 하면서 소동을 피우는가 하면, 또 묘지를 통한 訟詞(송사)로 인해서 온 집안이 쑥밭이 되는 예도 非一非再(비일비재)하며, 심지어는 死者(사자)의 망령이 生者(생자)한테로 옮겨붙어서 해괴망측한 짓을 하게 하는 것도 있으며, 또는 屍氣(시기)에 感招(감초)된 채 본정신을 잃고 失性(실성)을 한 상태에서 右往左往(우왕좌왕)하는 사례들도 있으니, 이러한 제반 징후들은 모두가 生時(생시)에 슬픔이나 원한을 풀지 못한 채 죽어간 厄鬼(액귀)나 冤鬼(원귀)들이 펼쳐대는 한바탕의 한풀이 장난이라 하겠으며, 如斯(여사)한 冤鬼(원귀)들은 인간과의 惡緣(악연)을 빙자하여 사람의 生靈(생령)을 陰府(음부)에까지 끌고 들어가서 罪目(죄목)을 執證(집증)케 할 뿐만 아니라, 마치 시위를 벗어난 화살처럼, 뿜어대는 물줄기마냥, 끈덕지고도 악착같이 惡緣(악연)의 사슬로 갖가지 蠱瘵(고채)에 연루된 사람들을 동여 묶은 다음, 그 틈바구니 속에 끼어들어가 一擧一動(일거일동)을 偵探(정탐)하기까지 하는, 그야말로 악랄하기가 이를 데 없는 鬼魔(귀마)들이지만, 그러나 이들 惡靈(악령)들도 此經(차경) 一誦(일송)이면 氣絶落膽(기절낙담)에 魂飛魄散(혼비백산)하고 마니, 참으로 此經(차경)의 위력은 높고도 큰 것이어서, 上(상)으로는 三天世界(삼천세계)를 通(통)하고 下(하)로는 九泉之下(구천지하)를 徹(철)하여, 가히 모든 악귀들 까지도 超度(초도) 追薦(추천)하여 靈爽(영상)케 해줌으로써 비로소 祖玄(조현)의 경지에 까지 오르게 해주고, 또한 太上(태상)께서는 雷司(뇌사)로 하여금 白馬大將軍(백마대장군)을 差使(차사)로 보내어 저들을 태워, 三界(삼계)를 굽어보게 하시니, 我天尊(아천존)의 發願廣大(발원광대)하심을 이로써 알 수 있겠다.

註曰(주왈), (원본 167쪽)

凡人(범인), 患瘟蠱瘵者(환온고채자), 皆有所致(개유소치), 甚至滅絶一門(심지멸절일문), 牽連六親(견연육친),

◀ 解說(해설)

무릇 사람이 瘟瘽(온황) 蠱瘵(고채) 등의 憂患(우환)을 맞게 되면, 대개는 六親(육친)마저 牽連(견연)됨으로 해서, 심하면 一門의 滅絶까지도 당하게 된다.

약성심송경 분소부전즉뇌사 차소거백마지장 이발지 사인 불함차약야
若誠心誦經, 焚燒符篆則雷司, 差素車白馬之將, 以拔之, 使人, 不陷此若也.

◀ 해설 解說
만일 誠心으로 誦經하고 符篆을 焚燒하면, 雷司께서는 흰 수레가 이끄는 白馬를 탄 大將軍을 差送하여 그들을 뽑아오게 한 후에, 사람으로 하여금 고통의 함정에서 救하게 하는 일에 참여시켜, 一翼을 담당케 하기 위함이다.

義曰,

온고채질 유자래의 단능성심결기 송진문예천존 즉불리차약야
瘟蠱瘵疾, 有自來矣, 但能誠心潔己, 誦眞文禮天尊, 則不罹此若也.

◀ 해설 解說
瘟蠱瘵疾 등의 疾痼는 스스로 오는 것이므로, 다만 몸을 깨끗이 한 다음에 誠心으로 眞文(寶經)을 誦하고 天尊께 禮를 올리면, 如此한 病苦에는 절대로 罹染되지 않는다.

釋曰,

온 내부정지기 고 내무영지고 채 내난위지질

瘟, 乃不正之氣, 蠱, 乃無影之蠱, 瘵, 乃難爲之疾,

▶ 해설解說 瘟瘴이란 不正스러운 妖氣이며, 蠱惑은 그림자도 없는 無影之物이요, 勞瘵란 難之難中의 疾厄이다.

아천존 언유자래의 지연부연상염

我天尊, 言有自來矣, 祗緣復連相染, (원본 168쪽)

▶ 해설解說 天尊께서는 瘟瘴, 蠱惑, 勞瘵 등의 疾痼는 어떠한 물리적 작용이나 힘에 의해서 생성된 것이 아니라, 이것들은 天地間의 不正之氣와 無影之蠱, 그리고 또한 難爲之疾로서, 저들 스스로 생겨난 異氣質이라고 했다. 또한, 이러한 삿된 미물들은 근본이 神鬼들을 섬김으로 해서 비롯된 것이니, 이러한 邪緣이 반복적으로 연결되어 온갖 疾菌(온갖 병균)을 감염시키기도 하고,

시기상훈 총송 상호지소치야

尸氣相薰, 塚訟, 相呼之所致也,

▶ 해설解說

屍身(시신)들은 또 서로 氣運(기운)을 피어나게 하고, 그로 인하여 塚訟(총송)과 같은 무서운 官劫事(관겁사)가 連(연)하여 일어나게 하니, 이는 곧 屍氣(시기)들이 서로 連呼(연호)하여 일으킨 所致(소치)라 하겠으며,

◀ 해설解說

부연자 내천지대액야 세인 부지양해고 유절문망몰자

復連者, 乃天地大厄也, 世人, 不知禳解故, 有絶門亡歿者,

病厄(병액)이 그치지 않고 復連相染(부련상염) 하는 것은 天地間(천지간)에 大厄(대액)을 전염시키는 것으로서 絶門(절문)과 亡歿者(망몰자)도 생기게 되지만, 그러나 이것은 世人(세인)이 禳解(양해)할 수 있는 방법을 몰라서 비롯된 것이며,

◀ 해설解說

총송자 칠조원건지소치야 시기자 지상원유 원년관우

塚訟者, 七祖冤愆之所致也, 屍氣者, 地上原有, 遠年棺樞,

塚訟(총송)이 일어나는 것은 七代祖(칠대조)(遠代(원대)조상)의 遺冤之事(유원지사)로 인한 怨恨(원한)의 소치라 하겠으며, 屍(시)氣(기)는 本是(본시)부터 地上(지상)에 있어 온 원초적인 氣(기)로서, 이것이 오랜 세월 동안 棺樞(관우) 속에 묻혀 있다가,

화성소고 비입음식지중 혹재기혈지내
化成小蠱, 飛入飮食之中, 或在氣血之內,

◀ 해설 解說

작은 妖蠱로 변하여 음식물 가운데로 날아들기도 하고, 혹은 氣血 속에 숨어 있기도 하다가,

식지 영인작고 범인천거 당송경분부 이초지
食之, 令人作蠱, 凡人遷居, 當誦經焚符, 以勦之. (원본 169쪽)

◀ 해설 解說

음식을 먹게 되면 사람으로 하여금 蠱惑을 일으키게 할 뿐만 아니라, 여러 사람한테까지 옮겨가게 되니, 이를 없애려면 당연히 此經을 誦하고 符篆을 焚하는 수고로움을 감수해야만 능히 禳解를 얻을 수가 있다.

찬왈
讚曰,

천지온고채질 태약 화유기유 역인자취
天地瘟蠱瘵疾, 太若, 禍有其由, 亦人自取,
약송현문 가발칠조 백마장군 능위작주
若誦玄文, 可拔七祖, 白馬將軍, 能爲作主.

◀ 해설 解說

天地間(천지간)의 瘟蠱瘵疾(온고채질)은 모두가 禍厄(화액)을 지니고 있으니, 그 이유는 사람이 이를 스스로 불러일으키기 때문이다.

만약 玄文(현문)을 誦(송)한다면 七代(칠대) 조상 때의 寃嫌(원혐)도 다 뽑아버릴 수가 있으니, 白馬將軍(백마장군)이 능히 이를 作主(작주)할 수 있다.

강왈
講曰,

차경 온역대기 선망후와 혹장후 가택불리 병연골육
此經, 温疫大起, 先亡後臥, 或葬後, 家宅不利, 病連骨肉,

◀해설 解說 此經(차경)은 溫疫(온역)이 크게 일어나서, 먼저 죽은 사람과 몸져누워 죽음을 기다리는 사람이 있거나, 혹은 葬後(장후)에 그 病(병)이 家屬(가속)한테까지 이어져 憂患(우환)이 줄을 잇거나,

가유괴이지물 출현정야 향북두 정수분향송경
家有怪異之物, 出現靜夜, 向北斗, 淨水焚香誦經,

◀해설 解說 또한 집안에 괴상한 물건이 있어 靜夜(정야)에 나타나거나 할 때는, 北斗(북두)를 향해 淨水(정수)를 떠 놓고 焚香(분향) 誦經(송경)하면, (원본 170쪽)

諸祟漸淸(제수점청), 明神報夢(명신보몽), 即行積善大吉(즉행적선대길).

◀ 해설(解說)

모든 祟氣(수기)가 점차 淸氣(청기)로 化(화)하고 明神(명신)이 報夢(보몽)할 것이며, 이로부터 곧장 善行(선행)을 쌓으면 크게 吉(길)함을 얻을 것이다.

지경 제십일장 원행장 해설
地經 第十一章 遠行章 解說

天尊이 言하사대 若或有人이 治裝遠行에 賊盜騁奸하며 五兵可害하고 陸行則 虎狼魈蜮이 魔其牙하며 水行則 蛟龍黿鼉가 張其頤하고 或灘瀨에 幽有枉之魂하며 或風濤에 有劫數之會하야 前亡後化하고 捉生代死하나니 能於此經에 歸命投誠하면 故得水陸平康하야 行裝이 協吉하리라. (원본 171쪽)

지경 제십일장 수륙원행장
地經 第十一章 水陸遠行章
천존언 약혹유인 치장원행 적도빙간 오병가해 륙행즉 호랑소역 마기아 수행즉
天尊言 若或有人 治裝遠行 賊盜騁奸 五兵可害 陸行則 虎狼魈蜮 魔其牙 水行則
교룡원타 장기이 혹탄뢰 유 유왕지혼 혹풍도 유 겁수지회 전망후화 착생대사
蛟龍黿鼉 張其頤 或灘瀨 幽 有枉之魂 或風濤 有 劫數之會 前亡後化 捉生代死
능어차경 귀명투성 고득수륙평강 행장협길
能於此經 歸命投誠 故得水陸平康 行裝協吉

地經 第十一章 解說 지경 제십일장 해설, (원본 172쪽)

天尊(천존)이 이르시기를, 만일 사람이 行裝(행장)을 꾸려서 遠行(원행)을 하는 가운데, 별안간 盜賊(도적)이 달려들어 재물을 빼앗거나, 혹은 여인을 劫奸(겁간)하거나, 또는 심한 야료를 떨거나 하는 등의 갖가지 봉변을 당할 수도 있으며, 또한 軍賊(군적)들의 侵害(침해)를 입기도 하고, 만약 行路(행로)가 陸路(육로)라면 호랑이와 같은 맹수가 나타나서 그 날카로운 이빨을 내밀고 포효를 하며 덤벼들거나, 아니면 도깨비와 같은 妖魔(요마)를 만나서 갖은 희롱을 당할 수도 있으며, 반대로 水路(수로)를 택하여 길을 떠날 때는, 蛟龍(교룡)이 나타나거나, 아니면 큰 자라나 큰 물고기들이 긴 턱을 흔들면서 덤벼들 수도 있겠고, 또한 사나운 여울에 휘말려들어 幽玄(유현)한 곳으로 魂(혼)이 빨려 들어갈 수도 있겠으며, 때로는 풍랑을 만나서 혼절을 할 때도 있겠고, 혹은 前亡後化(전망후화)로 捉生代死(착생대사)할 수도 있으니, 여차한 위험이 따를 때 마다 此經(차경)에 歸命(귀명)하여 정성을 投與(투여)한다면, 능히 水陸(수륙) 遠行(원행)에 坪康(평강)을 얻을 수 있을 것이며, 뿐만 아니라 오히려 여행 중에서도 숨은 吉福(길복)을 얻을 것이라고 하였다.

註曰(주왈), (원본 173쪽)

凡人出行(범인출행), **陸行**(육행), **或遇賊迎兵**(혹우적영병), **或逢蛇虎惡蜮山魈**(혹봉사호악역산소),

◀ 해설 解說

무릇 사람이 出行(출행)을 함에 있어서, 陸路行(육로행)일 때에는 혹 盜賊(도적)을 만나거나 兵卒(병졸)들의 피해를 입을 수도 있고, 혹은 蛇虎(사호)를 만나거나, 아니면 호랑이나 산도깨비 등의 惡蜮(악역)을 만나기도 하겠으며,

水行(수행), **或值蛟龍黿鼉鯨鰐**(혹치교룡원타경악), **作浪興風**(작랑흥풍), **滯魄沈魂**(체백침혼),

◀ 해설 解說

水路(수로)로 行(행)할 때면, 혹시 蛟龍(교룡)이나 자라, 또는 고래나 악어와 같은 큰 물고기를 만나서 목숨을 빼앗길 뻔한 위험도 겪고, 또한 作浪興風(작랑흥풍)에 滯魄沈魂(체백침혼)하여 水中孤魂(수중고혼)이 될 뻔한 적도 한두 번이 아니리니,

救生捉替(구생착체), **或遭劫會**(혹조겁회), **或漂墮他方**(혹표타타방), **常豫備符篆防之**(상예비부전방지),

◀ 해설 解說

이때에, 遭難(조난)을 당하고 劫殺(겁살)을 만나서 하마터면 生死(생사)가 교체될 뻔한 아슬아슬한 순간에 놓일 때, 또는 표류를 당한 채 끝없이 흘러가서 타지방에 내던져졌을 때, 이러할 때는 오직 救命圖生(구명도생)을 위해서는 常備的(상비적)으로 符篆(부전)을 준비하고 다니면 이로써 예방이 될 수 있어,

가수가화 역급송보호 입면제액의
可水可火, 亦急誦寶號, 立免諸厄矣.

◀해설解說 或水 或火(혹수 혹화)를 막론하고 역시 급히 誦(송)하고 尊號(존호)를 부르면 己往(기왕)에 들어와 있던 제반 厄(액)들을 모두 다 물리칠 수가 있겠다.

의왈
義曰,

출입동정 의신의근 약능평석
出入動靜, 宜愼宜謹, 若能平昔,

◀해설解說 出入動靜(출입동정)에 있어서는, 언제나 근신하고 신중히 한다면 옛날과 같은 평온함을 다시 누릴 수가 있으며,

奉持經篆, 則此患, 何由而至也. (원본 174쪽)

▶ 해설解說 寶經을 항상 받들고, 符篆을 항시 지니고 다닌다면, 如斯한 제반 患亂이 어떻게 犯接할 수가 있겠는가 말이다.

釋曰,

動靜行裝, 須當愼之, 所以吉凶悔吝,

▶ 해설解說 起居 動靜時에나 행장을 꾸려서 먼 길을 떠날 때에는, 잠간 동안이나마 신중을 기함이 마땅하니, 이른바 吉할 적에 謹愼함을 아끼다가 凶이 찾아온 후에는 후회를 하게 된다.

生乎動, 是故, 一動, 只一吉守, 其三字, 皆非美也,

▶ 해설解說 生함은 곧 動이니, 고로 한번 動함에 있어서, 다만 한 가지의 吉이라도 꼭 지켜야 하므로, 「生乎動」이란 세 글자는 모두가 아름답지 않은 것이 없다.

出入, 可不謹乎, 凡欲遠行, 必須先誦寶經, 佩符令則吉無不利.

◀ 해설解說
出入을 할 때에 있어서는 謹愼하지 않으면 안 되고, 또 遠行을 하고자 할 때는 모름지기 먼저 寶經을 誦한 다음에 符篆을 佩用하면 모든 것이 다 吉하고, 凶은 소멸된다.

讚曰,

水陸行裝世不無, 鬼神作耗暗潛圖,

◀ 해설解說
水陸을 막론하고 行裝을 꾸려 길 떠나는 사람은 없지 않으나, 鬼神이 暗潛하여 모든 消耗를 할 作謨를 꾀하니, 그것이 근심할 바이지만, (원본 175쪽)

一稱普化天尊號, 佩帶眞王玉樞符.

◀ 해설解說
普化天尊의 尊號를 한 번 부른 다음, 眞王의 玉樞符篆을 허리에 두르고 길을 떠난다면, 水陸 어디를 가도 무사하리라.

강왈
講曰,

차경 인혹원행승주시 옥추령부 패지 차경장어행리중즉
此經, 人或遠行乘舟時, 玉樞靈符, 佩之, 此經藏於行李中則,

▶ 해설解說
此經은 사람이 혹 遠行을 하면서 배(혹은 비행기나 기차, 버스 등)를 타야 할 때에 이르러, 玉樞靈符를 佩用하고, 經典을 行李 속에다 감추고 길을 떠난다면,

도적귀마 불침 병란시 송경패부 제신암호 신독무난
盜賊鬼魔, 不侵, 兵亂時, 誦經佩符, 諸神暗護, 身獨無難.

▶ 해설解說
盜賊이나 鬼魔가 犯接을 하지 못하고, 만일 兵亂 時에 此經을 誦하고 符篆을 佩用하면, 모든 鬼神이 暗護해 주리니, 몸은 비록 혼자 있더라도 어려움이 없다.

호지호지 이가전 삼일송경후발정
護之護之, 移家前, 三日誦經後發程.

▶ 해설解說
보호하고 또 보호해 주리니, 집 떠나기 三日 전에 此經을 誦한 다음에 發程을 하면 諸神의 보호를 받을 수가 있으리라.

地經(지경) 第十二章(제십이장) 亢陽雨澤章(항양우택장) 解說(해설)

天尊(천존)이 言(언)하사대 亢陽爲虐(항양위학)하야 雨澤愆其(우택건기)어든 稽顙此經(계상차경)하면 應時甘澍(응시감주)하고 積陰爲厲(적음위려)하야 雨水浸淫(우수침음)커든 稽顙此經(계상차경)하면 應時朗霽(응시랑제)하고 祝融扇禍(축융선화)하야 飛火民居(비화민거)하며 赤鼠游城(적서유성)하야 驚爇黎庶(경설여서)면 此經(차경)이 可以禳之(가이양지)하며 海若(해약)이 失經(실경)하야 魚鼈妄行(어별망행)하며 洪水滔天(홍수도천)하야 民(민)生墊溺(생점익)하면 此經(차경)이 可以止之(가이지지)하나니라. (원본 176쪽)

지경 제십이장 항양우택장
地經 第十二章 亢陽雨澤章

천존언 항양위학 우택건기 계상차경 응시감주 적음위려 우수침음 계상차경
天尊言 亢陽爲虐 雨澤愆其 稽顙此經 應時甘澍 積陰爲厲 雨水浸淫 稽顙此經

응시랑제 축융선화 비화민거 적서유성 경설여서 차경 가이양지 해약실경
應時朗霽 祝融扇禍 飛火民居 赤鼠游城 驚爇黎庶 此經 可以禳之 海若失經

어별망행 홍수도천 민생점익 차경 가이지지
魚鼈妄行 洪水滔天 民生墊溺 此經 可以止之

地經 第十二章 解說 지경 제십이장 해설, (원본 177쪽)

天尊이 言하사대, 天界의 妖氣들이 태양을 가려서 빛을 내지 못하게 방해를 하거나, 또는 적기적소에 비를 내리지 않아서 산천초목과 들녘의 곡식들이 타들어 가서 윤택함을 잃고 말라 죽어 갈 때면, 모름지기 머리 숙여 拜禮한 다음, 此經을 誦하면, 원하는 시기에 비를 내려 줄 것이며, 만일 이때에 비가 너무 심하게 와서 積陰爲厲로 雨水가 浸淫할 때면, 역시 같은 방법으로 拜禮를 마치고 나서 此經을 誦하면, 또 다시 適期에 비가 멈춰지고 햇빛이 明朗하게 나타날 것이다.

그러나 祝融(惡鬼의 우두머리)이 災殃을 부추겨서 民居 지역에 불을 지르고, 또는 붉은 쥐들이 성벽을 뚫고 들락거리며 庶民의 무리들을 놀라게 하는 등의 갖은 惡行을 저지르는 妖氣들의 난동에도, 此經을 읽고 祈求하면 능히 諸厄이 소멸되리라고 하셨다.

註曰,

◀ 解說

此章, 天尊, 愛群生之心, 切切,

此章(차장)은 天尊(천존)께서 群生(군생)을 사랑하는 마음이 切切(절절)하여,

구한구음 실천지지기불화
久旱久陰, 實天地之氣不和,

◀ 해설解說 天地(천지)의 陰陽之氣(음양지기)가 실로 不和(불화)하여서 오래도록 가뭄이 계속되거나 장마가 들기도 하니,

내인민지업 난석 이치삼계진노
乃人民之業, 難釋, 以致三界震怒,

◀ 해설解說 이에 백성의 生業(생업)이 풀리지 못하고, 여기에 다시 三界(삼계)가 震怒(진노)하여서,

수세산붕 축융선화 조서송요 여서불안
水勢山崩, 祝融扇禍, 鳥鼠送妖, 黎庶不安,

◀ 해설解說 水(수)의 힘에 의해 산이 붕괴되고, 祝融(축융)(악귀의 우두머리)이 禍(화)를 부추기고, 쥐와 새들이 여러 사람을 불안하게 하고,

약인 조차시세 의송차경 분차부전
若人, 遭此時歲, 宜誦此經, 焚此符篆, (원본 178쪽)

◀ 해설解說

만일 사람이 이러한 厄運의 時歲를 만났을 때에는, 此經을 誦하고 符篆을 焚燒하면,

청우득의 인민자안야
晴雨得宜, 人民自安也.

◀ 해설 解說

晴雨之間에 바라는 바를 얻게 되고, 백성들도 스스로 편안하리라.

의왈
義曰,

음양실율 여한령세 막비개출어천사지령
陰陽失律, 如旱逞勢, 莫非皆出於天司之令,

◀ 해설 解說

陰陽이 調律을 잃고 그 힘이 水旱 중의 어느 한쪽으로만 치우치게 되는 경우가 다 天司의 司令에서 비롯된 것이라고 말하지 마라.

개악업 기불소 정진지도 불수야 천존알선조화
蓋惡業, 氣不消, 正眞之道, 不祟也, 天尊斡旋造化,

◀ 해설 解說

대개 惡業은 그 氣가 소멸되지 않으며, 진정한 道란 곧 잡된 神鬼들한테 빌미를 주지 않는

것이니, 그러므로 正道(정도)를 숭상하는 者(자)에게는 天尊(천존)께서 造化(조화)를 斡旋(알선)해 주시리라.

◀ 解說(해설)

이생생지심 장양군품 기불가찬탄야
以生生之心, 長養群品, 其不可讚歎耶.

天尊(천존)께서는 生養之心(생양지심)이 깊으시어, 언제나 萬物(만물)을 生(생)하고 長養(장양)하시니, 어찌 그 功德(공덕)을 讚嘆(찬탄)하지 않을 수 있겠는가!

석왈
釋曰,

음청회명 비세사야 상계천정 하관통부
陰晴晦明, 非細事也, 上繫天庭, 下關通府,

◀ 解說(해설)

陰晴(음청)하고 晦明(회명)한 것이 결코 작은 일만은 아닌 것이니, 上(상)으로는 天庭(천정)에 매어져 있고, 下(하)로는 陰府(음부)에까지 關通(관통)되어 있는 것이 곧 陰晴(음청)과 明暗(명암)의 근원인 것이니, (원본 179쪽)

역유이기지불화고야 범우차수한지시
亦猶二氣之不和故也, 凡遇此水旱之時,

◀ 解說(해설)

역시, 陰陽二氣(음양이기)가 不和(불화)한 것과 같은 이유인 고로, 무릇 水旱(수한)에 치우치는 시기를 만날 때는,

지사 엄치도장 송영문분옥전 즉한가우이우가청의
志士, 嚴置道場, 誦靈文焚玉篆, 則旱可雨而雨可晴矣.

◀ 해설 解說

志士(지사)는 엄숙하게 道場(도장)을 설치한 다음에, 靈文(영문)을 誦(송)하고 寶篆(보전)을 焚(분)하면, 곧 旱則(한즉) 雨可(우가)하고, 雨則(우즉) 晴可(청가) 하나니라.

찬왈
讚曰,

수한위재 가관천지
水旱爲災, 可關天地,

성심송경 청명감로
誠心誦經, 晴明甘露.

◀ 해설 解說

洪水(홍수)와 旱魃(한발)의 災難(재난)은 가히 天地(천지)를 관통하나니, 誠心(성심)으로 誦經(송경)하면 旱魃(한발)은 甘露(감로)로, 洪水(홍수)는 晴明(청명)으로 변하리라.

講曰(강왈),

此經霖雨連日(차경림우연일), **水害不小**(수해불소), **卽誦此經**(즉송차경), **屋上插黃木**(옥상삽황목),

◀해설 解說

此經(차경)은, 연일 장맛비가 개이지 않을 때는 水害(수해)가 적지 않은 고로, 이를 막기 위해서는 옥상에 黃木(황목)을 꽂은 다음에,

朱砂(주사), **書九天應元雷聲普化天尊退雲散雨碑**(서구천응원뢰성보화천존퇴운산우비),

◀해설 解說

朱砂(주사)로, 「九天應元雷聲普化天尊退雲散雨碑(구천응원뢰성보화천존퇴운산우비)」라고 쓰면,

則家屋不壞(즉가옥불괴), **流水不浸入**(유수불침입), **身無陷溺**(신무함익), **蛇蟲遠遁**(사충원둔).

◀해설 解說

가옥도 붕괴를 면하고, 流水浸入(유수침입)도 없어 몸이 물속에 빠질 일도 없으며, 蛇蟲(사충)도 멀리 숨어버린다.

地經(지경) 第十三章(제십삼장) 免災橫章(면재횡장) 解說(해설)

天尊(천존)이 言(언)하사대 世人(세인)이 欲免三災(욕면삼재) 九橫之厄(구횡지액)이면 卽於靜夜(즉어정야)에 稽首北辰(계수북신)하라. 北辰之上(북신지상)에 上有三台(상유삼태)하니 其星(기성)이 竝躔(병전)하야 形如雙目(형여쌍목)하며 疊位三級(첩위삼급)하야 以覆斗魁(이부두괴)하니 是名天階(시명천계)라, 若人見之(약인견지)면 生前(생전)에 無刑囚之憂(무형수지우)하고 身後(신후)에 不淪沒之苦(불윤몰지고)하느니라.

斗中(두중)에 復有尊帝二星(부유존제이성)하여 大如車輪(대여거륜)하니 若人見之(약인견지)면 留形住世(유형주세)하야 長生神仙(장생신선)하느니 歸命此經(귀명차경)하야 投心北極(투심북극)하면 卽有冥感(즉유명감)하니라. 斗爲天樞(두위천추)하고 中有天罡(중유천강)하야 在內卽(재내즉) 爲廉貞(위염정)하며 在外卽(재외즉) 爲破軍(위파군)하야 雷城(뇌성) 十二門(십이문)이 竝遂天罡之所指(병수천강지소지)하나니 罡星(강성)이 指丑(지축)이면 其身(기신)이 在未(재미)하야 所指者吉(소지자길)하고 所在者凶(소재자흉)하며 餘位皆然(여위개연)하니 若人見之(약인견지)면 壽可千歲(수가천세)하느니라.

지경 제십삼장 면재횡장
地經 第十三章 免災橫章

천존언 세인 욕면삼재 구횡지액 즉어정야 계수북신 북신지상 상유삼태 기성병전
天尊言 世人 欲免三災 九橫之厄 卽於靜夜 稽首北辰 北辰之上 上有三台 其星竝躔

형여쌍목 첩위삼급 이부두괴 시명천계 약인견지 생전 무형수지우 신후 불
形如雙目 疊位三級 以覆斗魁 是名天階 若人見之 生前 無刑囚之憂 身後 不

윤몰지고 두중 부유존제이성 대여거륜 약인견지 유형주세 장생신선 귀명차경
淪沒之苦 斗中 復有尊帝二星 大如車輪 若人見之 留形住世 長生神仙 歸命此經

투심북극 즉유명감 두위천추 중유천강 재내즉 위염정 재외즉 위파군 뇌성
投心北極 卽有冥感 斗爲天樞 中有天罡 在內卽 爲廉貞 在外卽 爲破軍 雷城

십이문 병수천강지소지 강성 지축 기신재미 소지자길 소재자흉 여위개연
十二門 竝遂天罡之所指 罡星 指丑 其身在未 所指者吉 所在者凶 餘位皆然

약인견지 수가천세
若人見之 壽可千歲

地經 第十三章 지경 제십삼장 해설, (원본 182쪽)

天尊(천존)이 이르시기를, 사람이 三災(삼재) 九橫(구횡)(세 가지 재앙과 아홉 가지 횡액)을 免(면)하려거든, 즉시 靜夜(정야)에 仰天稽首(앙천계수) 拜禮(배례) 후에 北極(북극)을 向(향)하면, 北辰上(북신상)에 三台(삼태)가 있어 그 星(성)이 자리

를 함께하면서, 形像(형상)은 雙目(쌍목)같고 疊位三級(첩위삼급)하여 斗魁星(두괴성)을 덮고 있으니, 此星(차성)을 곧 天階(천계)라 부르며, 만일 사람의 눈에 이 天階星(천계성)이 보였다면 生前(생전)에 刑囚之憂(형수지우)를 免(면)할 뿐 아니라, 身後(신후)(죽은 후)에라도 고통의 바다에 빠지지 않으며, 斗中(두중)에 다시금 二星(이성)의 尊帝(존제)가 있어서 그 크기는 마치 수레가 굴러가는 듯하고 있는데, 누구든지 이 尊帝二星(존제이성)을 발견한 사람은 세상에서 그 形色(형색)을 지탱하는 동안까지는 長生(장생)하여 결국에는 神仙(신선)이 될 것이니, 此經(차경)에 歸命(귀명)하여 透心北極(투심북극) 한다면, 곧 冥冥(명명)한 가운데서라도 모든 것을 감지할 수가 있으니, 斗(두)는 즉, 天樞(천추)로서 중앙에는 天罡(천강)이 有(유)하고, 在內(재내)에는 廉貞星(염정성)이 위치하고 있으며, 在外(재외)에는 破軍星(파군성)이 자리하고 있고, 雷城十二門(뇌성십이문)을 좇아 天罡(천강)이 所指(소지)하니, 만일 天罡(천강)이 丑方(축방)을 가리킬 때에 사람의 몸이 未方(미방)에 있으면 吉(길)하다. 즉 所指(소지)함을 받는 사람은 吉(길)하고, 所指(소지)하는 쪽에 있는 사람은 凶(흉)하리니, 사람이 만약 天罡星(천강성)의 所指(소지)를 받는다면 그 壽(수)는 가히 千歲(천세)를 누리리라.

註曰,

北辰, 北宸星也, 辰星五位, 內帝座星也, 居常不動而衆星, 皆拱之也,

◀ 解說 北辰은 北宸星을 말하며, 辰星은 모두 五位로서 帝座內의 守直星으로서, 辰星은 항상 不動 상태에서 무리를 지어 居하며, 마치 兩手를 모아 敬意를 표하는 듯하게 보인다.

且北斗, 居天之中, 爲天之樞紐, 斡運四時, 凡天地日月, 五星列曜六甲,

◀ 解說 무릇 天地日月과 五星, 列曜, 六甲 및 二十八宿와,

諸仙衆眞, 及下元生人, 上自天子, 下及黎庶, 壽祿貧富, 生死禍福, 幽冥之事,

◀ 解說 諸仙衆眞과 下元世界의 衆生들과, 그리고 위로는 天子로부터 아래로는 서민들에 이르기까지, 壽祿貧富와 生死禍福 및 幽冥(冥府)에 관한 일까지의 一切를,

무불속어북두지총통야
無不屬於北斗之總統也,

◀ 해설 解說
이 모두가 北斗(북두)의 총체적인 統轄事(통할사)에 속하지 않는 것이 없다.

태상 수이천사장군북두경결 약유위액 급고북두 예송본명 진군 방획안태
太上, 授以天師張君北斗經訣, 若有危厄, 急告北斗, 禮誦本命, 眞君, 方獲安泰,

◀ 해설 解說
太上(태상)께서는 張眞君(장진군)에게 北斗經訣(북두경결)을 傳授(전수)하였으니, 만약에 위급한 일이 생기면 北斗前(북두전)에 急告(급고)하고 本命呪(본명주)를 禮誦(예송)하면 天師(천사) 張眞君(장진군)께서 편안을 얻을 수 있는 방법을 획득해 주리라.

우득삼태생 삼태양 삼태호야 삼태성 유육좌 상중하삼태 명천계자
又得三台生, 三台養, 三台護也, 三台星, 有六座, 上中下三台, 名天階者,

즉태상승강지도야
即太上昇降之道也,

◀ 해설 解說
또는 生(생), 養(양), 護(호), 이 모두를 三台星(삼태성)에 의해 얻게 되며, 三台星(삼태성)은 本是(본시) 六座(육좌)가 있어, 上(상), 中(중), 下(하)의 三台(삼태)를 名曰(명왈) 天階(천계)라 하니, 이는 곧 太上(태상)께서 上天(상천) 下地(하지)를 오르내리는 길이며,

기세횡긍북두 제이석성 상태 허정 중태 육순 하태 곡생 내성군내휘야
其勢橫亘北斗, 第二魁星, 上台, 虛精, 中台, 六淳, 下台, 曲生, 乃星君內諱也,

◀ 해설解說 그 세력은 橫으로 北斗에까지 뻗쳐져 있고, 제이의 三台는 魁星인데 上台는 虛精이라 하고, 中台는 六淳이라 하며, 下台는 曲生이라 하니, 이는 모두 星君內의 諱字라 하겠다.

지성명자 중악소재 제선비지 견성상자 생무형우 사무제고
知星名者, 衆惡消災, 諸善備至, 見星像者, 生無刑憂, 死無諸苦,

◀ 해설解說 星名을 아는 者는 衆惡이 消災되고 모든 善이 갖추어서 찾아오며, 星像을 見한 者는 生時에는 無刑憂하고, 死後에는 無苦痛하니,

범어정방 단좌사삼태 복두차사양신 기종위출 여삼태 상연 구구사필
凡於靜房, 端坐思三台, 覆頭次思兩腎, 氣從胃出, 與三台, 相連, 久久思畢,

◀ 해설解說 무릇 萬賴가 고요한 靜房에 단정히 앉아 골똘히 三台를 생각하다가, 문득 머리를 돌이켜서 兩腎(內腎은 腎臟이고 外腎은 睾丸)을 생각하니, 이는 마치 三疊位의 三台와도 같이, 胃에서 나온 氣가 兩腎을 거쳐서 체내로 순환하므로, 필경에는 天氣가 三台와 더불

어 相連(상련)됨과 같다는 사실을 오래도록 생각한 끝에 밝혀낸 결론이다.

고치이칠 비미미내기 폐구만인이필 내주왈
叩齒二七, 鼻微微內氣, 閉口滿咽而畢, 乃呪曰,

절절영영 원걸장생 태현삼태 상복아형 출입왕래 만신휴영 보지오년
[節節榮榮, 願乞長生, 太玄三台, 常覆我形, 出入往來, 萬神携榮, 步之五年,

선골자성 보지칠년 합약개정 보지십년 상승천정 급급여율령
仙骨自成, 步之七年, 合藥皆精, 步之十年, 上昇天庭, 急急如律令],

◀ 해설 解說

叩齒二七(고치이칠)이라 함은 內功(내공) 수련시의 心法(심법)으로서, 아래윗니를 마주 부딪치게 꼭꼭 물면서 二七(이칠)번을 되풀이하는 儀式(의식)을 말하는 것이니, 이때에는 입을 다문 채, 목구멍 안까지 氣(기)가 꽉 차도록 기다렸다가 가까스로 콧구멍으로 內氣(내기)를 微微(미미)하게 내보내면서, 儀式(의식)을 끝맺은 뒤에는 다음과 같은 呪(주)를 외운다.

절절영영 원걸장생 태현삼태 상복아형 출입왕래 만신휴영 보지오년
[節節榮榮, 願乞長生, 太玄三台, 常覆我形, 出入往來, 萬神携榮, 步之五年,

선골자성 보지칠년 합약개정 보지십년 상승천정 급급여율령
仙骨自成, 步之七年, 合藥皆精, 步之十年, 上昇天庭, 急急如律令],

가고두첨앙배례 백사개수 우북두래음양지정신 정요구도 광음구천

可叩頭瞻仰拜禮, 百事皆遂, 又北斗來陰陽之精神, 精耀九道, 光蔭九天,

◀ 해설解說 叩齒를 마친 다음에 머리를 들어 仰瞻拜禮하면 百事가 다 遂意完成에 依하니, 다시 말하면 北斗는 陰陽의 精神이며, 精耀는 九道로 뻗치고, 光蔭은 九天으로 펴진다.

칠현이은 세인유견칠성 불견존제이성 차이성 즉보필제황 태존신군

七現二隱, 世人唯見七星, 不見尊帝二星, 此二星, 即輔弼帝皇, 太尊宸君,

내천지혼백지위신

乃天地魂魄之威神,

◀ 해설解說 七個星은 現하고 二個星은 隱하므로 世人은 오직 七星밖에는 보지 못하니, 보이지 않는 二星은, 즉 帝皇의 輔弼星이다. 太尊宸君은 天地魂魄이니 威嚴의 神이다.

보성 주천일상 필성 주지일공 공자 구천지혼정 상자 구지지백령

輔星, 主天日常, 弼星, 主地日空, 空者, 九天之魂精, 常者, 九地之魄靈,

천휴지태 공상은장

天休地泰, 空常隱藏,

◀ 해설解說 輔星은 天界에서 太常神의 하루하루의 動靜을 主管하는 太尊宸君의 左輔星이요, 弼星

은 地界(지계)에서 天空神(천공신)의 一擧一動(일거일동)을 날마다 主管(주관)하는, 亦(역) 太尊宸君(태존신군)의 右弼星(우필성)이다.

(원본 185쪽)

空者(공자)는 九天之魂精(구천지혼정)이요, 常者(상자)는 九地之魄靈(구지지백령)이니, 天界(천계)가 休眠(휴면)에 들어가면 地界(지계)에도 平安(평안)이 찾아온다. 空(공), 常(상)은 항시 隱藏(은장)해 있으므로 世人(세인)의 耳目(이목)에는 쉽사리 나타나지 않는다.

천부지격 공상환명 변화만기 개역양음 사시대사 막불유언

天否地激, 空常渙明, 變化萬氣, 改易陽陰, 四時代謝, 莫不由焉,

◀ 해설 解說

天道(천도)는 好動(호동)하므로 好靜(호정)의 地(지)를 언제나 激(격)(擊(격)과 通(통))하고, 空(공)(九天之魂(구천지혼))과 常(상)(九地之魄(구지지백))은 渙明(환명)(서로 流通(유통)하여 밝음을 지님)하여 萬氣(만기)를 변화하고, 陰陽(음양)을 改易(개역)하며, 四時(사시)를 循環不息(순환불식)하게 하니, 이 모두가 다 天(천)의 好動之性(호동지성)으로 말미암인 것이니, 아무도 이를 부인하지 못한다.

이성존귀 은복화신 구천역비기령음 불행어세 제득도고선귀진

二星尊貴, 隱伏華宸, 九天亦秘其靈音, 不行於世, 諸得道高仙貴眞,

◀ 해설 解說

輔弼二星(보필이성)은 尊貴(존귀)하여 華蓋星下(화개성하)에 隱伏(은복)하고, 九天(구천), 또한 그 靈音(영음)을 감춤으로써 세상에 잘 나타내지를 않으므로 得道(득도)한 高仙(고선) 貴眞(귀진)들은,

내득견지 기영명 수리유속예탁지인 성광 소불조림 난가득견의

乃得見之, 其榮名, 遂利流俗穢濁之人, 星光, 所不照臨, 難可得見矣,

◀해설 解說

輔弼(보필) 二星(이성)이 隱伏(은복)한 奧意(오의)와 九天(구천)이 秘藏(비장)한 靈音(영음)을 體得(체득)함으로 해서, 時流(시류)에 迎合(영합)하여 名利(명리)만을 좇기에 여념이 없는 穢濁(예탁)한 俗人(속인)들 앞에는, 그 名望(명망)이 빛나고 星光(성광)은 어느 곳을 막론하고 아니 비치는 곳이 없어도, 그의 빛을 쉽사리 발견하고 감춰진 秘義(비의)를 터득하기란 쉬운 일이 아니다.

낭역유오견자 금속인 탈유오견 체불가언 설즉신피병화 졸형획고지옥

囊亦有悞見者, 今俗人, 脫有悞見, 切不可言, 泄則身被兵禍, 卒形獲考地獄,

◀해설 解說

역시 過去世(과거세)에도 잘못 발견한 자가 있었고, 今世(금세)에도 잘못 발견한 俗人(속인)들이 있었지만, 그렇다고 千古(천고)의 비밀을 함부로 누설해서는 절대로 안 된다. 만일 비밀을 누설한다면 그 자신이 兵禍(병화)를 입음은 물론이고, 死後(사후)에 지옥에 떨어진다는 사실을 고려해야 하고, (원본 186쪽)

생사부모 수죄어삼관 첨례지법 상이매월초삼일 급이십칠일야 물영인지
生死父母, 受罪於三官, 瞻禮之法, 常以每月初三日, 及二十七日夜, 勿令人知,

음하중정
陰下中庭,

▶해설 解說
부모(父母) 생전(生前)은 물론이고 사후(死後)의 삼대(三代)에 까지도 죄(罪) 값을 맡아 치러야 하니, 이를 면하려면 북두(北斗)를 우러러 예찬(禮讚)하는 방법이 있다. 즉 언제나 매월 초삼일(初三日) 또는 이십칠일(二十七日) 밤에 사람들이 알지 못하게, 집안의 어두운 부엌 가운데서,

소향예송 주왈
消香禮誦, 呪曰,

존제이성 북극지령 원신조견 견즉장생 복경무궁 천여장령
[尊帝二星, 北極之靈, 願臣朝見, 見即長生, 福慶無窮, 天與長齡]

▶해설 解說
향(香)을 사르고 예송(禮誦)을 한 뒤에 주(呪)를 외우되,
[존제이성(尊帝二星), 북극지령(北極之靈), 원신조견(願臣朝見), 견즉장생(見卽長生), 복경무궁(福慶無窮), 천여장령(天與長齡)]이라 하고,

성심구구 갱념차송 묵유감통 자당견야 역불가설
誠心久久, 更念此誦, 默有感通, 自當見也, 亦不可泄,

▶ 해설 解說 성심껏 오래오래 念(염)한 뒤에, 다시금 此經(차경)을 誦(송)하면 잠잠한 가운데 靈感(영감)이 통하겠지만, 그러나 역시 泄氣(설기)를 하지 않는 것이 최상의 方途(방도)라 하겠다.

기천강 명재두추지내 성형 여파군성 상대 차성 홍색칭대 매일시진
其天罡, 名在斗樞之內, 星形, 如破軍星, 相對, 此星, 紅色稱大, 每一時辰,
수두병
隨斗柄,

▶ 해설 解說 그 天罡(천강)은 北斗(북두)의 中樞內(중추내)에 있는 별의 이름으로, 모양은 破軍星(파군성)과 같고, 상대하고 있는 별보다 此星(차성)(天罡星(천강성))은 색깔이 붉고 더 크다고 말할 수가 있으며, 每一時辰(매일시진)마다 斗柄(두병)(北斗(북두)의 손잡이별)을 따라,

조림지지일방위 시시운전 무유정식 경 운천강소지 주야상륜 시야
照臨地支一方位, 時時運轉, 無有停息, 經, 云天罡所指, 晝夜常輪, 是也,

▶ 해설 解說 地支(지지)의 一方位(일방위)를 비치면서 잠시도 쉬지 않고 時時(시시)로 運行(운행)하므로, 經(경)에 「天罡所指 晝夜常輪(천강소지 주야상륜)」이라고 했다. 과연 그 말이 옳다.

뇌성 안지지유십이문 뇌욕발성 극수천강 기시 소지방위지문 내발성야
雷城, 按地支有十二門, 雷欲發聲, 郤隨天罡, 其時, 所指方位之門, 乃發聲也,

(원본 187쪽)

◀ 해설 解說

雷城 十二門은 地支의 十二方에다 按排를 하여 雷師께서 聲을 發하고자 할 때면 天罡을 쫓아 그 時에 맞춰서 天罡이 所指하는 방위의 門에다 雷聲을 發한다.

차여천강 좌어미 대지축궁 하고 극유길흉 개천강 정기 능생능살
且如天罡, 坐於未, 對地丑宮, 何故, 郤有吉凶, 蓋天罡, 正氣, 能生能殺,

약소지향지처
若所指向之處,

◀ 해설 解說

이와 같이 天罡이 未方에 앉으면 對宮은 丑宮이 된다. 왜냐하면 坐의 對方이 곧 所指方이 되므로, 대개 吉凶은 天罡星의 所指方과 所在方이 何方인가에 따라 吉凶이 좌우되기 때문이다. 天罡의 正氣는 能生能殺을 自由自在로 行事하기 때문에, 만약 天罡이 所指하는 向處는,

즉시생방고 유생기 취지즉가이치병보허 안신극화 소재연생 도액야
卽是生方故, 有生氣, 取之則可以治病補虛, 安神郤禍, 消災延生, 度厄也,

◀ 해설 解說

곧 生氣方이기 때문이니, 이를 取하면 可히 治病도, 補虛도 할 수가 있고, 또 災殃을 물리처서 心神을 안정시킬 수도 있으며, 消災延生과 度厄도 아울러 할 수가 있다.

소재지처즉유살기 용지 가이참귀구사 이흉금폭 괵독제마고 소지자길 소재자흉야
所在之處則有殺氣, 用之, 可以斬鬼驅邪, 夷凶禁暴, 馘毒制魔故, 所指者吉, 所在者凶也,

◀ 해설 解說

그러나 天罡이 所坐하는 곳(所在之處)은 곧 殺氣方인 고로, 이를 爲用하면 斬鬼驅邪는 물론이고 오랑캐의 凶暴을 금지시키며, 또한 惡鬼의 귀를 베어서 멀리 내쫓기까지 할 수가 있으므로, 所指者吉이라 하고 所在者凶이라 하나, 天罡은 生殺 兩氣를 마치 一刀兩斷格으로 爲用하므로 버릴 것은 전연 없다.

의왈
義曰,

구요삼태 내일신지주재 위만상지추기야 학자 당의법의조 주지 무불향응
九曜三台, 乃一身之主宰, 爲萬象之樞機也, 學者, 當依法依朝, 奏之, 無不響應.

◀ 해설 解說

九曜(구요)와 三台(삼태)는 一身(일신)을 主宰(주재)하는 精靈(정령)이며, 따라서 萬象(만상)의 中樞的(중추적) 機微(기미)가 되므로, 마땅히 道(도)를 배우고자 하는 者(자)는 天律(천률)에 의하여 朝禮(조례)를 드리면 奏效(주효)하여, 그 반응이 분명하다. (원본 188쪽)

석왈
釋曰,

삼태지성 존지대지 기두중이존제지성자 하야 내천지지혼백 조화지추기야
三台之星, 尊之大之, 其斗中二尊帝之星者, 何也, 乃天地之魂魄, 造化之樞機也,

◀ 해설 解說

三台之星(삼태지성)은 尊貴(존귀)하고도 큰 별이니, 北斗七星(북두칠성) 가운데 二位(이위)의 존귀한 星(성)(一曰(일왈) 三台(삼태), 二曰(이왈) 天罡(천강)) 중의 一位(일위)에 해당한다. 왜냐하면 三台(삼태)는 天地(천지)의 魂魄(혼백)이며, 造化(조화)의 中樞的(중추적) 機微(기미)에 속하기 때문이다.

부학도지사 도지조진예두지성 이불첨앙존제이성지첩경야 우유천강지성
夫學徒之士, 徒知朝眞禮斗之誠, 而不瞻仰尊帝二星之捷徑也, 又有天罡之星,

재북두지후
在北斗之後,

◀ 해설 解說

무릇 道(도)를 배우고자 하는 사람이 學徒(학도)로서 알아야 할 점은, 北斗前(북두전)에 誠意(성의)를 다해 진심으로 朝禮(조례)를 드리고, 禮讚(예찬)을 올릴 때는 尊帝二星(존제이성)을 瞻仰(첨앙)하는 것을 잊어서는 안된다는 그 사실 자체가 捷徑(첩경)이 되는 것이며, 天罡之星(천강지성)은 北斗(북두)의 後便(후편)에 자리하고 있어,

수뇌문개처 이지뇌문십이자 내십이시 경지명언 소지자길 소재자흉
隨雷門開處, 而指雷門十二者, 乃十二時, 經旨明言, 所指者吉, 所在者凶,
즉시뇌문야
即是雷門也,

◀ 해설 解說

十二支時(십이지시)에 따라 十二方(십이방) 雷門(뇌문)을 열 것을 所指(소지)하니, 經(경)에서 이에 대한 要旨(요지)를 명확하게 언급하고 있다. 즉 天罡(천강)의 所指之方(소지지방)은 吉(길)하고, 所在之方(소재지방)은 凶(흉)하다는 말이 그것으로서, 이것은 역시 雷門(뇌문)의 開閉(개폐)를 말하는 것이다.

학자 욕조두첨성 법견주내 견지즉인수이복후야 경운 매세이월이십일
學者, 欲朝斗瞻星, 法見註內, 見之則人壽而福厚也, 經云, 每歲二月二十日,
삼월초삼일 오월이십일 유월팔일 팔월이십칠일 구월십팔일 수력장
三月初三日, 五月二十日, 六月八日, 八月二十七日, 九月十八日, 隨力章,

醮拜念本命星君名號懺罪悔過 (초배념본명성군명호참죄회과)

◀ 해설 解說

道를 공부하는 사람이 北斗를 바라보고 朝拜를 드리고자 할때, 모름지기 法을 보고 뜻을 잘 새긴 뒤에, 수행을 할 때 尊星二位가 나타나 뵈면, 壽命은 물론 福祿도 厚하리니, 經에 이르기를, 해마다, 二月二十日, 三月初三日, 五月二十日, 六月八日, 八月二十七日, 九月十八日에, 經典에 시키는 대로 순서를 밟아 수행을 할 때에, 醮祭를 올린 다음, 本命星君의 尊號를 외우면서 罪過를 참회하면 所望如意 할 것이니, 本命星君의 尊號는 다음과 같다. (원본 189쪽)

天蓬星君의 尊號는 隱光이요,

天芮星君의 尊號는 洞明이요,

天衝星君의 尊號는 搖光이요,

天輔星君의 尊號는 開陽이며,

天禽星君(천금성군)의 尊號(존호)는 細星(세성)이며,
天心星君(천심성군)의 尊號(존호)는 天權(천권)이며,
天柱星君(천주성군)의 尊號(존호)는 祿存(녹존)이며,
天任星君(천임성군)의 尊號(존호)는 英明(영명)이요,
天英星君(천영성군)의 尊號(존호)는 泰星(태성)이다.

讚曰(찬왈),

玄門之妙(현문지묘), 人言深奧(인언심오),
功行成時(공행성시), 當朝九曜(당조구요),

◀ 해설 解說

玄門(현문)에 드는 길은 妙(묘)한 것이어서, 사람이 말로는 표현할 수 없을 만큼 깊고도 오묘하다. 立功(입공)을 성취하기 위해 수행을 하고자 할 때는, 마땅히 九曜星神(구요성신)에 朝拜(조배)를 드리는 길밖엔 달리 방법이 없다. (원본 190쪽)

강왈
講曰,

차경 세인선천지기 부족다치단명횡사 의송차경 입추절매정야 설단
此經, 世人先天之氣, 不足多致短命橫死, 宜誦此經, 立秋節每靜夜, 設壇,

계수북신
稽首北辰,

◀해설 解說 此經(차경)의 要諦(요체)를 말하자면, 世人(세인)은 본시 先天之氣(선천지기)가 不足(부족)해서 많은 사람들이 短命(단명), 또는 橫死(횡사)에 이르게 되니, 此經(차경)을 誦(송)함으로써 壽命(수명)을 延長(연장)할 수 있는 방편을 제시한 것이 要諦(요체)라 하겠고, 그 방법에 있어서는, 立秋節(입추절)의 매일 밤을 이용하여 壇(단)을 設(설)하고는 北辰(북신)을 향해 稽首(계수)하고,

암실독처 여차백일즉 목광점랑 수연천세
暗室獨處, 如此百日則, 目光漸朗, 壽延千歲.

◀해설 解說 暗室獨處(암실독처)에서 百日間(백일간)만 如此(여차)히 讀誦此經(독송차경)하면, 눈앞에 光彩(광채)가 비치면서 점점 밝아짐을 알 수가 있을 것이다.

지경 제십사장 오뢰참감장 해설
地經 第十四章 五雷斬勘章 解說

天尊이 言하사대 世衰道微하야 人無德行하고 不忠君王하며 不孝父母에 不敬師長하고 不友兄弟에 不誠夫婦하고 不義朋友하며 不畏天地에 不懼神明하며 不禮三光에 不重五穀하고 身三口四에 大秤小斗하고 殺生害命함이 人百己千이라 奸邪私淫과 妖誣叛逆이 從微至著하여 三官이 鼓筆하고 太乙이 移文하며 卽付五雷 斬勘之司하여 先斬其神하고 後勘其形하며 斬神誅魂하야 使之顚倒하고 人所鄙賤에 人所嫌害와 人所怨惡으로 以致勘形震屍하야 使之崩裂하고 驅其捲水하며 役其驅車하야 月覈旬校하되 復有考掠하나니 一聞此經하면 其罪卽滅하고 若或有人이 爲雷所瞋하야 其屍不擧고 水火不受커든 卽稱, 九天應元雷聲普化天尊하야 作是念言하면 萬神稽首하야 咸聽五命하리라.

지경 제십사장 오뢰참감장
地經 第十四章 五雷斬勘章

천존언 세쇠도미 인무덕행 불충군왕 불효부모 불경사장 불우형제 불성부부
天尊言 世衰道微 人無德行 不忠君王 不孝父母 不敬師長 不友兄弟 不誠夫婦

불의붕우 불외천지 불구신명 불례삼광 불중오곡 신삼구사 대칭소두 살생해명
不義朋友 不畏天地 不懼神明 不禮三光 不重五穀 身三口四 大秤小斗 殺生害命

인백기천 간사사음 요무반역 종미지저 삼관고필 태을이문 즉부오뢰 참감지사
人百己天 奸邪邪淫 妖誣叛逆 從微至著 三官鼓筆 太乙移文 卽付五雷 斬勘之司

선참기신 후감기형 참신주혼 사지전도 인소비천 인소혐해 인소원악
先斬其神 後勘其形 斬神誅魂 使之顚倒 人所鄙賤 人所嫌害 人所怨惡

이치감형진시 사지붕렬 구기권수 역기구거 월핵순교 부유고략 일문차경
以致勘形震屍 使之崩裂 驅其捲水 役其驅車 月覈旬校 復有考掠 一聞此經

기죄즉멸 약혹유인 위뢰소진 기시불거 수화불수 즉칭 구천응원뢰성보화천존
其罪卽滅 若或有人 爲雷所瞋 其屍不擧 水火不受 卽稱 九天應元雷聲普化天尊

작시염언 만신계수 함청오명
作是念言 萬神稽首 咸聽吾命

地經 第十四章 解說 지경 제십사장 해설, (원본 193쪽)

天尊(천존)이 이르기를, 세상의 精氣(정기)가 쇠퇴하여 도덕이 해이해지고, 사람마다 德行(덕행)이라고는 찾아보기가 힘들어진 판국이고 보니, 국가에 충성하는 공직자나, 부모 앞에 효도하는 자식들도 보기 드문 반면에, 師長(사장)에게 不敬(불경)하고, 형제 사이에 不友(불우)하거나, 夫婦(부부)간에 不誠(불성)하며, 朋友(붕우)끼리 不信(불신)하는 풍조만이 蔓延(만연)해져, 惡(악)한 世代(세대)들이 감히 天地(천지)도 不外(불외)하고, 神明(신명)도 不懼(불구)하며, 三光(삼광)에 不禮(불례)함은 물론, 五穀(오곡)도 不重(불중)하니, 如斯(여사)한 爲人(위인)들의 恒茶飯的(항다반적) 言行(언행)이란 身一(신일) 行三(행삼)에 口一(구일) 言四(언사)하는 背理(배리) 背德(배덕)만이 能事(능사)일 뿐이요, 저들이 商量(상량)을 할 때에는 大秤小斗(대칭소두)하여 計量(계량)을 속이기가(저울을 속임) 일쑤요, 심지어 殺生害命(살생해명)도 서슴지 않으며, 또한 저 幾百(기백) 幾千(기천)인지 수효조차도 모를 有閑級(유한급) 豪奢族(호사족)들이 저지르는 惡行(악행)은 어떠한가?

奸邪私淫(간사사음)에 妖誣叛逆(요무반역)을 밥 먹듯 하여, 비록 始初(시초)는 微微(미미)한 듯해도 결과는 顯著(현저)한 것이어서, 언제나 官司(관사)가 重重(중중)하니 장차 敗家亡身(패가망신)할 것은 明若觀火(명약관화)라, 그러나 이러한 것은 다 世退道微(세퇴도미)한데서 비롯된 현상이라 하겠지만, 여기에는 반드시 不可思議(불가사의)적 存在(존재)인 鬼祟(귀수)의

作妖(작요)가 사람의 人性(인성)을 마비시키는 데서 오는 결과란 것도 간과할 수 없는 사실이고 보면, 이들을 그대로 방치해둘 경우에는 세상의 騷擾(소요)가 莫甚(막심)해지겠기로, 마침내 鬼祟(귀수)들을 一消(일소)키 위한 乾坤一擲(건곤일척)의 計策(계책)을 三界合發(삼계합발)로 講究(강구)했던바, 太乙尊星(태을존성)이 五雷斬勘之司(오뢰참감지사)의 요청에 卽付(즉부)하여, 붓대를 劍戟(검극)으로 바꾸어 잡고서는 지체 없이 先斬(선참)妖魔(요마)에 後勘(후감)形體(형체)함으로 해서, 顚倒(전도)된 세상의 기준을 바로 잡고, 鄙淺(비천)하게 전락돼버린 인간의 本性(본성)을 회복시키기 위해서는, 사람이 사람을 嫌害(혐해)하고 怨惡(원악)케 하는, 남은 惡鬼(악귀)들의 所行(소행)들도 샅샅이 밝혀내어, 그 形骸(형해)와 魂精(혼정)까지도 崩裂(붕렬)해서 수레에 담아, 거센 물줄기와도 같은 대자연의 힘을 빌어서 달빛만큼이나 명확하게 응징할 것이로되, 단 한 가지, 저 奸惡(간악)한 鬼祟(귀수)들도 깨우치면 鬼仙(귀선)의 반열에 오를지니, 저들이 鬼仙(귀선)으로 승화될 수 있는 마지막 기회를 제공하여 주리니, 만일 한 가닥의 뉘우침이라도 있는 者(자)가 있거든 此寶經(차보경)을 단 한 번만이라도 경청하라! 그리하면 그 먹구름보다도 더 짙은 罪過(죄과)의 業障(업장)이 즉시 소멸될 것이다.

혹시, 사람 가운데서 雷司(뇌사)의 震怒(진노)를 받아 水火(수화)不受(불수)에, 죽은 뒤의 屍身(시신)도 움직일 수 없는 정황에 놓인 자가 있거든 九天應元雷聲普化天尊(구천응원뢰성보화천존)의 尊號(존호)를 一稱(일칭)하고, 오래도록 念(염)하면

萬神이 稽首하면서 咸聽吾命하리라 고 하시었다. (원본 194쪽)

주왈
註曰,

약유일범 리응주멸 기뢰사천부 일일굉지즉금복조형 도병수화 단사어비명자
若有一犯, 理應誅滅, 豈雷司天府, 一一轟之即今伏遭刑, 刀兵水火, 但死於非命者,

◀해설解說

만일, 단 한 번의 犯行일지라도 이를 誅滅해야 함은 雷司와 天府에서 맡은 바, 이치에 가장 합당한 응분의 조치인 것이니, 이를 어찌 이행하지 않겠는가!

한번 한번 울려 퍼지는 저 우렁찬 雷聲은 합당한 절차에 따라 罪人이 刑을 당하는 신호음이라 하겠으니, 行刑의 방법으로서는 刀殺刑이 아니면 兵器에 의해 斬刑을 당하거나, 또는 投殺과 燒殺을 당하는 경우도 있다. 다만 이렇게 죽임을 당하는 者들은 거의가 다 非命에 가는 者들로서, 대개가 처음에는 小惡에서 비롯된 것이지만, 이를 改過하지 못한 나머지 日積(날마다 쌓이고) 月增(달마다 증가하고) 쌓이고 불어나서 언뜻 큰 허물을 이루게 되고, 마침내는 그 罪가 蒼著해졌지만 悔悟 反省할 줄을 모르는 故로,

삼관태을 고핵문이 오뢰지사 선참신혼 사기시지 연후시행 기사혼
三官太乙, 考覈文移, 五雷之司, 先斬神魂, 伺其時至, 然後施行, 其死魂,

겁청뇌사구역추고야
劫聽雷司驅役棰考也,

▶ 해설 解說

三官(天人地 三官)의 太乙星이 이들의 罪狀을 확실히 점검한 뒤에 문서를 작성하여 五雷의 司憲府로 옮기면, 이를 憑據하여 先斬神魂하고 다시 정황을 探檢한 뒤에, 때가 오면 行刑을 시행하되, 雷司府의 問招를 들은 후, 매로 쳐서 집행을 驅使한다. (원본 195쪽)

약인개과천선 귀명충효 기죄즉멸 범남여위뢰소진 관정발발 불피료거
若人改過遷善, 歸命忠孝, 其罪卽滅, 凡男女爲雷所瞋, 冠幘髮髮, 不被燎去,

역가귀고천존
亦可歸告天尊,

▶ 해설 解說

만일 사람이 改過遷善을 하고 忠孝를 위해 身命을 바친다면, 그 罪는 즉시 소멸될 것이요, 무릇 남녀를 막론하고 雷司府의 震怒를 쌓을만한 허물이 있다 할지라도, 冠幘을 벗은 다음, 두발을 풀어헤치고 叩頭謝罪하면, 무서운 火刑의 불길을 피해 갈 수는 있지만, 그래도 역시 天尊께 歸命報告하여 스스로 聖裁를 받아야만 萬神이 모두 그 명령을 傾聽하

여, 이를 인정해 줌으로서 완전히 풀려날 수가 있다.

의왈
義曰,

삼강오상 내만고불역지리 기용패역이망행야 곡 내인지명 국지보
三綱五常, 乃萬古不易之理, 豈容悖逆而妄行也, 穀, 乃人之命, 國之寶,

기불가진석이애호야
豈不可珍惜而愛護耶,

▶해설 解說

삼강오상(三綱五常)은 만고(萬古)에 바뀔 수 없는 진리(眞理)인데, 그 어찌 패역무도(悖逆無道)한 망행(妄行)을 용납하겠으며, 곡식이란 사람의 명(命)인 동시에 국가의 보물인데, 그 어찌 이 값진 보물을 아껴서 애호(愛好)하지 않을 수 있단 말인가?

근세천박 불충불효 불의 불인 기사치이악청담 천도덕이습간사
近世淺薄, 不忠不孝, 不義, 不仁, 嗜奢侈而惡清淡, 賤道德而習奸詐,

치사횡화고지
致使橫禍蠱至,

▶해설 解說

요즘의 천박한 부류들이 불충(不忠), 불효(不孝), 불의(不義), 불인(不仁)을 일삼고 사치나 즐기면서, 맑고도 깨끗

한 풍속을 더럽히면서 간사한 습관에 젖은 者(자)들이 도덕을 賤視(천시)하지만, 결국에 가서는 저들에게 돌아올 것은 橫禍(횡화)와 蠱疾(고질)밖에는 없다.

하불사지천존 행개대로 의리지행지즉제악 불생의
何不思之天尊, 幸開大路, 宜履之行之則諸惡, 不生矣. (원본 196쪽)

◀ 해설解說 어찌 天尊(천존)의 고마움을 생각하지 못하는가? 三界(삼계)의 大路(대로)를 열어 주시고, 그 大路(대로) 위를 밟고 다니게 함으로써 모든 惡(악)이 생겨나지 못하게 해주었으니, 이 얼마나 다행한 일인가 말이다.

석왈
釋曰,

인생천지지간 품이기비오상 리인의이수충효 하고 자의경생 위제불도지사
人生天地之間, 稟二氣備五常, 履仁義而守忠孝, 何故, 恣意輕生, 爲諸不道之事,

◀ 해설解說 사람은 天地(천지)의 陰陽二氣(음양이기)의 성품을 타고났으며, 그 가운데 五常(오상)도 구비되어 있어서 仁義(인의)를 履行(이행)하고 忠孝(충효)를 지켜나가야 한다. 왜냐하면 사람은 누구나 恣意(자의)대로 내버려 두면

輕薄(경박)한 마음이 생겨나서 道理(도리)에 어긋나는 모든 일을 恣行(자행)하기 때문이다.

대즉뇌사진노 폭시어시 소즉관부가형어신 시고 선가위이악불가작야
大則雷司震怒, 暴屍於市, 小則官府加刑於身, 是故, 善可爲而惡不可作也,

▲ 해설 解說

그로 因(인)하여 크게는 雷司(뇌사)의 진노를 사서, 그 몸이 저잣거리에서 발기발기 찢기는 惡刑(악형)을 당하고, 작게는 官家(관가)에 불려가서 體刑(체형)을 당하게 되니, 그러므로 善行(선행)을 할지언정 惡行(악행)을 해서는 안 된다.

뇌사 이불인지인 구역 작선지사 자당보발야 여유칭천존지호자 즉만신
雷司, 以不仁之人, 驅役, 作善之士, 自當保拔也, 如有稱天尊之號者, 則萬神,
무불공청야
無不拱聽也.

▲ 해설 解說

雷司(뇌사)에서는 不仁(불인)한 사람을 善(선)하게 만들기 위해 勞役(노역)의 責罰(책벌)을 통해 이들을 선별하니, 스스로가 이를 보장받기 위해 驅役(구역)을 자처함과 동시에, 天尊(천존)의 號(호)를 稱(칭)하는 者(자)는 곧 諸神(제신)이 두 손 모아 敬聽(경청)하지 않는 者(자)가 없다.

讚曰(찬왈), (원본 197쪽)

忠孝當爲本(충효당위본), 陰陽即我家(음양즉아가),

要消諸惡業(요소제악업), 不必誦南華(불필송남화).

◀ 해설解說

忠孝(충효)는 사람의 宜當(의당)한 本分(본분)이요, 陰陽(음양)은 곧 나의 家宅(가택)과 같도다. 諸惡業(제악업)을 소멸함에 있어서는 굳이 南華經(남화경)을 읽을 필요가 없다.

講曰(강왈),

此經(차경), 人之品行違禮(인지품행위례), 言語妄動(언어망동), 人多輕侮(인다경모), 以致禍害(이치화해), 損害無端(손해무단), 宅不吉利(택불길리),

◀ 해설解說

此經(차경)은 사람의 品行(품행)이 禮儀(예의)에 어긋나고 언어가 경박하면, 이로써 禍害(화해)를 입게 되어 손해가 끊이지 않고 집안도 不吉(불길)해진다.

즉어경신계일 설단 치성 염송분부 화거복래 전액자소
卽於庚辛癸日, 設壇, 致誠, 念誦焚符, 禍去福來, 前厄自消.

▶ 해설 解說

이러할 때면, 庚日(경일)이나, 辛日(신일), 또는 癸日(계일)에 壇(단)을 모아 놓고 致誠(치성)을 드린 후에, 念誦(염송)하고 焚符(분부)하면 災殃(재앙)은 멀리 가고 福(복)이 찾아오며, 지난날의 모든 厄殺(액살)은 스스로 없어진다.

지경 제십오장 보경공덕장 해설
地經 第十五章 寶經功德章 解說

天尊이 言하사대 此經功德은 不可思議라 往昔劫中에 神霄玉淸眞王과 長生大帝의 所曾善說이시니 至士는 授經하고 皆當剸金置弊하야 盟天以傳하라. 雷師皓翁이 長跪拜興하시고 重白하시되 天尊이 言하사 是經在處에 當令土地 司命으로 隨所守護하고 雷部安臨하야 以時稽審하나니 若人家에 有此經하야 至誠安奉하면 卽得祥烟이 滿庭하고 慶雲이 蔭軒하야 禍亂이 不萌하고 吉福이 來萃하며 于其亡歿에 不經地獄하나니 所以者는 何오 死卽往生하고 生歸善道하야 承天尊力하고 有此靈通하니 出入起居에 珮帶此經하면 衆人이 所欽하고 鬼神이 所畏하며 遇諸險難커든 一心稱名하되,

九天應元雷聲普化天尊이라 하면 悉得解脫하리라.

지경 제십오장 보경공덕장
地經 第十五章 寶經功德章

천존언 차경공덕 불가사의 왕석겁중 신소 옥청진왕 장생대제 소증선설 지사수경
天尊言 此經功德 不可思議 往昔劫中 神霄 玉清眞王 長生大帝 所曾善說 至士授經

개당전금치폐 맹천이전 뇌사호옹 장궤배흥 중백 천존언 시경재처 당령토지 사명
皆當剸金置弊 盟天以傳 雷師皓翁 長跪拜興 重白 天尊言 是經在處 當令土地 司命

수소수호 뇌부안림 이시계심 약인가 유차경 지성안봉 즉득상연 만정 경운 음헌
隨所守護 雷部安臨 以時稽審 若人家 有此經 至誠安奉 卽得祥烟 滿庭 慶雲 蔭軒

화란불맹 길복래췌 우기망몰 불경지옥 소이자하 사즉왕생 생귀선도 승천존력
禍亂不萌 吉福來萃 于其亡歿 不經地獄 所以者何 死卽往生 生歸善道 承天尊力

유차령통 출입기거 패대차경 중인소흠 귀신소외 우제험난 일심칭명
有此靈通 出入起居 珮帶此經 衆人所欽 鬼神所畏 遇諸險難 一心稱名

구천응원뇌성보화천존 실득해탈
九天應元雷聲普化天尊 悉得解脫

地經 第十五章 解說 지경 제십오장 해설, (원본 199쪽)

天尊(천존)이 이르기를, 「此經(차경)의 功德(공덕)은 참으로 不可思議(불가사의)한 것으로 사람의 智慧(지혜)로는 깨우치기

가 어려우며, 이는 일찍이 億劫年中에 神霄玉清眞王과 長生大帝가 宣說한 바니, 至士(得道者나 至道者)는 이를 世人에 傳授할 때에, 언제나 剸金置幣(금은 등의 幣帛으로 공양한 후에 구할 것.∴* 旼罔 註∴ 경박한 마음으로 가볍게 구하지 말라는 뜻)하고, 盟天地誓(하늘과 땅에게 맹서)한 연후에 傳할지어다.」 하니, 雷師皓翁은 이에 跪拜(한쪽 무릎을 꿇고 하는 절)에서 몸을 일으킨 뒤에 거듭 말하기를, 「天尊께서 말씀하시기를, 此經이 있는 곳에는 土地司令을 통해서 당장에 令을 내려, 가는 곳마다 隨行하여 守護하고는 雷部에 按臨하여 머리 숙여 심사한 뒤에, 만일 人家에 此經이 있어 이를 지성으로 奉安하면, 즉시 祥瑞로운 기운이 집안을 감싸고, 또 경사스러운 雲氣가 堂內를 메우리니, 이로 인하여 일체의 禍亂이 싹트지 못함은 물론이요, 도리어 吉福이 來萃하려니와, 약 不然이면 亡歿한 뒤에도 此經을 멀리하면 地獄行을 免하지 못할 것이니, 그 緣由가 무엇인가 하면, 此經의 功德으로 하여금 死卽往生하고 生歸善道하여 天上의 높은 뜻을 이어 받아서 靈通을 할 수가 있기 때문이니, 그러므로 出入起居時에 恒時 此經을 珮帶하면 뭇사람들의 부러움을 받을뿐더러, 귀신마저도 두려워할

지니, 제반 험난한 고비를 만나거든 此經(차경)을 一心(일심)으로 稱名(칭명)하여라」고 하시었다.
「九天應元雷聲普化天尊(구천응원뢰성보화천존)」이라 하면, 悉得解脫(실득해탈) 하리라.

주왈
註曰, (원본 200쪽)

천존 발대자비 설시보경 상리재천 하제군품 지사수경 필용금백위신
天尊, 發大慈悲, 說是普經, 上利在天, 下濟群品, 至士授經, 必用金帛爲信,
이질기심
以質其心,

◀ 해설解說
天尊(천존)은 크나큰 慈悲(자비)를 發(발)하사 此經(차경)을 說(설)했으니, 그 목적을 말할진대, 위로는 上天(상천)의 利益(이익)에 附合(부합)되게 하고, 아래로는 群品(군품)(인간을 포함한 地上(지상)의 모든 萬物(만물))을 모든 厄難(액난)으로부터 구제하기 위함이니, 至道(지도)의 경지에 오른 학자나 선비들은 모름지기 이 經(경)의 妙理(묘리)를 世人(세인)에게 전할 때는 반드시 金銀(금은) 등의 幣帛(폐백)으로써 信義(신의)를 表(표)해야 하고, 또 한편으로는 心性(심성)의 資質(자질)도 아울러 시험해 보아야 하느니라.

고맹상천연후 전부기금백자 득욕질심맹천 기교다과 금백 수미 맹약실중
告盟上天然後, 傳付其金帛者, 得欲質心盟天, 豈較多寡, 金帛, 雖微, 盟約實重,

◀ 해설 解說

먼저 上天에 맹서를 告한 뒤에, 傳受者가 바친 金銀幣帛을 차려놓고 자신들이 得하고자 하는 바의 욕망(소원)을 이루기 위해서는, 마음속으로 盟天할 때, 그 어찌 정성의 多寡를 論할 수 있으랴. 비록 幣帛은 보잘것없어도 盟約하는 마음이 實重하면 그것이 훨씬 더 값진 것이다.

대성 비린석이불급공인 경만고 순절이유 뇌사 의령토지사명 재처수호야
大聖, 非吝惜而不及恐人, 輕慢故, 諄切以諭, 雷師, 宜令土地司命, 在處守護也,

◀ 해설 解說

大聖께서는 哀惜해 하는 마음을 아끼지 않으시고, 또 輕慢하지도 않으시므로 사람에게 두려운 마음을 주지 않으시고, 오직 諄厚하고도 친절하게 가르치신다. 雷師께서는 土地를 管掌하는 司命神에게 令을 내려 그곳의 무리들을 守護하게 하는 것이니, 이는 宜當한 의무인 것이다.

약인 시봉 천존 지송경호 치감성진 강정고 상운요요 생봉진전
若人, 侍奉, 天尊, 持誦經號, 致感聖眞, 降庭故, 祥雲繚繞, 生奉眞詮,

즉사귀선도
即死歸善道,

▶ 해설解說 만약 사람이 天尊(천존)을 侍奉(시봉)하고 오래도록 誦經(송경)하면서 尊號(존호)를 稱(칭)하면, 聖眞(성진)이 함께 감격한 경지에 이르러 庭中(정중)에 降臨(강림)할 때면 祥雲(상운)이 四方(사방)에 에워싸이는 고로, 生時(생시)에 眞詮(진전)을 奉安(봉안)하면 死後(사후)에 善(선)한 길로 돌아가게 된다. (원본 201쪽)

갱능의식 부전서사차경 지성패대 제난 불생 인신 경외야
更能依式, 符篆書寫此經, 至誠珮帶, 諸難, 不生, 人神, 敬畏也.

▶ 해설解說 更次(갱차) 依存(의존)할 수 있는 法式(법식)은, 此經(차경)에 해당하는 符篆(부전)을 書寫(서사)하여 至誠(지성)으로 珮帶(패대)하고 다니면, 모든 어려움이 일어나지 않고, 사람과 鬼神(귀신)이 모두 두려워하게 된다.

의왈
義曰,

차장지의 영인 성신불기 후학군자 당의경이행즉서기기불차야
此章之意, 令人, 誠信不欺, 後學君子, 當依經而行則庶幾其不差也.

▶ 해설解說 此章(차장)의 뜻은 사람으로 하여금, 誠意(성의)와 信義(신의)를 다해 남을 欺瞞(기만)하지 말아야 한다는 것을 강

조한 말인 고로, 後學君子들은 마땅히 經에 依持하여 行하면, 그 바라는 바에 얼마 蹉跌이 없을 것이다.

석왈
釋曰,

뇌사호옹 공청천존지화 희불자승 어시 장궤재백천존왈자금이후 지사수경
雷師皓翁, 拱聽天尊至化, 喜不自勝, 於時, 長跪在白天尊曰自今以後, 至士授經,

◀해설解說 雷師皓翁이 至高至純한 天尊의 敎化 말씀을 공손히 경청한 뒤에, 오래도록 跪拜를 드리고 나서 天尊께 감사의 뜻을 거듭 아뢰니, 天尊께서는 말씀하시기를, 지금부터 먼 훗날에 이르기까지 至道至士는 此經을 世人에게 傳授하되,

당이금백맹심 이전기문 시경재처 의령토지사명 수소수호 뇌부안림
當以金帛盟心, 以傳其文, 是經在處, 宜令土地司命, 隨所守護, 雷部安臨,

이시계심
以時稽審,

◀해설解說 마땅히 金銀으로 幣帛을 갖춘 다음, 마음으로 盟誓한 뒤에 寶經을 傳하면, 經이 있는 곳

에는 宜當 土地를 관장하는 司命神將에게 令하여 가는 곳마다 守護케 해주려니와, 司命이 雷部에 按臨해서는 時時로 머리를 조아리면서 두루 살피기도 해야 한다. (원본 202쪽)

여차봉송즉 문정유경 조종초승 패대지자 인소흠경 귀신외복
如此奉誦則, 門庭有慶, 祖宗超昇, 珮帶之者, 人所欽敬, 鬼神畏服,
우난즉칭천존지호 실득해탈
遇難則稱天尊之號, 悉得解脫,

▶ 해설 解說

이와 같이 寶經을 奉誦하면, 집안에 慶事가 가득하여 祖宗은 上界로 超昇하게 되며, 此經과 符篆을 珮帶한 者는 가는 곳마다 사람들의 존경을 받고, 귀신마저도 畏服하게 되므로, 홀연히 어려움을 당했을 때는 天尊의 尊號를 一稱하면, 解脫의 경지를 얻을 수 있다.

차경 언왕석겁중지어 비아천존원언 내뇌사호옹지거야 송경군자
此章, 言往惜劫中之語, 非我天尊元言, 乃雷師皓翁之擧也, 誦經君子,
의종함청오명
宜從咸聽吾命,

▶ 해설 解說

此章의 要旨는 往惜劫中에 오고 간 말로서, 이는 我天尊이 說한 元言이 아니라 雷師皓翁이 거론한 말로서, 此經을 誦한 君子는 마땅히 吾命을 咸聽하고 따르라고 한 것이 雷師의 教旨이다.

지차경 불가사의야
至此經, 不可思議也.

◀ 해설 解說
此經은 지극히 不可思議하다.

찬왈
讚曰,

불귀황금귀적심 초진학도외마침
不貴黃金貴赤心, 初眞學徒畏魔侵,
지성긍여맹천지 극일교군청옥음
至誠肯與盟天地, 剋日教君聽玉音.

◀ 해설 解說
황금보다도 사람의 한 가닥 赤心이 더 귀한 법이니, 학문에 처음 발을 딛는 學徒에게는 諸魔의 침입이 두렵기는 하겠지만, 至誠으로 天地와 더불어 盟誓함을 즐겨하면 日光 속을 꿰뚫고 教君의 玉音을 들을 수가 있다.

講曰, (강왈)

차경 세인 심어빈천 백사경영 다불수의 울지자탄지시 혹지부 혹지사현달
此經, 世人, 沈於貧賤, 百事經營, 多不遂意, 鬱之自嘆之時, 或志富, 或志仕顯達,

◀ 해설解說

此經(차경)은 世人(세인)이, 貧賤(빈천)에 빠져들어 百事經營(백사경영)이 뜻대로 되지 않을 때가 많아, 이로 인해 마음이 울적해져서 自嘆之心(자탄지심)이 끊임없이 일어날 때나, 或(혹)은 富(부)에 뜻을 두거나, 아니면 벼슬길이 顯達(현달)하기를 바라는 마음이 있거나,

혹구자득손 여사원중일심성기 경송차경 불출삼칠일 기영험무비
或求子得孫, 如斯願中一心誠祈, 敬誦此經, 不出三七日, 其靈驗無比.

◀ 해설解說

혹은 求子得孫(구자득손)을 바라는 마음이 있거나 할 때는, 이와 같은 願(원) 중에서 어느 한 가지(旼罔 註: 여러 가지 소원을 한꺼번에 구하지 말 것. 원하는 한 가지 소원만 집중적으로 할 것)의 바라는 바를 향해 一心誠祈(일심성기)하되, 二十一日(이십일일) 동안을 杜門不出(두문불출)하면서 此經(차경)을 至心(지성)으로 誦(송)하면, 비교할 데 없을 만큼 큰 靈驗(영험)을 맛볼 수 있을 것이다.

寶偈章 解說 (보게장 해설)

於時(어시)에 雷師皓翁(뇌사호옹)이 對(대) 天尊前(천존전)하사 而(이) 說偈曰(설게왈), 無上玉淸王(무상옥청왕), 統天三十六(통천삼십육), 九天普化(구천보화)

君(군), 化形十方界(화형십방계), 披髮騎(피발기) 麒麟(기린), 赤脚躡層冰(적각섭층빙), 手把九天氣(수파구천기), 嘯風鞭雷霆(소풍편뢰정), 能以智慧力(능이지혜력),

攝伏諸魔精(섭복제마정), 諸度長夜魂(제도장야혼), 利益於衆生(이익어중생), 如彼銀河水(여피은하수), 千眼千月輪(천안천월륜), 誓於未來世(서어미래세), 永歇(영양)

天尊敎(천존교), 時(시)에 雷師皓翁(뇌사호옹)이 說是偈已(설시게이)하시니라.

보게장
寶偈章

어시뢰사호옹 대 천존전 이 설게왈 무상옥청왕 통천삼십육 구천보화군
於時雷師皓翁 對 天尊前 而 說偈曰 無上玉淸王 統天三十六 九天普化君

화형십방계 피발기기린 적각섭층빙 수파구천기 소풍편뢰정 능이지혜력
化形十方界 披髮騎麒麟 赤脚躡層冰 手把九天氣 嘯風鞭雷霆 能以智慧力

섭복제마정 제도장야혼 이익어중생 여피은하수 천안천월륜 서어미래세
攝伏諸魔精 諸度長夜魂 利益於衆生 如彼銀河水 千眼千月輪 誓於未來世

영양천존교 시 뇌사호옹 설시게이
永歇天尊敎 時 雷師皓翁 說是偈已

寶偈章 解說 보게장 해설

주왈
註曰, (원본 205쪽)

차장 뇌사호옹 돈유소오고 설시게 이칭양천존호생지만일
此章, 雷師皓翁, 頓有所悟故, 說是偈, 以稱敭天尊好生之萬一,

◀해설 解說
此章(차장)은 雷師皓翁(뇌사호옹)이 天尊前(천존전)에 머리 숙여 拜謝(배사)한 다음에 이 偈文(게문)을 說(설)한 뜻은, 我天尊(아천존)의 好生大德(호생대덕)함이 萬物(만물) 가운데 어느 한 가지에도 베풀어지지 않음이 없음을 깊이 깨우친 바 있어서, 이에 그 報答(보답)으로 偈文(게문)을 說(설)한 것인 바,

소이문의류량 어언화택 기공덕불가사의야
所以文義溜亮, 語言華澤, 其功德不可思議也.

◀해설 解說
偈文(게문)의 내용은 溜亮(유량)한 文義(문의)와 華澤(화택)한 언어로써 天尊(천존)의 크고도 不可思議(불가사의)한 功德(공덕)을 稱敭(칭양)한 것이다.

의왈
義曰,

천존지덕 무가이체뇌사호옹고 이은하유지
天尊之德, 無可以體雷師皓翁故, 以銀河喩之,

◀ 해설 解說

天尊의 功德은 形體로 나타내기에는 不可能한 것인 고로, 雷師皓翁은 그 功德의 크고 많음을 銀河에다 비유해서 말한 것인데,

내언기천존지원기 지청 지귀 지선 지명자야
乃言其天尊之元氣, 至淸, 至貴, 至善, 至明者也.

◀ 해설 解說

그것은 天尊의 元氣에 대한 언급인바, 天尊의 元氣는 더 없이 淸하고, 더 없이 貴한데다, 또 더 없이 善하고, 더 없이 明하니, 그야말로 至淸, 至貴, 至善, 至明하다고 말하지 않을 수가 없다.

석왈
釋曰,

뇌사호옹 심복신통 무이찬양 축작차게
雷師皓翁, 心腹神通, 無以讚歎, 逐作此偈,

◀ 해설 解說

雷師皓翁은 天尊의 功德과 神通力에 心服한 나머지, 이를 讚歎하지 않을 수가 없어서,

뒤이어 이 偈文을 作했다.

연 아천존소통삼십육천지존 화십방세계지광 유제천시

然, 我天尊所統三十六天之尊, 化十方世界之廣, 遊諸天時,

▶ 해설解說 더구나, 我天尊은 三十六天을 統括하는 至尊이시고, 十方世界를 普化하는 無所不在한 분이니, 그가 諸天을 周遊할 때는,

피감발이기기린 소풍편뢰정

披紺髮而騎麒麟, 嘯風鞭雷霆,

▶ 해설解說 연보랏빛 頭髮을 흩날리며 기린을 타고 달릴 적에, 채찍에서 울려오는 바람 소리가 마치 雨雷와 같은 소리를 연상케 하고,

파구천시 적기족이섭층빙 수파구천기자

破九泉時, 赤其足而躡層氷, 手把九天氣者,

▶ 해설解說 九泉之下를 깨트리고 들어갈 때, 그 붉은 발은 氷層를 밟으며 두 손으로는 九天의 氣를 헤쳐 나가니,

즉금광명지여의 소풍편뢰정 내천존지호령야
卽金光明之如意, 嘯風鞭雷霆, 乃天尊之號令也,

▶ 해설 解說
곧 金光이 빛을 發하니 마음이 如意하고, 채찍에서 일어나는 바람 소리는 雨雷와도 같으니, 이 모두가 다 天尊의 號令소리이다.

참귀제요제물리인 내천존이익어중생야
斬鬼除妖濟物利人, 乃天尊利益於衆生也,

▶ 해설 解說
鬼의 목을 베고 妖魔를 除하는 것은 地上의 萬物을 救하고 사람에게 利益을 주기 위함이니, 이는 곧 天尊의 이익이 衆生을 救함에 있기 때문이다.

은하지수 인불견 불가측지현현야 천안천월륜자
銀河之水, 人不見, 不可測之玄玄也, 千眼千月輪者,

▶ 해설 解說
은하수는 그 누구도 본 사람이 없으므로 그 玄玄한 세계를 측량할 길이 없으며, 千眼千月輪이란 말의 뜻은, 千個의 눈에서 發하는 빛이 마치 千個의 달빛(月光)을 굴림과도 같기에 하는 말이며, (원본 207쪽)

사제유정귀교지사　유여천존지재목전야
使諸有精歸教之士, 猶如天尊之在目前也,

▲ 解說 三界 萬象의 諸般 精氣를 自在로 취급할 수 있는 高士들의 精氣로 가득한 눈빛은 千사람의 눈빛과도 같고, 그 밝기는 가히 月光에 비길 만하므로, 千眼千月輪하는 그 輝煌한 빛은 밝기가 마치 天尊이 居하는 目前과도 같다는 뜻이다.

발원광대　영천천존지교야
發願廣大, 永闡天尊之教也.

▲ 解說 天尊의 가르침은 廣大한 發願을 길이길이 闡明함에 있는 것이다.

찬왈
讚曰,

찬탄천존　성재시게
讚歎天尊, 誠哉是偈,

보화무변　조겁일기
普化無邊, 祖劫一氣.

▲ 解說 讚歎하노니 天尊의 誠願으로 成就된 이 偈文이여!

넓게 펼치는 그 功德(공덕)의 餘韻(여운)은 끝 가는 데가 없으니,
이는 곧 無極時代(무극시대)의 先天(선천) 祖劫(조겁)의 一氣(일기)로다.

講曰(강왈),

기린은세혜 명주입현 독선기신혜
麒麟隱世兮, 明珠入玄, 獨善其身兮,

◀ 해설 解說
隱世(은세)의 瑞獸(서수) 麒麟(기린)이여! 일찍이 明珠(명주)를 물고 玄世(현세)로 들어가 永劫(영겁)을 살고도 그 몸은 홀로 善(선)할 수밖에 없구나, (원본 208쪽)

호지욕비 운막무변혜
豪志欲飛, 雲漠無邊兮,

◀ 해설 解說
豪放(호방)한 雄志(웅지)를 품고 높이 올라, 漠漠(막막)한 雲霧(운무) 저편에 홀로 머물면서,

수익양우 차생육육혜
修翼養羽, 此生六六兮,

◀ 해설 解說
날개를 가꾸고 깃을 길러서 此生(차생)의 三十六天(삼십육천)을 빠짐없이 날고파 하는 구나!

美人將出, 一騰天漠, 四海澄淸.
(미인장출 일등천막 사해징청)

◀ 해설 解說

장차에 美人(미인)이 나와서 漠漠天邊(막막천변)에 一騰(일등)하여 瑞獸(서수)와 作配(작배)하면, 四海八方(사해팔방) 온누리가 맑고 또 맑아 瑞氣(서기)로 가득하겠구나.

報應章 上 解說 (보응장 상 해설)

天尊이 言하사대 此經을 傳世하되 世人이 未知라 吾今所治 九天應元府에 府有九天雷門使者하야 以糾錄典者와 廉訪典者로 佐之하며 復有四司하니 一曰 掠剩司요, 二曰 積逮司요, 三曰 幽枉司요, 四曰 報應司니 各有大夫하야 以掌其事하며 吾之所理를 卿師使相하며 咸讚元化느니라.

보응장 상
報應章 上

천존언 차경전세 세인미지 오금소치 구천응원부 부유구천뇌문사자 이 규록전자
天尊言 此經傳世 世人未知 吾今所治 九天應元府 府有九天雷門使者 以 糾錄典者

염방전자 좌지 부유사사 일왈 약잉사 이왈 적체사 삼왈 유왕사 사왈 보응사
廉訪典者 佐之 復有四司 一曰 掠剩司 二曰 積逮司 三曰 幽枉司 四曰 報應司

각유대부 이장기사 오지소리 경사사상 함찬원화
各有大夫 以掌其事 吾之所理 卿師使相 咸讚元化

報應章 上解說 보응장 상 해설, (원본 210쪽)

天尊(천존)이 이르기를, 此經(차경)(玉樞寶經(옥추보경) 天人地(천인지) 三經(삼경))을 世人(세인)에게 전하고자 해도 世人(세인)이 이를 알지 못하므로, 내가 지금 九天應元府(구천응원부)에다 九天雷門府(구천뇌문부)를 설치하고, 九天(구천)의 雷門(뇌문)마다는 각각 使者(사자)를 두어 다스리게 하되, 糾錄典者(규록전자)(世人(세인)의 일거일동을 샅샅이 살펴서 기록하는 雷府(뇌부)의 總官吏(총관리))와 廉訪典者(염방전자)(人家(인가)마다 찾아다니며 民情(민정)을 파악하는 雷府(뇌부)의 總官吏(총관리))로 하여금 저들을 補佐(보좌)케 하며, 다시금 四司(사사)가 있으니, 一曰(일왈) 掠剩司(약잉사)라 하고, 二曰(이왈) 積逮司(적체사)라 하며, 三曰(삼왈) 幽枉司(유왕사)라 하고, 四曰(사왈) 報應司(보응사)라 하여, 各司(각사)마다 大夫(대부)라는 官吏(관리)가 있어서 그 맡은 바를 管掌(관장)하며, 나의 三界(삼계)를 化育(화육)하며 다스리는 근본이념을 卿師(경사)로 하여금 相論(상론)케 하여 世人(세인)들도 이를 알게 하니, 모두가 이에 讚辭(찬사)를 아끼지 않더라.

註曰(주왈), (원본 211쪽)

天尊(천존), 自言(자언), 所治之司(소치지사), 官兵將吏(관병장리), 善惡(선악), 各付其職(각부기직),

▶ 해설 解說

天尊(천존)은 자신의 命(명)으로 統治體系(통치체계)를 구성하여 官兵(관병)과 將吏(장리)들로 하여금, 善惡間(선악간)에 付合(부합)하는 직책을 맡게 하니,

소이생살지추 개유천존지명령 삼계만령 막불개봉행야
所以生殺之樞, 皆由天尊之命令, 三界萬靈, 莫不皆奉行也.

◀해설解說 이는 生殺之事를 관장하는 중추적 기관으로서 모두가 다 天尊의 命令系統을 수행하는 기관이라, 三界의 萬靈들이 모두 이 命을 奉行하지 않을 수 없는 것이다.

의왈
義曰,

차장 천존 자언선악공업 각유소사 개찬성원화야
此章, 天尊, 自言善惡功業, 各有所司, 皆讚成元化也.

◀해설解說 此章은 天尊이 스스로의 말로서, 各有所司들이 行하는 善惡間의 功과 業績이, 天道의 陰陽運行 法則에 따라 이루어졌음을 讚成한 내용인 것이다.

석왈
釋曰,

차장 경문 이필 천존 려후학지사 부지소치지속
此章, 經問, 已畢, 天尊, 慮後學之士, 不知所治之屬,

◀해설解說 此章은 經의 問答을 마친 뒤에, 天尊께서 後學들이 자신들의 所治之屬을 잘 알지 못함

을 염려해서,

소이열언 범소기구 제사관장 이병 문오지호령 함찬원화야
所以列言, 凡所祈求, 諸司官將, 吏兵, 問吾之號令, 咸讚元化也,

◀ 해설 解說
말하는 바, 무릇 所求之事는, 官司하는 제반 官將과 吏兵들한테 물어서 나의 命令대로만 行하면, 天道의 大元則을 準行하는 길이라는 뜻이다. (원본 212쪽)

찬왈
讚曰,

설사분속장뇌정 풍화비렴호령명
設司分屬掌雷霆, 風火蜚廉號令明,

◀ 해설 解說
善惡을 分屬하여 다스릴 官司를 設한 다음에, 이를 雷霆에게 管掌하게 하니, 風火와 蜚廉에 이르는 天下何物에게도 號令을 내리어,

선상악주여영향 구천무불순인정
善賞惡誅如影響, 九天無不順人情.

◀ 해설 解說
善은 賞을 주고 惡은 誅罰하는, 이른바 信賞必罰의 原則이, 마치 實體에 따르는 그림자

만큼이나 분명하므로 九天(구천)이 모두 이에 順應(순응)하니, 이는 人情(인정)을 좇음이다.

강왈
講曰,

유정영명지성 현즉새제우주 은즉장우미진 궁고궁금 조철무방 여동태허
有情靈明之性, 顯則塞諸宇宙, 隱則藏于微塵, 亘古亘今, 照徹無方, 如同太虛,

무흠무여
無欠無餘,

◀ 해설 解說

情(정)이 있음은 곧 靈明(영명)의 성품이니, 이것이 顯(현)하면 宇宙(우주)의 질서를 여닫는 樞紐(추유)가 될 수도 있고, 이것이 隱(은)하면 한갓 微塵(미진)으로서 어딘가에 숨어버려 보이지도 않지만, 그러나 예부터 오늘에 이르기까지 우주의 어느 한구석까지도 비치지 아니한 적이 없지만, 그러나 그 實體(실체)는 마치 太虛(태허)와도 같아서, 모자라지도 남지도 않는다.

왕고제성 불증일점 금래중생 불멸추호 연 지인세인 전망애욕 자매영성
往古諸聖, 不增一點, 今來衆生, 不滅秋毫, 然, 只因世人, 纏網愛欲, 自昧靈性,

침륜악도고
沈輪惡道故,

◀ 해설 解說

往古의 聖賢들도 이를 但一點 增加시키지 않았고, 今來의 衆生도 추호의 減滅을 하지 않았건만, 그러나 다만, 世人들이 愛慾의 그물을 벗어나지 못한 까닭에 스스로 靈性이 혼미해져서 惡道의 輪回에 빠져들므로, (원본 213쪽)

천존지자비 원지어사 비령중생 겁중혼이독철영대 초군미이참등선계

天尊之慈悲, 爰至於斯, 俾令衆生, 劫衆昏而獨哲靈臺, 超群迷而參登仙界,

◀ 해설解說

이에 天尊은 如斯한 衆生의 처지를 불쌍히 여기고 자비를 베풀어, 비천한 인간으로 하여금 昏冥한 衆生의 틈바구니에서 뛰쳐나오게 하여 홀로 밝은 靈臺를 찾아 나오게 하니, 이로써 미혹의 群生을 뛰어넘어 仙界로 登參하게 함으로써,

반다수지취로이귀무일지대도 천존지숙원 진선지광희자야 중생 지우부동

反多數之趣路而歸無一之大道, 天尊之宿願, 眞仙之廣希者也, 衆生, 智愚不同,

청탁자이

淸濁自異,

◀ 해설解說

이와 反하는 갖가지 취미에 맞는 허다한 길 가운데서도 오직 하나밖에 없는 大道로 돌아오게끔 引導해 주었으니, 이것은 곧 天尊의 宿願인 것이다. 眞仙이 되기를 바라는 者는 많

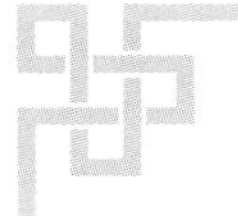

지만, 衆生(중생)은 智愚(지우)가 不同(부동)하고, 淸濁(청탁) 또한 自異(자이)하므로 해서,

품기 각수 근기 차별고 인기방편 설문역이 선이선악 인도 차이상벌절유

稟氣, 各殊, 根氣, 差別故, 因其方便, 說文亦異, 先以善惡, 引導, 次以賞罰切諭,

◀ 해설 解說

稟氣(품기)도 같지 않고 根氣(근기)도 差別(차별)이 나는 고로, 각자가 그 因緣(인연)에 맞는 方便(방편)에 따라 說文(설문)하는 法(법)도 또한 달라서, 或者(혹자)에게는 먼저 善惡(선악)을 분별하는 길로 인도하고, 또 다른 者(자)에게는 信賞必罰(신상필벌)하는 勸善懲惡(권선징악)의 규범에 관한 切實(절실)한 比喩(비유)를 들어 보이니,

지도지사 어차장 비상불격절이탄야

志道之士, 於此章, 非當不擊節而歎也.

◀ 해설 解說

道(도)에 뜻을 둔 사람은 此章(차장) 속에 節節(절절)이 스며 있는 妙意(묘의)를 깊이 맛보기도 전에, 어렵고 힘들다 하여 물리치면서 歎息(탄식)하는 일이 없어야 하겠다.

報應章 下 解說 (보응장 하 해설)

天尊(천존)이 說是經畢(설시경필)하시니 玉梵七寶層臺(옥범칠보층대)에 天花繽紛(천화빈분)하며 瓊香繚繞(경향요료)하야 十方(십방) 諸天帝君(제천제군)이 咸稱善哉(함칭선재)하시며 天龍鬼神(천룡귀신)과 雷府官衆(뢰부관중)과 三界萬靈(삼계만령)이 皆大歡喜(개대환희)하야 信受奉行(신수봉행)하니라.

보응장 하
報應章 下

천존 설시경필 옥범칠보층대 천화빈분 경향요료 십방 제천제군 함칭선재
天尊 說是經畢 玉梵七寶層臺 天花繽紛 瓊香繚繞 十方 諸天帝君 咸稱善哉

천룡귀신 뇌부관중 삼계만령 개대환희 신수봉행
天龍鬼神 雷府官衆 三界萬靈 皆大歡喜 信受奉行

報應章 下 解說 보응장 하 해설, (원본 215쪽)

天尊(천존)이 說經(설경)을 마치고 나니, 七寶(칠보)로 丹粧(단장)한 玉梵(옥범)의 層臺(층대) 위에는 天花(천화)가 어지럽게 흩날리고, 붉은 瓊香(경향)은 繚繞(요료)한데, 十方(십방)의 諸天諸君(제천제군)은 다 함께 天尊(천존)의 功德(공덕)을 稱善(칭선)하니, 天龍(천룡)

鬼神(귀신)과 雷府(뇌부) 官衆(관중)이며, 또한 三界(삼계) 萬靈(만령)까지도 모두 크게 歡喜(환희)하며 信受(신수)하여 奉行(봉행)하니라.

주왈
註曰,

설경이의 제천제군 뇌부귀신 실개찬탄 용약이거 범아지신사선인 득우보경
說經已矣, 諸天諸君, 雷府鬼神, 悉皆讚歎, 踊躍而去, 凡我志信士善人, 得遇寶經,

◀해설 解說
天尊(천존)이 說經(설경)을 마친 뒤에, 諸天(제천)의 諸君(제군)이며 雷府(뇌부)의 鬼神(귀신) 등이 다 함께 讚歎(찬탄)을 하면서 뛰놀고 춤추며 걸어가는 樣(양)을 보니, 무릇 나의 뜻을 믿는 者(자)들은 모두 善人(선인)이라, 이 寶經(보경)을 得(득)하거든,

당세심척려 지성송례진문즉화불맹 영보장생자야
當洗心滌慮, 至誠誦禮眞文則禍不萌, 永保長生者也.

◀해설 解說
마땅히 마음을 씻고 생각을 가다듬은 다음에, 眞經寶文(진경보문)을 至誠(지성)으로 禮誦(예송)하면 一切(일체)의 禍亂(화란)이 싹트지 못하니, 永保長生(영보장생)함을 얻으리라.

義曰,

宣經讚化, 三界十方, 皆得如意, 夫學者, 得遇寶經玉篆, 可齊心滌慮, 酌水獻花,

▶해설解說

寶經의 功德을 널리 펼치고, 무궁한 造化의 願力을 讚歎하리로다. 三界十方이 皆得如意 하리니, 무릇 學을 닦는 者가 寶經玉篆을 得할 時면, 마음을 가지런히 하고 생각을 가다듬어서 酌水獻花로 供養을 올리고 나서,

如法誦之篆之則諸禍不生, 衆善騈集也, 令之士, 體天心而洗己心, 閱眞文而造玄,

(원본 216쪽)

▶해설解說

適法하게 經을 誦하고, 또 法式대로 符篆을 焚하면, 제반 禍亂이 不生함은 물론이고, 오히려 衆善이 쌍마차에 실려서 모여드니, 志士로 하여금 天心一體가 되게 몸과 마음을 깨끗이 씻은 뒤에야, 眞文을 閱歷하고 造化의 玄妙함을 깨우치게 되리니,

豈可不盡力奉持, 以廣大其化也哉.

◀ 해설 解說

어찌 이 廣大(광대)한 造化(조화)의 元力(원력)으로 三界萬象(삼계만상)을 化育(화육)하는 眞文寶篆(진문보전)을 盡力(진력)을 다해 받들지 않을 수가 있겠는가!

석왈
釋曰,

보경옥전 비봉삼청상경지칙지 옥청진왕지령 즉불능수시어세이화제유정자야
寶經玉篆, 非奉三淸上境之勅至, 玉淸眞王之令, 則不能垂示於世而化諸有情者也,

◀ 해설 解說

寶經(보경)과 玉篆(옥전)을 奉安(봉안)하지 않고서는 三淸上境(삼청상경)의 勅旨(칙지)도, 玉淸眞王(옥청진왕)의 命令(명령)도 인간계에 전달될 수 없으므로, 모든 有情之者(유정지자)를 化育(화육)하기란 不可能(불가능)한 일이다.

영경지발정 주석분명 옥전금장 찬연삭목 범기청지사 가불세심목체
令經旨拔正, 註釋分明, 玉篆金章, 燦然爍目, 凡祈請之士, 可不洗心沐體,

이열현문야
以閱玄文也,

◀ 해설 解說

眞經(진경)의 宗旨(종지)를 바르게 뽑고, 註釋(주석)을 분명히 하면, 玉篆金章(옥전금장)의 내용이 눈 안으로 燦然(찬연)하게 비치리니, 무릇 祈禱(기도)로써 소원을 바라는 者(자)는 먼저 몸과 마음을 깨끗하게 씻은 연후에

玄文(현문)을 閱讀(열독)해야 하며,

지사 도령 직수도공 위거좌원 용기신무결지영 성천존보화지덕

至士, 道齡, 職守都功, 位居左院, 用己神無結之英, 成天尊普化之德,

▶해설 解說

道(도)를 가까이하는 者(자)는 道齡(도령)과 자신의 職級(직급)을 遂行(수행)한 경력의 總功(총공)으로 해서 左院(좌원)의 位(위)에 居(거)할 수가 있으며, 동시에 自己(자기)의 神氣(신기)로써는 英氣(영기)를 結成(결성)할 수 없는데도 이를 성취할 수 있음은 오직 天尊(천존)의 普化功德(보화공덕)을 힘입은 바라 하겠으며, (원본 217쪽)

시왈 문성첨열성진지좌이송례자 불가설독 대즉천주 소즉화급야

是曰, 文成忝列聖眞之左而誦禮者, 不可褻瀆, 大則天誅, 小則禍及也.

▶해설 解說

이때에 만일, 聖眞(성진)의 左院(좌원)에 종사하는 者(자)로서 寶經(보경)의 文脈(문맥)을 단 一句(일구)라도 忝列(첨열)하여 禮誦(예송)하는 者(자)가 있으면, 이는 經典(경전)을 冒瀆(모독)하는 행위로써 용납될 수가 없으니, 크게는 天誅(천주)를 당하고, 작게는 殃禍(앙화)가 미치리라.

찬왈

讚曰,

보경원만　함칭선재
寶經圓滿, 咸稱善哉,

소재사죄　화거복래
消災赦罪, 禍去福來.

◀ 해설 解說
온누리에 가득 찬 寶經(보경)의 功德(공덕)을 다 함께 稱頌(칭송)할지어다. 災殃(재앙)은 사라지고 罪業(죄업)은 赦(사)함을 입으니, 禍亂(화란)은 가고 吉福(길복)이 오는 도다.

강왈
講曰,

설미지호　불여식지　관경지미　불여연수
設味之好, 不如食之, 觀經之味, 不如練修,

◀ 해설 解說
차려 놓은 음식상이 아무리 보기 좋아도 먹어보는 맛만 같지 못하고, 經(경)을 읽으면 吟味(음미)하는 재미가 아무리 좋다 해도 몸소 수련하여 얻는 기쁨만 같지 못한 法(법)이며,

대의지하　필유대오　지공지여　필유대명
大疑之下, 必有大悟, 至工之餘, 必有大名,

◀ 해설 解說
큰 의혹의 끝에는 반드시 큰 깨달음이 따르는 法(법)이고, 있는 힘을 다해 工(공)을 닦으면 반드시

大名이 뒤따르는 法이거늘, (旼岡 註: 깨달음을 얻는 것과 지식을 얻는 것은 다르다)

무종이망숙 무작이욕성 허순사견요술

無種而望熟, 無作而欲成, 虛循邪見妖術, (원본 218쪽)

◀ 해설 解說

파종하지도 않고 收穫을 바라는 마음이나, 노력하지도 않은 채 결과만을 기다리는 생각들은 虛浪된 邪見을 바라보는 요술에 불과한 것이니,

경만도경 업보지후 난면뇌성벽력지화의

輕慢道經, 業報地厚, 難免雷聲霹靂之禍矣,

◀ 해설 解說

輕慢한 행동으로 道와 經을 업신여기는 者는 그 업보가 땅보다도 두터워져서, 雷聲霹靂의 殃禍를 면하기 어려울 것이다.

여지차장 투필이음왈백년광음석화삭 일생신세수포구

余至此章, 投筆而吟曰百年光陰石火爍, 一生身世水泡漚,

◀ 해설 解說

余가 此章에 이르러 붓을 놓고 조용히 인생을 음미해 보니, 百年光陰이 잠깐 반짝이는 電光石火와도 같아, 我 一生의 身世가 허망하게만 느껴지는구나!

부지대도출미로 수유현재기장부

不知大道出迷路, 雖有賢才豈丈夫.

◀해설 解說

大道(대도)를 알지 못하여 迷路(미로)를 헤매고 있으니, 비록 賢才(현재)라 해도 그 어찌 丈夫(장부)라 장담하겠는가?

玉樞寶經 地經集 (끝)

符篆 一十五道 부전 일십오도

속합혼장
續合婚章 (원본 229쪽)

천존언 범유영해 재어강보 위전단신왕좌하일십오종귀 가제뇌해 인다경간
天尊言 凡有嬰孩 在於襁褓 爲旃壇神王座下一十五種鬼 加諸腦害 因多驚癎

의송차경
宜誦此經.

근안석장호제동자 경중재전단신왕좌하 일십오종귀 괴형상유행세간
謹按釋藏護諸童子, 經中載旃壇神王座下, 一十五種鬼, 怪形常遊行世間,

공포영해급소아 작제포외지상 인능성심송경분부 흉면차화란의
恐怖嬰孩及小兒, 作諸怖畏之相, 人能誠心誦經焚符, 凶免此禍亂矣.

석해
釋解,

◀ 해설 解說

삼가 秘藏(비장)의 法術(법술)로써 모든 童子(동자)를 보호하노니, 經(경) 가운데에 실려 있는 바와 같이, 神王(신왕)의 座下(좌하)에는 十五種(십오종)의 怪異(괴이)하게 생긴 鬼卒(귀졸)들이 있어, 恒時(항시) 世間(세간)에 돌아다니면서 嬰兒(영아)를 비롯하여 小兒(소아)에 이르기까지, 갖가지 공포와 두려운 相(상)을 짓게 하고 있지만, 그러나 이것

은 人力(인력)으로 能(능)히 免(면)하게 할 수가 있으니, 그 방법은 곧 사람으로 하여금 誠心(성심)으로 誦經(송경)하게 하고 符篆(부전)을 焚(분)하면, 如斯(여사)한 禍亂(화란)은 能(능)히 免(면)할 수가 있다.

十五種鬼 십오종귀

제일명 미주가귀 형여우착제소아안청회전
第一名 彌洲迦鬼 形如牛着諸小兒眼睛回轉

제이명 미가왕귀 형여사자착제소아수수구토
第二名 彌迦王鬼 形如獅子着諸小兒數數嘔吐

제삼명 건타 형여구마라천포착제소아기양견동
第三名 騫陀 形如鷗魔羅天怖着諸小兒其兩肩動

제사명 아파실마라 형여야호착제소아구중출말
第四名 阿波悉魔羅 形如野狐着諸小兒口中出沫

(원본 230쪽)

제오명 모치가 형여미후착제소아파권불전
第五名 牟致迦 形如獮猴着諸小兒把拳不展

제육명 마치가 형여나찰여착제소아자설기설
第六名 魔致迦 形如羅刹女着諸小兒自嚙其舌

제칠명 도미가 기형여마착제소아희제희소
第七名 閣彌迦 其形如馬着諸小兒喜啼喜笑

제팔명 가미니 형여부녀착제소아락착여인
第八名 迦彌尼 形如婦女着諸小兒樂着女人

제구명 이파저 기형여구착제소아현종종잡상상잡제
第九名 梨婆坻 其形如狗着諸小兒現鍾鍾雜相相雜啼

제십명 부다나 기형여저착제소아안중경공제곡
第十名 富多那 其形如猪着諸小兒眼中驚恐啼哭

제십일명 만다난제 형여묘착제소아안중희제
第十一名 曼多難提 形如猫着諸小兒眼中喜啼

제십이명 사구니 기형여조착제소아불긍음유
第十二名 舍究尼 其形如鳥着諸小兒不肯飮乳

제십삼명 건타파니 기형여계착제소아인후성색한하리
第十三名 犍吒波尼 其形如鷄着諸小兒咽喉聲塞寒下痢

제십사명 목거만다 기형여훈호착제소아시기열병하리
第十四名 目佉曼茶 其形如薰狐着諸小兒時氣熱病下痢

제십오명 람파 기형여사착제소아수억수홰
第十五名 藍婆 其形如蛇着諸小兒數噫數噦

玉樞寶經 人經禮懺 옥추보경 인경예참

玉樞寶經 人經禮懺 옥추보경 인경예참 (원본 231쪽)

呪曰 傳鐠唻囕相礌能嚾吣將鋤
주왈 죠후라리시뢰박산심장진

開經讚 개경찬 (경을 찬양하는 경)

善哉普化君 선재보화군
昔在玉清天 석재옥청천
宴坐七寶臺 연좌칠보대
寶集諸天仙 보집제천선
玉樞至道旨 옥추지도지
細議說重玄 세의설중현
雷師親請問 뢰사친청문
天尊金口仙 천존금구선
清淨廣大願 청정광대원
利益無有邊 이익무유변

眞忘道惟一 진망도유일
秘賾不可傳 비색불가전
天龍神鬼衆 천룡신귀중
悉使超渙然 실사초환연
知微慧光生 지미혜광생
知謹聖智前 지근성지전
功德不思議 공덕불사의
報應顯因緣 보응현인연
冥心今課訟 명심금과송
頫顖三寶前 부신삼보전

啓請頌 계청송(의식 계원의 시작을 알림)

神霄雷祖帝 신소뢰조제

九天寶化君 구천보화군

談道趺九鳳 담도부구봉

持法奇麒麟 지법기기린

統攝聖嶽將 통섭성악장

掌令判雷霆 장령판뢰정

三神逢初六 삼신봉초육

察人善惡情 찰인선악정

消災病度厄 소재병도액

稱名誦寶經 칭명송보경

지심귀명례
至心歸命禮

삼계지상 범기미라 상극무상 천중지천 울라소대
三界之上 梵氣彌羅 上極無上 天中之天 鬱羅簫臺

옥산상경 묘묘금궐 삼라정홍 현원일기 혼돈지선
玉山上景 渺渺金闕 三羅淨霐 玄元一氣 混沌之先

보주지중 현지우현 개명삼경 화생제천 억만천진
寶珠之中 玄之又玄 開明三景 化生諸天 億萬天眞

무앙수중 선두역기 사도오상 외외대범 만도지종
無鞅數衆 旋斗歷箕 四度五常 巍巍大範 萬道之宗

대라옥청 허무자연 대비대원 대성대자 옥청성경
大羅玉清 虛無自然 大悲大願 大星大慈 玉清聖境

원시천존
元始天尊

지심귀명례
至心歸命禮

거상청경 호령보군 조겁화생 구만구천여범기
居上清境 號靈寶君 祖劫化生 九萬九天餘梵氣

적서환발 육백팔십팔진문 인혼돈적문이개구소
赤書煥發 六百八十八眞文 因混沌赤文而開九霄

기원동옥역이분오겁 천경지위 외호조화지종
紀元洞玉歷而分五劫 天經地緯 巍乎造化之宗

추음기양 탁이뇌정지조 대비대원 대성대자
樞陰機陽 卓爾雷霆之祖 大悲大願 大聖大慈

상청진경 영보천존
上淸眞境 靈寶天尊

지심귀명례
至心歸命禮 (원본 232쪽)

수방설교 역겁도인 위황자사 제자사 왕자사
隨方設敎 歷劫度人 爲皇者師 帝者師 王者師

가명역호 입천지도 지지도 인지도 은성현범
假名易號 立天之道 地之道 人之道 隱聖顯凡

총천이백지관군 포만억중지범기 화행금고
總千二百之官君 包萬億重之梵氣 化行今古

저도덕범오천언 주악음양 명뢰정용구오수
著道德凡五千言 主握陰陽 命雷霆用九五數

대비대원 대성대자 태청선경도덕천존
大悲大願 大聖大慈 太清仙境道德天尊

지심귀명례
至心歸命禮

태상미라무상천 묘유현진경 묘묘자금궐
太上彌羅無上天 玅有玄眞境 渺渺紫金闕

태미옥청궁 무극무상성 곽락발광명 적적호무종
太微玉清宮 無極無上聖 廓落發光明 寂寂浩無宗

현범총십방 담적진상도 회막대신통 옥황대천존
玄範總十方 湛寂眞常道 恢漠大神通 玉皇大天尊

현궁고상제 삼청삼경천존
玄宮高上帝 三清三境天尊

지심귀명례
至心歸命禮

구천응원부 무상옥청왕 화형십방계 담도이구부봉
九天應元府 無上玉清王 化形十方界 談道而九趺鳳

삼십육천지상 열보급 고경서 천오백겁지선 위상진
三十六天之上 閱寶笈 玫瓊書 千五百劫之先 位上眞

권대화 수거금광여의 선설옥추보경 불순화 작미진
權大化 手擧金光如意 宣說玉樞寶經 不順化 作微塵

발호질여풍화 이청정심이홍대원 이지혜력이복제마
發號疾如風火 以清淨心而弘大願 以智慧力而伏諸魔

총사오뢰 운심삼계 군생부 만령사 대성대자
總司五雷 運心三界 群生父 萬靈師 大聖大慈

지황지도 구천응원뢰성보화천존
至皇至道 九天應元雷聲普化天尊

선공원만장
善功圓滿章 (원본 233쪽)

향래송경 염염존성 천진공청 만성통령 응원합기
向來誦經 念念存誠 千眞拱聽 萬聖通靈 應元合氣

보화분형 구천유명 삼계준행 소재사과 청복연생
普化分形 九天有命 三界遵行 消災謝過 請福延生

공원행만 대도증맹
功圓行滿 大道證盟

사동중거보허송
士同衆擧步虛頌

옥청수보범 응화통신소 지도홍수증 뢰추계혈료
玉清垂寶範 應化統神霄 至道弘修證 雷樞啓坎寥

봉의천성위 현관만진조 귀명금건례 심공업루소
鳳扆千聖衛 玄舘萬眞朝 歸命今虔禮 心空業累消

지심경례
至心敬禮

십방무량도법사삼보구위(신○○모) 성황성공계수돈수백배로향주계
十方無量道法師三寶具位(臣○○某) 誠惶誠恐稽首頓首百拜露香奏啓

삼천삼보상제 고상신소옥청진왕장생대제 동극청화대제
三天三寶上帝 高上神霄玉清眞王長生大帝 東極青華大帝

구천응원뢰성보화천존 뢰사호옹사상천군 뢰백청제배신천군
九天應元雷聲普化天尊 雷師皓翁使相天君 雷伯青帝陪臣天君

구천탐방응원보운진군 옥부상경오뢰사원진군
九天探訪應元保運眞君 玉府上卿五雷使院眞君

뢰정도사원명진군 신소현관묘각 동서화대내원중사
雷霆都司元命眞君 神霄玄舘玅閣 東西華臺內院中司

사부육원 경사사상 뢰부관중 일체위령 실장진향
四府六院 卿師使相 雷部官衆 一切威靈 悉仗眞香

보동공양(신○○)문 신소구기 출호혼돈지선 태극일진
普同拱養(臣○○)聞 神霄九氣 出乎混沌之先 太極一眞
초피허무지외 시위음양지묘 내위조화지원 주재오뢰
超彼虛無之外 是謂陰陽之妙 內爲造化之源 主宰五雷
발생만물 금주위(입의○○)도 구천지상성
發生萬物 今奏爲(入意○○)禱 九天之上聖
계삼동지진전 건로단충 지엄정우 수제예염
啓三洞之眞詮 虔露丹衷 祗嚴淨宇 修齊禮念
참루겁지건비 조수궤화 봉구진지표어 앙희홍조
懺累劫之愆非 醻水饋花 奉九震之飈馭 仰希紅造
특사증맹 공계건성 선행참사(신○○모) 무임격절지지
特賜證盟 恭啓虔誠 宣行懺事(臣○○某) 無任激切之至
주계이문(○○도장중등 조수궤화 공양여법)
奏啓以聞(○○道場衆等 醻水饋花 恭養如法) (원본 235쪽)

고공집수로계백
高功執手鑪啓白

신소재상 빙보전이전성 경궐율진 복령음이달신
神霄在上 憑寶篆以傳誠 璚闕聿陳 伏靈音而達信

란장이건 금정초분 원차백화지인온 경상 구천지법계
蘭場已建 金鼎初焚 願此百和之氤氳 徑上 九天之法界

법중귀의 건성공양
法衆歸依 虔誠供養

건수반근고 정영잉자화 영풍포형향 채득분금정
騫樹蟠根古 精英孕子華 靈風布馨香 採得焚金鼎

산작인온기 운연결서하 경달구소중 소구개여의
散作氤氳氣 雲煙結瑞霞 徑達九霄中 所求皆如意

고공집수맹계백
高功執手孟啓白

천원유감 영장파동정지천 인심지건 정공설중존지경
天源流坎 靈漿把東井之泉 人心之虔 淨供設中尊之敬

예수간이 성재정전 앙첨혁혁지위 부감결청지천
禮雖簡易 誠在精專 仰瞻赫奕之威 俯鑑潔清之薦

법중귀의 건성공양
法中歸依 虔誠供養

동정영원주 징홍편구해 냉냉감로자 주류십방계
東井靈源注 澄泓徧九垓 冷冷甘露滋 周流十方界

용작황우천 점유택만생 조수표정충 소구상청정
用作潢汙薦 霑濡澤萬生 醻水表精衷 所求常淸淨

고공집화병계백
高功執花甁啟白 (원본 236쪽)

수목건림 천상우빈분지색 경화강악 인간계염려지용
樹木騫林 天上雨繽紛之色 瓊花絳萼 人間界艶麗之容

촉금퇴반 방영만좌 란만구광지전 장엄칠보지대
蜀錦堆盤 芳英滿座 爛熳九光之殿 莊嚴七寶之臺

법중귀의 건성공양
法衆歸依 虔誠供養

선원경범성 천화산만비 위엽옥림화 천찬요주실
仙苑瓊范盛 天花散滿飛 煒燁玉林花 蒨燦耀朱實

산화빈분편 제천찬선재 수풍면보대 소구개여의
散花繽紛片 諸天讚善哉 隨風面寶臺 所求皆如意

(신○○)등 분향앙주
(臣○○)等 焚香仰奏

삼보지존 구신상제 화대묘각 주집위령 내원중사
三寶至尊 九宸上帝 華臺玅閣 主執威靈 內院中司

열반진재 (신OO문) 구신어극 광제인리물지자 열성수린
列班眞宰 (臣OO聞) 九宸御極 廣濟人利物之慈 列聖垂憐

개양과양재지로 사자부도 금고존승 탁약사생 주장조화
開禳過禳災之路 師資付度 今古尊承 槖籥死生 主張造化

구지여부응향 도지사곡전성 지조난궁 현은선포 건성예송
扣之如桴應響 禱之似谷傳聲 至造難窮 玄恩宣布 虔誠禮誦

동위찬양 낙법이위요 애경여주옥 지계제육정 염도견소욕
同爲讚揚 樂法以爲要 愛經如珠玉 持戒制六情 念道遣所欲

담박정기응 소연신정묵 천마병경호 세세수대복
澹泊正氣凝 蕭然神靜黙 天魔幷敬護 世世受大福

고공도중각배궤
高功道衆各拜跪 (원본 237쪽)

구천정명대성주 뢰성보화묘제존 선어천오백겁전
九天正明大聖主 雷聲普化妙濟尊 先於千五百劫前

이청정심발홍원 보제미래일체중 제천제지십방계
以清靜心發弘願 普濟未來一切衆 諸天諸地十方界

약유군생문아명 응염수성실초환 (신OO)금제우원첨례
若有群生聞我命 應念隨聲悉超渙 (臣OO)今際遇願瞻禮

곡밀화방구광전 복원불습당래세 힐향수광촉도장
曲密華房九光殿 伏願不拾當來世 肸蠁垂光燭道場
용기란로숙표요 삼십육천동하분 칭양찬탄불사의
龍旂鸞輅倏飃颻 三十六天同下盼 稱揚讚歎不思議
(신○○)등 일심귀명례 (신○○)문 옥청신화 현정명대성지존
(臣○○)等 一心歸命禮 (臣○○)聞 玉淸神化 顯正明大聖之尊
금궐지진 지추기이대지정 유유옥소일부 소통삼십육천
金闕至眞 持樞機二臺之政 惟有玉霄一府 所統三十六天
자극오뢰 공병백천만기 천림삼계 형화십방
紫極五雷 共秉百千萬氣 天臨三界 形化十方
예념자도액소재 칭양자수심응감 경준과전
禮念者度厄消災 稱揚者隨心應感 敬遵科典
용치훈수 금자개건도장 엄지참법 예첨신어
庸致熏修 金者開建道場 嚴持懺法 禮瞻宸御
조배자안 공대도전 지심조례
朝拜慈顏 恭對道前 至心朝禮
지심조례
至心朝禮 (원본 238쪽)

고상신소옥청진왕장생대제보명천존
高上神霄玉淸眞王長生大帝保命天尊

고상신소옥청진왕청화대제정복천존
高上神霄玉淸眞王靑華大帝定福天尊

고상신소가한사장인진군보복천존
高上神霄可韓司丈人眞君保福天尊

고상신소응원정자진군주명천존
高上神霄應元定藉眞君注命天尊

고상신소보명화생진군주복천존
高上神霄保命化生眞君注福天尊

고상신소절도총감진군만안천존
高上神霄節度總監眞君萬安天尊

고상신소원화보생진군저상천존
高上神霄元華保生眞君儲祥天尊

고상신소장법주자진군화예천존
高上神霄掌法主藉眞君和豫天尊

고상신소장령강명진군길집천존
高上神霄掌令降命眞君吉集天尊

구위(신ㅇㅇ모) 중성상계
具位(臣ㅇㅇ某) 重誠上啟

구천응원뢰성보화천존 공망옥허천화 포대자대성지대인
九天應元雷聲普化天尊 恭望玉虛闡化 布大慈大聖之大仁

보급전경 시지근지미지지지 개명심요 소저진망
寶笈傳經 示知謹知微之知止 開明深窈 昭著眞忘

연차자연 명위묘보 복유정명대성 보화지존 분형십방
然此自然 名爲妙寶 伏惟正明大聖 寶化至尊 分形十方

운심삼계 위군생부 위만령사 재제삼십육천 선어천오백겁
運心三界 爲群生父 爲萬靈師 宰帝三十六天 先於千五百劫

범운일성이칭념 실령만원이종인 중념(신ㅇㅇ)등
凡運一聲而稱念 悉靈萬願以從仁 重念(臣ㅇㅇ)等

역겁진로 금생업구 시비해활 인아산고 비장참진
歷劫塵勞 今生業垢 是非海濶 人我山高 非仗懺陳

갈도언유 복원불망본서 특윤미침 경주부공
曷叨言宥 伏願不忘本誓 特允微忱 徑駐浮空

곡수유록 법중건성 지심조례
曲垂宥錄 法衆虔誠 至心朝禮

(원본 239쪽)

지심조례
至心朝禮

구광옥전 구천응원뢰성보화천존
九光玉殿 九天應元雷聲普化天尊

소울현관 구천응원뢰성보화천존
蕭鬱玄館 九天應元雷聲普化天尊

곡밀화방 구천응원뢰성보화천존
曲密華房 九天應元雷聲普化天尊

칠보층대 구천응원뢰성보화천존
七寶層臺 九天應元雷聲普化天尊

청정광대 구천응원뢰성보화천존
清淨廣大 九天應元雷聲普化天尊

대성대자 구천응원뢰성보화천존
大聖大慈 九天應元雷聲普化天尊

위군생부 구천응원뢰성보화천존
爲群生父 九天應元雷聲普化天尊

(원본 240쪽)

위만령사 구천응원뢰성보화천존
爲萬靈師 九天應元雷聲普化天尊

정명대성 구천응원뢰성보화천존
正明大聖 九天應元雷聲普化天尊

예족각장궤귀명참회
禮足各張跪歸命懺悔

(신○○) 법중 등 지심귀신귀신귀명
(臣○○) 法衆 等 至心歸身歸神歸命

신소구신상제 옥부무극고진 중념 (신○○) 등 범태탁질
神霄九宸上帝 玉府無極高眞 重念 (臣○○) 等 凡胎濁質

주육행시 역겁태금 죄여산해 육근삼업 십악중건
走肉行尸 歷劫迨今 罪如山海 六根三業 十惡衆愆

혹기염동심 자행불선 위천역지 종욕무지 라촉성진
或起念動心 恣行不善 違天逆地 縱欲無知 裸觸星辰

훼가풍우 위역부모 배부군사 살해자생 포척미곡
毁呵風雨 違逆父母 背負君師 殺害孳生 抛擲米穀

엄형혹법 왕굴선량 매기기심 침어극략 방경훼교
嚴刑酷法 枉屈善良 昧己欺心 侵漁剋掠 謗經毁教

기어망언 억두칭지고저 긍기라지사치 사음암도
綺語妄言 抑斗秤之高低 兢綺羅之奢侈 邪淫暗盜

회독조흉 임성소위 적건난환 이치오행기건 구요금희
誨毒助凶 任性所爲 積愆難逭 以致五行奇蹇 九曜嶔巇
동지흉액 행장감람 침아복침 고질압신 오행요수이흥구
動之凶厄 行藏坎壈 枕痾伏沈 痼疾壓身 五行妖祟以興仇
삼계마흉이작흔 사충가얼 조서송요 고채전면
三界魔凶而作釁 蛇蟲嫁孽 鳥鼠送妖 蠱瘵纏綿 (원본 241쪽)
온황전염 혹혼인불순 혹자식지난초 개적악지사연
瘟瘽傳染 或婚姻不順 或子息之難招 皆積惡之使然
여임재이막구 천건만과 일원월심 기부예어선악지서
慮臨災而莫救 千愆萬過 日遠月深 旣附隷於善惡之書
실참서어간열지필 비빙참회 갈요사원 금대도전
實慘舒於簡閱之筆 匪憑懺悔 曷邀赦原 今對道前
용신수사 복원천수선유 도천자인 구천시한만지은
用伸首謝 伏願天垂善宥 道闡慈仁 九天施汗萬之恩
열성패왕양지택 죄무거세 함익견제 처중악이소용
列聖沛汪洋之澤 罪無巨細 咸翼蠲除 覰衆惡而消鎔
비육근이청정 복자만유은피십방 (신○○) 등
俾六根而清淨 福資萬有恩被十方 (臣○○) 等

지심계수예사 (원본 241쪽)
至心稽首禮謝

무상지존삼보
無上至尊三寶

울울가국성 제제경도흥 천인동기원 표묘입대승
鬱鬱家國盛 濟濟經道興 天人同其願 縹妙入大乘
인심입복전 미미법륜승 칠조생천당 아신백일등
因心立福田 靡靡法輪昇 七祖生天堂 我身白日騰

(신００) 문 대도수자 허시회우지로 고진설교
(臣００) 聞 大道垂慈 許示悔尤之路 高眞說教
용신사과지과 재병지성 중신충약 (신００) 등
容伸謝過之科 在秉至誠 重伸衷籲 (臣００) 等
재발함치 포음부양 감천지복재지은 뢰일월조림지덕
載髮含齒 抱陰負陽 感天地覆載之恩 賴日月照臨之德
한래서왕 안능취사중이거사경 견천식철
寒來暑往 安能取四重而去四經 見淺識徹 (원본 242쪽)
해가문일언이견일행 시이과진경지비전 답대조지심은
奚暇聞一言而見一行 是以課眞經之祕典 答大造之深恩

원기작선이강상 억가전죄이위복 수진이왕
爰祈作善以降祥 抑可轉罪而爲福 首陳已往

함욕자신앙유성덕함용 진위훤혁 진염여민지고
咸欲自新仰惟聖德涵容 眞威煊赫 軫念黎民之苦

병제만화지권 공대삼보노전 칭양구천준호
秉除萬化之權 恭對三寶鑪前 稱揚九天睿號

성성불식 염염무정 법중동음 귀명지심조례
聲聲不息 念念無停 法衆同音 歸命至心朝禮

지심조례
至心朝禮

구천응원뢰성보화천존 원소전세금생지죄 지심조례
九天應元雷聲普化天尊 願消前世今生之罪 至心朝禮

구천응원뢰성보화천존 원소고범오위지죄 지심조례
九天應元雷聲普化天尊 願消故犯悞爲之罪 至心朝禮

구천응원뢰성보화천존 원소삼업육근지죄 지심조례
九天應元雷聲普化天尊 願消三業六根之罪 至心朝禮

구천응원뢰성보화천존 원소간탐진노지죄 지심조례
九天應元雷聲普化天尊 願消慳貪嗔怒之罪 至心朝禮

구천응원뢰성보화천존 원소우치전도지죄 지심조례
九天應元雷聲普化天尊 願消愚痴顚倒之罪 至心朝禮

구천응원뢰성보화천존 원소살도사음지죄 지심조례
九天應元雷聲普化天尊 願消殺盜邪淫之罪 至心朝禮

구천응원뢰성보화천존 원소기언망어지죄 지심조례
九天應元雷聲普化天尊 願消綺言妄語之罪 至心朝禮

구천응원뢰성보화천존 원소악구양설지죄 지심조례
九天應元雷聲普化天尊 願消惡口兩舌之罪 至心朝禮

구천응원뢰성보화천존 원소무량무변지죄 지심조례
九天應元雷聲普化天尊 願消無量無邊之罪 至心朝禮

구천응원뢰성보화천존
九天應元雷聲普化天尊 (원본 243쪽)

(신ＯＯ)문 운정묘막 요입극지하도 우절편천 묘구천지옥부
(臣ＯＯ)聞 雲程杳邈 寥入極之霞都 羽節翩躚 渺九天之玉府

천존개보전 내어사구환지문 자부출운장 시섭기소진지결
天尊開寶篆 乃禦邪救患之文 慈父出雲章 示攝氣召眞之訣

배천합지 보국녕가 죄기소용 액희해사 공원대개방편
配天合地 保國寧家 罪旣消鎔 厄希解謝 功願大開方便

광희자인 범욕리지앙화 원수성이초환(신○○)등
廣希慈仁 凡欲罹之殃禍 願隨聲而超渙(臣○○)等

근운건성 지심조례
謹運虔誠 至心朝禮

지심조례
至心朝禮

구천응원뢰성보화천존 원해천라지액 지심조례
九天應元雷聲普化天尊 願解天羅之厄 至心朝禮

구천응원뢰성보화천존 원해지망지액 지심조례
九天應元雷聲普化天尊 願解地網之厄 至心朝禮

구천응원뢰성보화천존 원해파도지액 지심조례
九天應元雷聲普化天尊 願解波濤之厄 至心朝禮

구천응원뢰성보화천존 원해재횡지액 지심조례
九天應元雷聲普化天尊 願解災橫之厄 至心朝禮

구천응원뢰성보화천존 원해본명지액 지심조례
九天應元雷聲普化天尊 願解本命之厄 至心朝禮

구천응원뢰성보화천존 원해오행지액 지심조례
九天應元雷聲普化天尊 願解五行之厄 至心朝禮

구천응원뢰성보화천존 원해사시지액 지심조례
九天應元雷聲普化天尊 願解四時之厄 至心朝禮

구천응원뢰성보화천존 원해남녀지액 지심조례
九天應元雷聲普化天尊 願解男女之厄 至心朝禮

구천응원뢰성보화천존 원해정사지액 지심조례
九天應元雷聲普化天尊 願解精邪之厄 至心朝禮

구천응원뢰성보화천존 원해일체지액 지심조례
九天應元雷聲普化天尊 願解一切之厄 至心朝禮

구천응원뢰성보화천존
九天應元雷聲普化天尊 (원본 244쪽)

(신○○) 등 지심귀명례
(臣○○) 等 至心歸命禮

구천응원뢰성보화천존 원해천라지액 금제주려
九天應元雷聲普化天尊 願解天羅之厄 今濟主慮

오행기건 구요금희 태을이문 삼관고필
五行奇蹇 九曜嶔巇 太乙移文 三官鼓筆

여범천라지액 (신○○) 금상청상원천관부수해사
如犯天羅之厄 (臣○○) 今上請上元天官俯垂解謝

(신○○) 등 지심귀명
(臣○○) 等 至心歸命 (원본 245쪽)

구천응원뢰성보화천존 원해지망지액 금제주려유침아복침
九天應元雷聲普化天尊 願解地網之厄 今齊主慮有沈痾伏枕

고질압신 적시불추 구의망효 여범지망지액
痼疾壓身 積時不瘳 求醫罔效 如犯地網之厄

(신○○) 금상청중원지관부수해사
(臣○○) 今上請中元地官俯垂解謝

(신○○) 등 지심귀명
(臣○○) 等 至心歸命

구천응원뢰성보화천존 원해파도지액 금제주려유풍도겁수
九天應元雷聲普化天尊 願解波濤之厄 今齊主慮有風濤劫數

해약실경 홍수계천 민생점익 여범파도지액
海若失經 洪水稽天 民生墊溺 如犯波濤之厄

(신○○) 금상청하원수관부수해사
(臣○○) 今上請下元水官俯垂解謝

(신○○) 등 지심귀명
(臣○○) 等 至心歸命

구천응원뢰성보화천존 원해일체지액 금제주려유삼재구횡
九天應元雷聲普化天尊 願解一切之厄 今齊主慮有三災九橫
육해칠상 생형피수 신구윤몰 여범일체지액
六害七傷 生刑被囚 身拘淪沒 如犯一切之厄
(신○○) 금상청북두칠원성군부수해사
(臣○○) 今上請北斗七元星君俯垂解謝
(신○○) 등 지심귀명
(臣○○) 等 至心歸命
구천응원뢰성보화천존 원해본명지액 금제주려유년봉형충
九天應元雷聲普化天尊 願解本命之厄 今齊主慮有年逢刑冲
운치극전 행장감람 동용흉위 여범본명지액
運致剋戰 行藏坎壈 動用凶危 如犯本命之厄
(신○○) 금상청남두육사성군부수해사
(臣○○) 今上請南斗六司星君俯垂解謝 (원본 246쪽)
(신○○) 등 지심귀명
(臣○○) 等 至心歸命
구천응원뢰성보화천존 원해오행지액 금제주려유흥수옥사
九天應元雷聲普化天尊 願解五行之厄 今齊主慮有興修屋舍

촉범방우 병흘상망 재생금기 여범오행지액
觸犯方隅 病迄喪亡 災生禁忌 如犯五行之厄
(신○○) 금상청오방오로제군부수해사
(臣○○) 今上請五方五老帝君俯垂解謝
(신○○) 등 지심귀명
(臣○○) 等 至心歸命
구천응원뢰성보화천존 원해사시지액 금제주려유천온지온
九天應元雷聲普化天尊 願解四時之厄 今齊主慮有天瘟地瘟
이십오온 천고지고이십사고 천채지채삼십육채
二十五瘟 天蠱地蠱二十四蠱 天瘵地瘵三十六瘵
여범사시지액 (신○○) 금상청북극사성진군부수해사
如犯四時之厄 (臣○○) 今上請北極四星眞君俯垂解謝
(신○○) 등 지심귀명 (원본 247쪽)
(臣○○) 等 至心歸命
구천응원뢰성보화천존 원해남녀지액 금제주려
九天應元雷聲普化天尊 願解男女之厄 今齊主慮
유귀매원건흉위금기 간어사식 뇌급영아
有鬼魅怨愆凶危禁忌 艱於嗣息 惱及嬰兒

여범남녀지액 (신○○) 금상청구천위방성모부수해사
如犯男女之厄 (臣○○) 今上請九天衛房聖母俯垂解謝

(신○○) 등 지심귀명
(臣○○) 等 至心歸命

구천응원뢰성보화천존 원해정사지액 금제주려유음사요사
九天應元雷聲普化天尊 願解精邪之厄 今齊主慮有淫邪妖社

당비신간 재급자생 화연골육 여범정사지액
黨庇神奸 災及孳生 禍連骨肉 如犯精邪之厄

(신○○) 금상청오방뢰공장군부수해사
(臣○○) 今上請五方雷公將軍俯垂解謝

대도동현허유원무불계 연질입선경 수성금강체
大道同玄虛有願無不啓 鍊質入仙經 遂成金剛體

초도삼계난지옥오고해 실귀태상경 정념계수사
超度三界難地獄五苦海 悉歸太上經 靜念稽首謝

지심계수례
至心稽首禮

태상무극대도 삼십육부존경 현중대법사 무상옥청왕
太上無極大道 三十六部尊經 玄中大法師 無上玉淸王

통천삼십육 구천보화군 화형십방계 피발기기린
統天三十六 九天普化君 化形十方界 披拔騎麒麟

적각섭층빙 수파구천기 소풍편뢰정 능이지혜력
赤脚躡層氷 手把九天氣 嘯風鞭雷霆 能以智慧力

섭복제마정 제도장야혼 이익어중생 여피은하수
攝伏諸魔精 濟度長夜魂 利益於衆生 如彼銀河水

천안천월륜 서어미래세 영양천존교
千眼千月輪 誓於未來世 永揚天尊敎 (원본 248쪽)

(신○○) 등 흔봉성화 득우진풍 수신참념지사 부해전신지액
(臣○○) 等 欣逢聖花 得遇眞風 遂伸懺念之私 復解纏身之厄

실위행가 난진찬양 재건단충 경진십원
實爲幸苛 難盡讚揚 在建丹衷 敬陳十願 (원본 248쪽)

(신○○) 등 일원 뇌부안림 수소수호 상연만정 경운음헌
(臣○○) 等 一願 雷府按臨 隨所守護 祥湮滿庭 慶雲廕軒

(신○○) 등 이원 화란불맹 길복래췌 일무시경 기죄즉멸
(臣○○) 等 二願 禍亂不萌 吉福來萃 一無是經 其罪卽滅

(신○○) 등 삼원 정호상청 실가서경 귀정멸상 인물함녕
(臣○○) 等 三願 庭戶常淸 室家胥慶 鬼精滅爽 人物咸寧

(신○○) 등 사원 부처혼합 사식다초 초신섭풍 수생현자
(臣○○) 等 四願 夫妻婚合 嗣息多招 招神攝風 遂生賢子

(신○○) 등 오원 출입기거 동작흥거 구설잠소 관부영식
(臣○○) 等 五願 出入起居 動作興擧 口舌潛消 官符永息

(신○○) 등 육원 질병불생 온황청정 노채평복 고독소제
(臣○○) 等 六願 疾病不生 瘟癀清淨 勞瘵坪復 蠱毒消除

(신○○) 등 칠원 신청기상 심광체반 범소희구 실응기감
(臣○○) 等 七願 身清氣爽 心廣體胖 凡所希求 悉應其感

(신○○) 등 팔원 추천혼상 초도조현 사즉왕생 생거선도
(臣○○) 等 八願 追薦魂爽 超度祖玄 死卽往生 生居善道

(신○○) 등 구원 산하초목 비주준동 유지무지 함수생성
(臣○○) 等 九願 山河草木 飛走蠢動 有知無知 咸遂生成

(신○○) 등 십원 약미래세 유제중생 작시염언 함득여의
(臣○○) 等 十願 若未來世 有諸衆生 作是念言 咸得如意

(신○○) 등 복문 도포천지 인품음양 복육앙뢰어자비과구
(臣○○) 等 伏聞 道包天地 人稟陰陽 覆育仰賴於慈悲過咎

허문어성오 (신○○) 등 향래 조례고진
虛聞於省悟 (臣○○) 等 向來 朝禮高眞 (원본 249쪽)

일념기천이찬영오체투지이귀의
一念祈天而讚詠五體投地以歸依

공원
恭願

천존대자
天尊大慈

천존대성사 (신○○) 등 천생만겁고오무량지건 사
天尊大聖赦 (臣○○) 等 千生萬劫故悮無量之愆 賜

(신○○) 등 십방오뢰정일지지기 령
(臣○○) 等 十方五雷正一至之氣 令

(신○○) 등 수심소축 응념시성 소감통 소구자수
(臣○○) 等 隨心所祝 應念時成 所感通 所求者遂

소양자각 소욕자종 차세타생 상귀정도
所禳者却 所欲者從 此世他生 常歸正道

(신○○) 등 무임첨천망
(臣○○) 等 無任瞻天望

성 격절하
聖 激節荷

은지지 근계수사배이
恩之至 謹稽首四拜以

문
聞

지심귀명례
至心歸命禮 (원본 250쪽)

우주지중 막신어성 유아호옹 위엄보진 혼돈미판이전
宇宙之中 莫神於聲 惟我皓翁 威嚴普振 混沌未判以前

발염이백 천지기생지후 빈발잉창벽력일성 마외사문개뇌열
髮髯已白 天地旣生之後 鬢髮仍蒼霹靂一聲 魔外乍聞皆惱裂

뇌거수전 천룡적청진심환 불국선궁 시문설법 삼승오성
雷車數轉 天龍寂聽盡心歡 不國仙宮 時聞說法 三乘五性

함오본진 공건곤이불로 편대지혜성춘 대비대원 대성대자
咸悟本眞 共乾坤而不老 徧大地兮成春 大悲大願 大聖大慈

삼십육부존사 십이만년교주 진유출체 무외연법천존
三十六部尊師 十二萬年教主 振幽出滯 無外演法天尊

선공원만역강길상령장
善功圓滿亦降吉祥靈章

향래예참공덕 상기
向來禮懺功德 上祈

령황 유죄소건 동뢰선공 증무상도 일체신례 지심칭념
靈貺 宥罪消愆 同雷善功 證無上道 一切信禮 至心稱念

구천응원뢰성보화천존설옥추보경례진참회불가사의공덕
九天應元雷聲普化天尊說玉樞寶經禮眞懺悔不可思議功德

문경이후 유원중생 심입법문 귀의신수
聞經以後 惟願衆生 深入法文 歸依信受

문경이후 유원중생 만죄병소 선아증장
聞經以後 惟願衆生 萬罪竝消 善芽增長

문경이후 유원중생 영단집미 상귀정도
聞經以後 惟願衆生 永斷執迷 常歸正道

주왈 오봉 구천응원뢰성보화천존율령
呪曰 吾奉 九天應元雷聲普化天尊律令

쥐언쥐산병박라사바하
淋鷗鯯山稟缚囉娑婆訶

옥추보경인집
玉樞寶經人集 끝

玉樞寶經

옥추령부(玉樞靈符)와 지경(地經) 십오종(十五種) 부전(符篆)

※이기목 著 연해옥추보경에 있는 원본 이미지

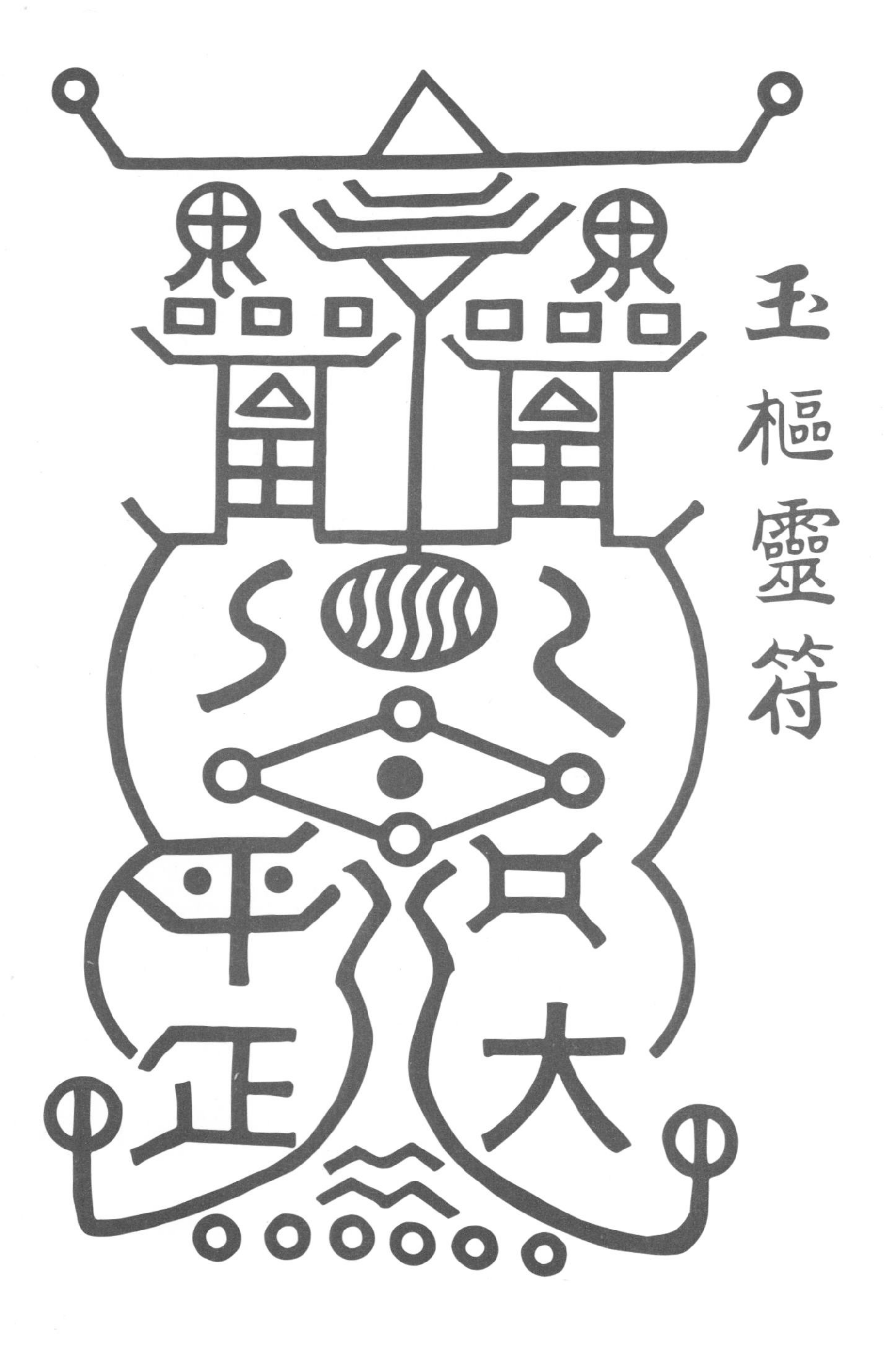
玉樞靈符
大
正

第一章 學徒希仙章 제일장 학도희선장

學徒希仙第一章符篆 학도희선제일장부전

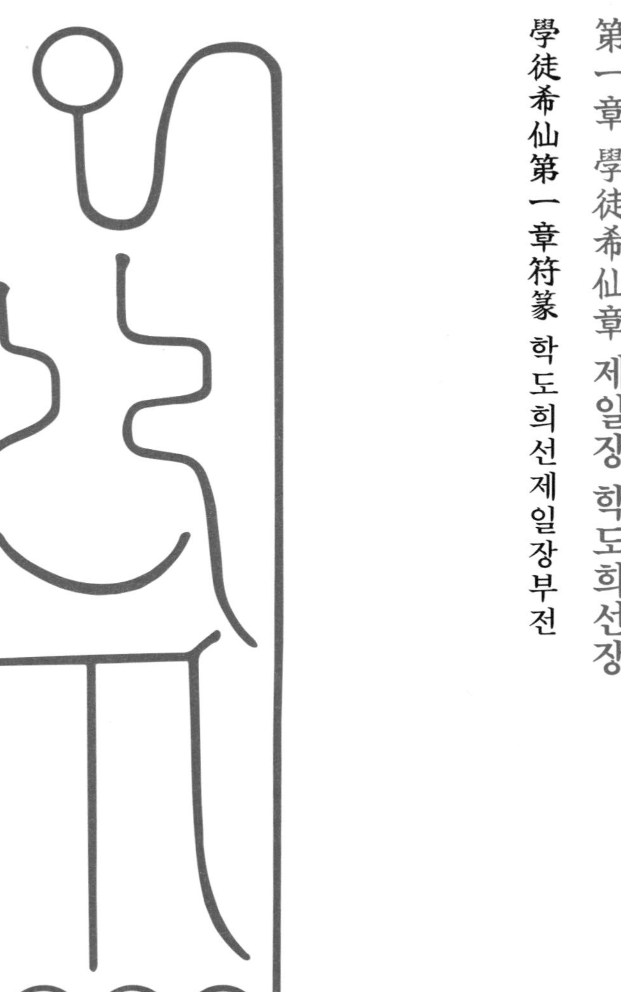

第二章 召九靈章 제이장 소구령장

召九靈三精第二章符篆 소구령삼정제이장부전

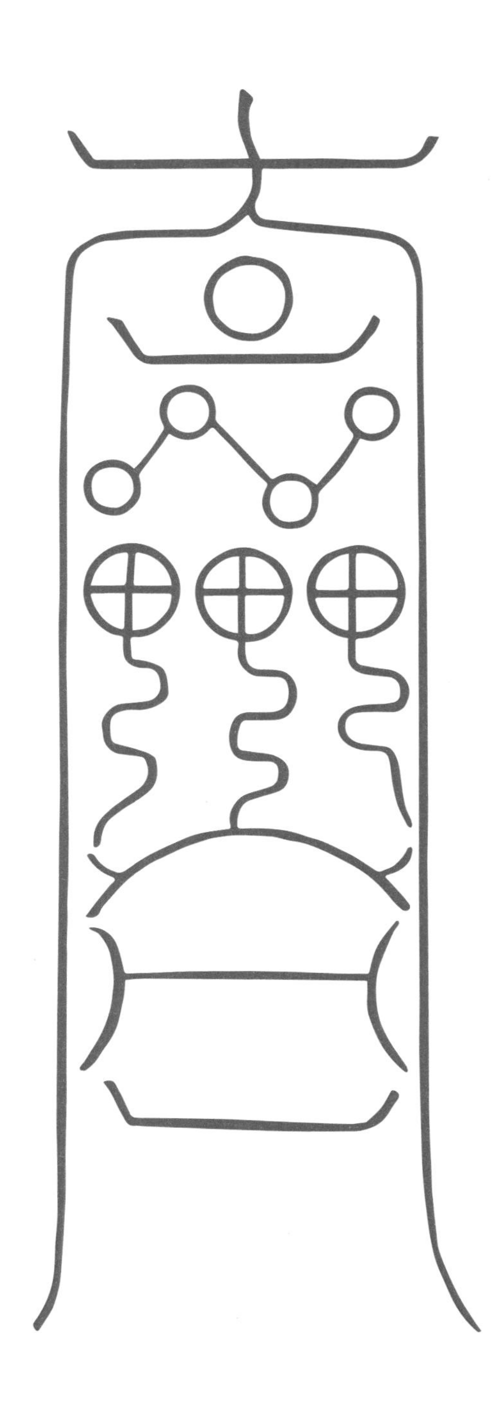

第三章 五行九曜章 제삼장 오행구요장

解五行九曜剋戰刑冲第三章符篆 해오행구요극전형충제삼장부전

第四章 沈痾痼疾章 제사장 침아고질장

沈痾痼疾呪誼寃懲第四章符篆 침아고질주의원건제사장부전

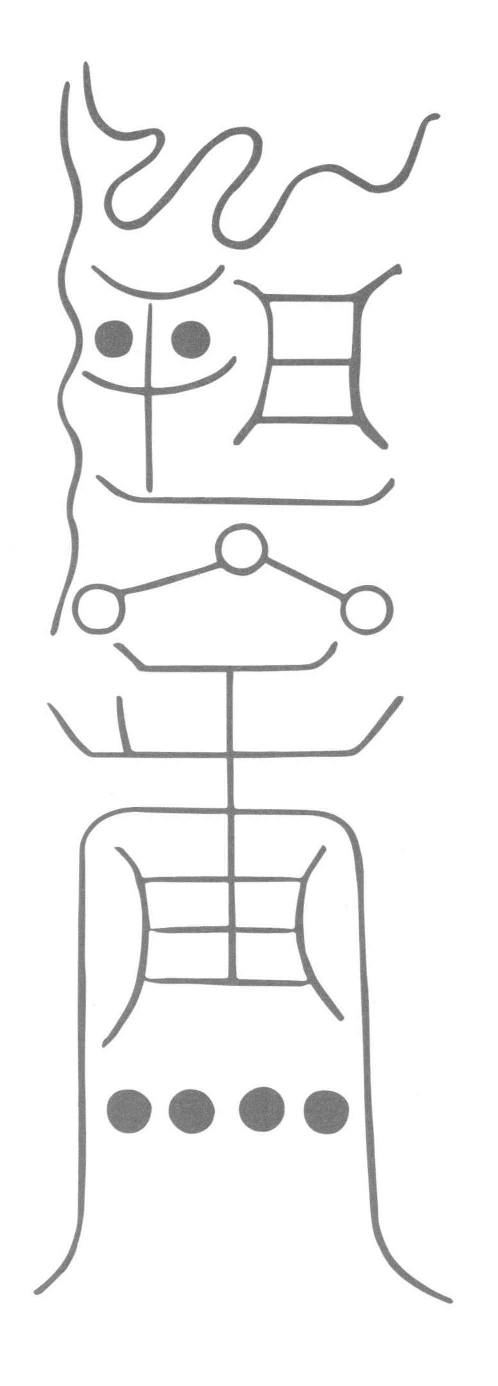

第五章 官符章 제오장 관부장

消散官符口舌第五章符篆 소산관부구설제오장부전

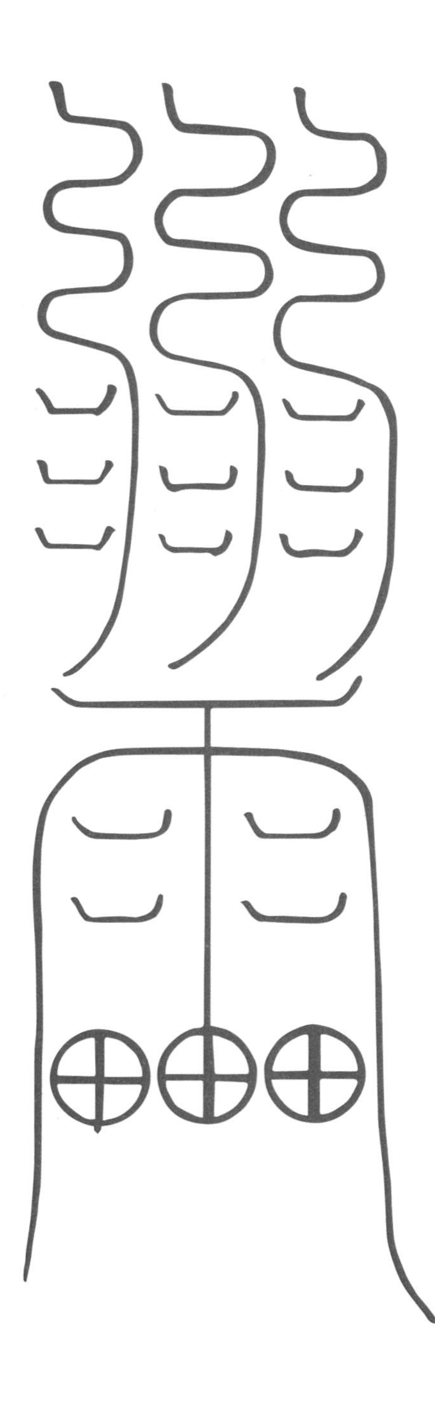

第六章 土皇章 제육장 토황장

禳解土皇神煞禁忌第六章符篆 양해토황신살금기제육장부전

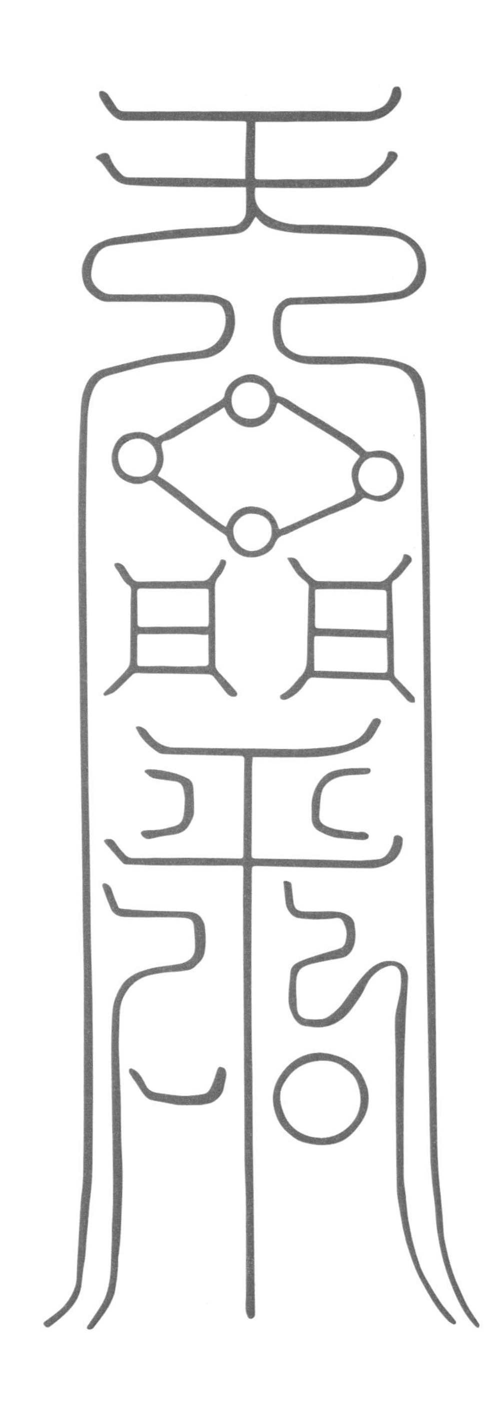

第七章 婚合章 제칠장 혼합장

求嗣息衛産難保嬰孩第七章符篆 구사식위산난보영해제칠장부전

第八章 鳥鼠章 제팔장 조서장

滅鳥妖鼠怪蛇孽第八章符篆 멸조요서괴사얼제팔장부전

第九章 伐廟遣祟章 제구장 벌묘견수장

遣祟除妖滅邪巫魔第九章符篆 견수제요멸사무마제구장부전

第十章 蠱勞瘵章 제십장 고로채장

消際蠱瘵超度祖玄第十章符篆 소제고채초도조현제십장부전

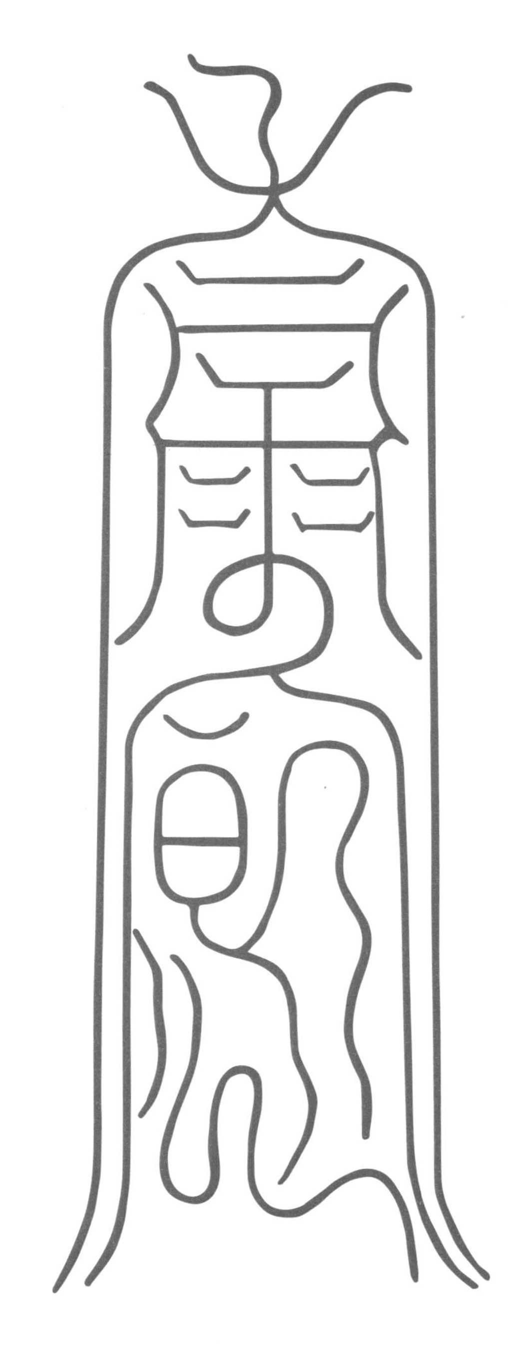

第十一章 遠行章 제십일장 원행장

水陸行裝第十一章符篆 수륙행장제십일장부전

第十二章 亢陽雨澤章 제십이장 항양우택장

禱雨祈晴止禳水災火戹第十二章符篆 도우기청지양수재화액제십이장부전

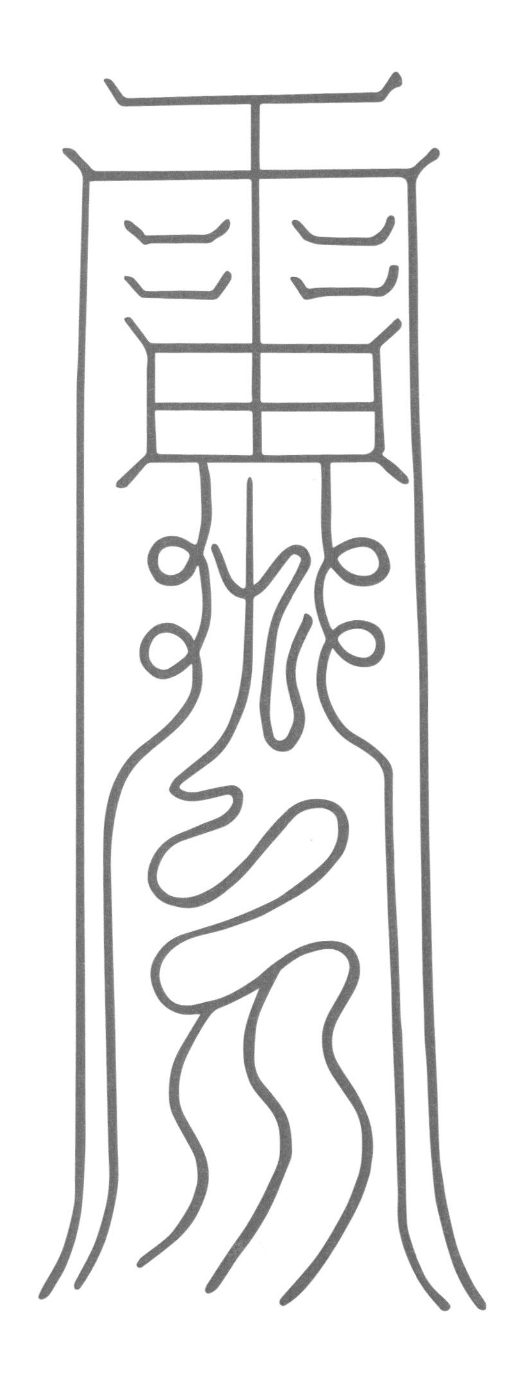

第十三章 免災橫章 제십삼장 면재횡장

瞻星禮斗第十三章符篆 첨성예두제십삼장부전

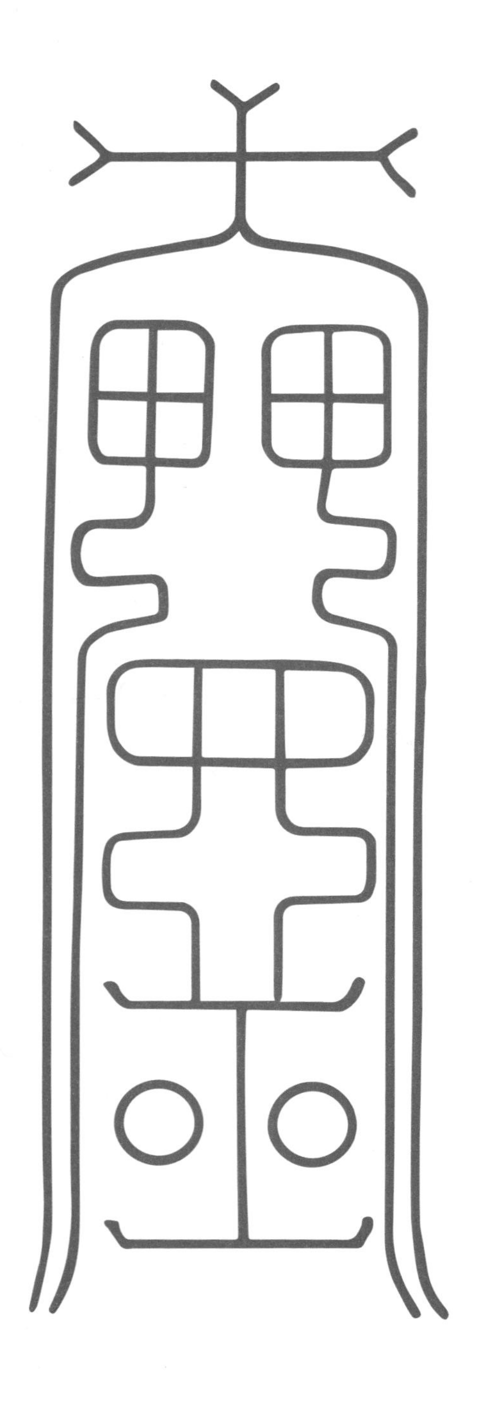

第十四章 五雷斬堪章 제십사장 오뢰참감장

聞經滅罪第十四章符篆 문경멸죄제십사장부전

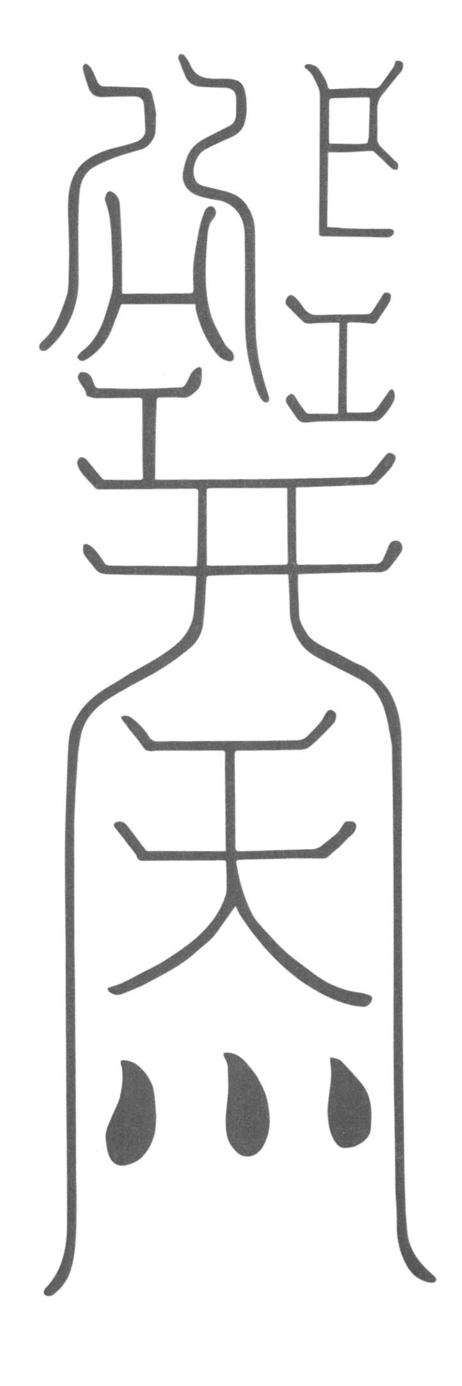

第十五章 寶經功德章 제십오장 보경공덕장

佩奉萃福人欽鬼畏第十五章符篆 패봉췌복인흠귀외제십오장부전

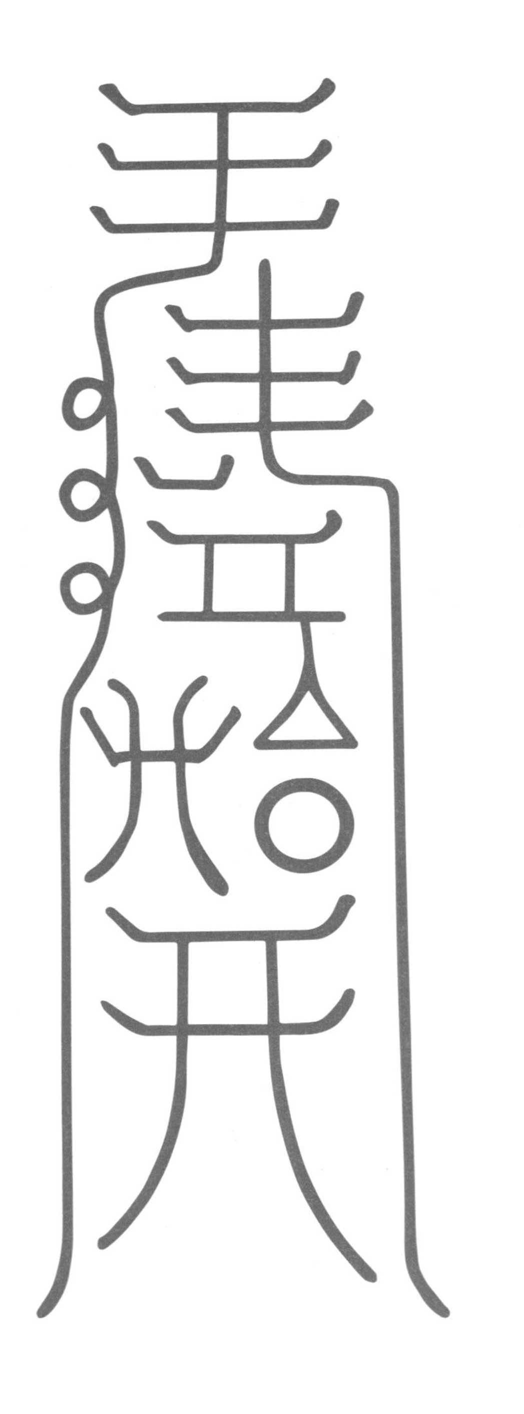

秋史 金正喜 獻詞 추사 김정희 헌사

※추사 김정희가 옥추보경(玉樞寶經)에 바치는 찬양글

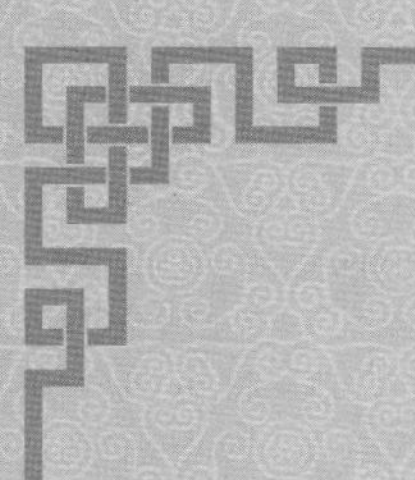

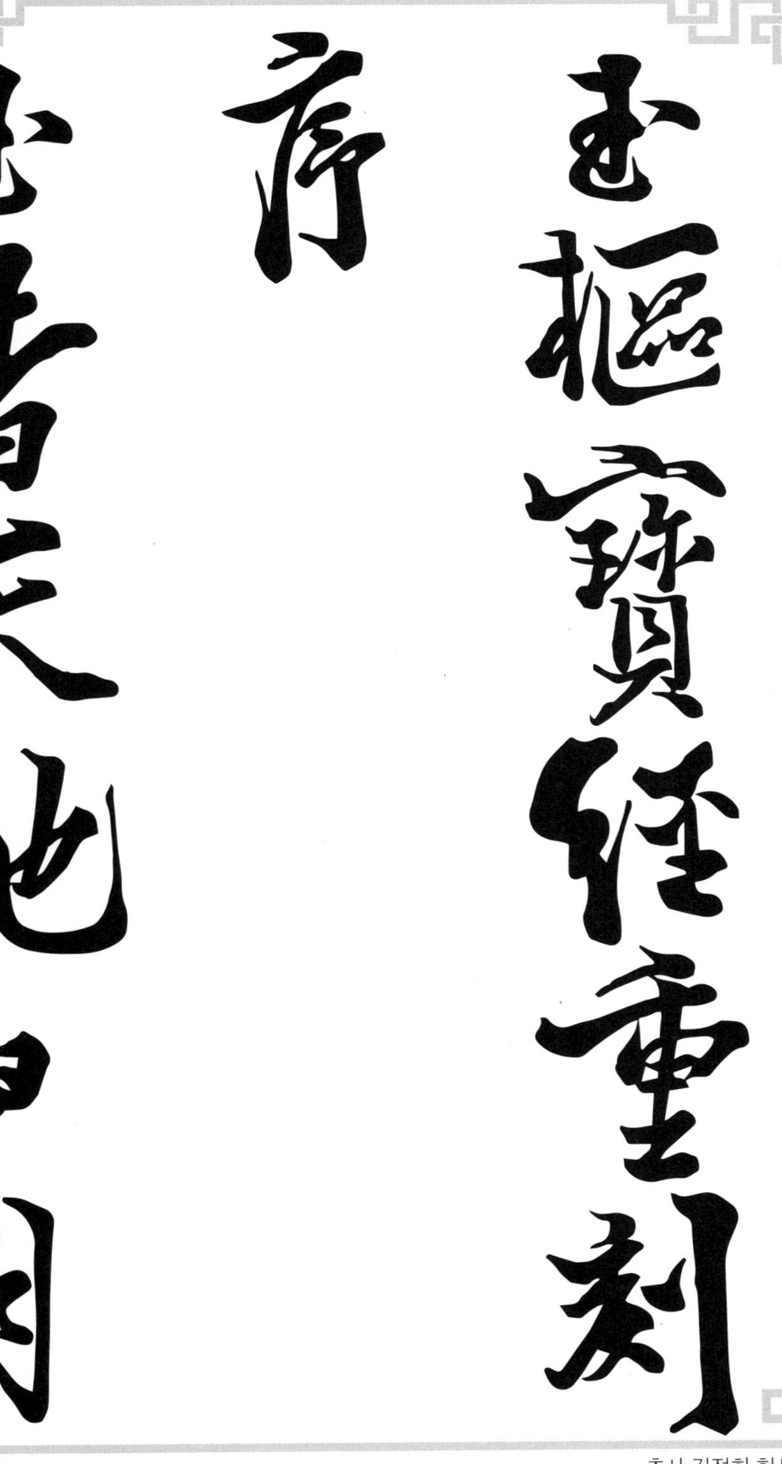
玄樞寶經重刻
序
玄者天地日月

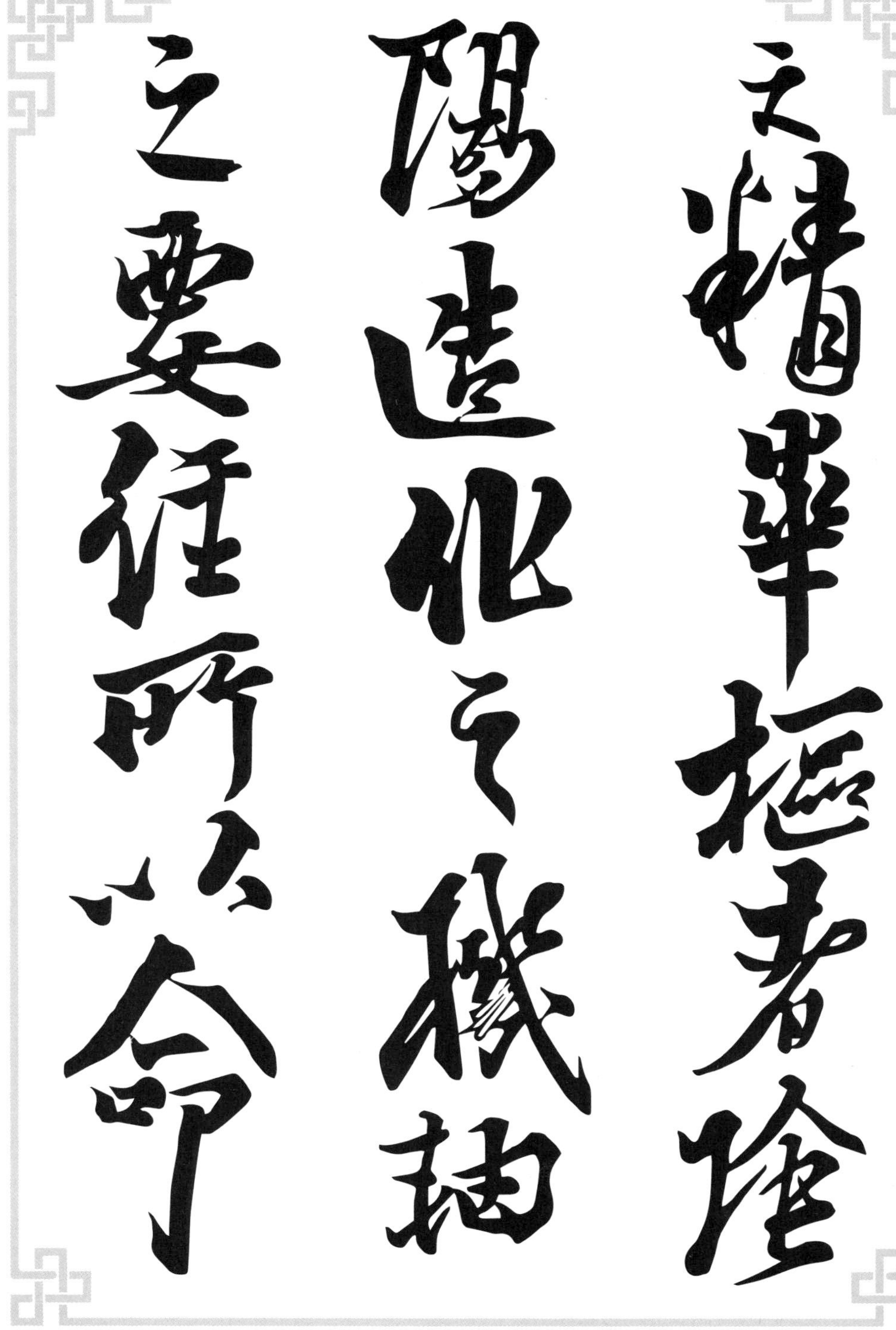

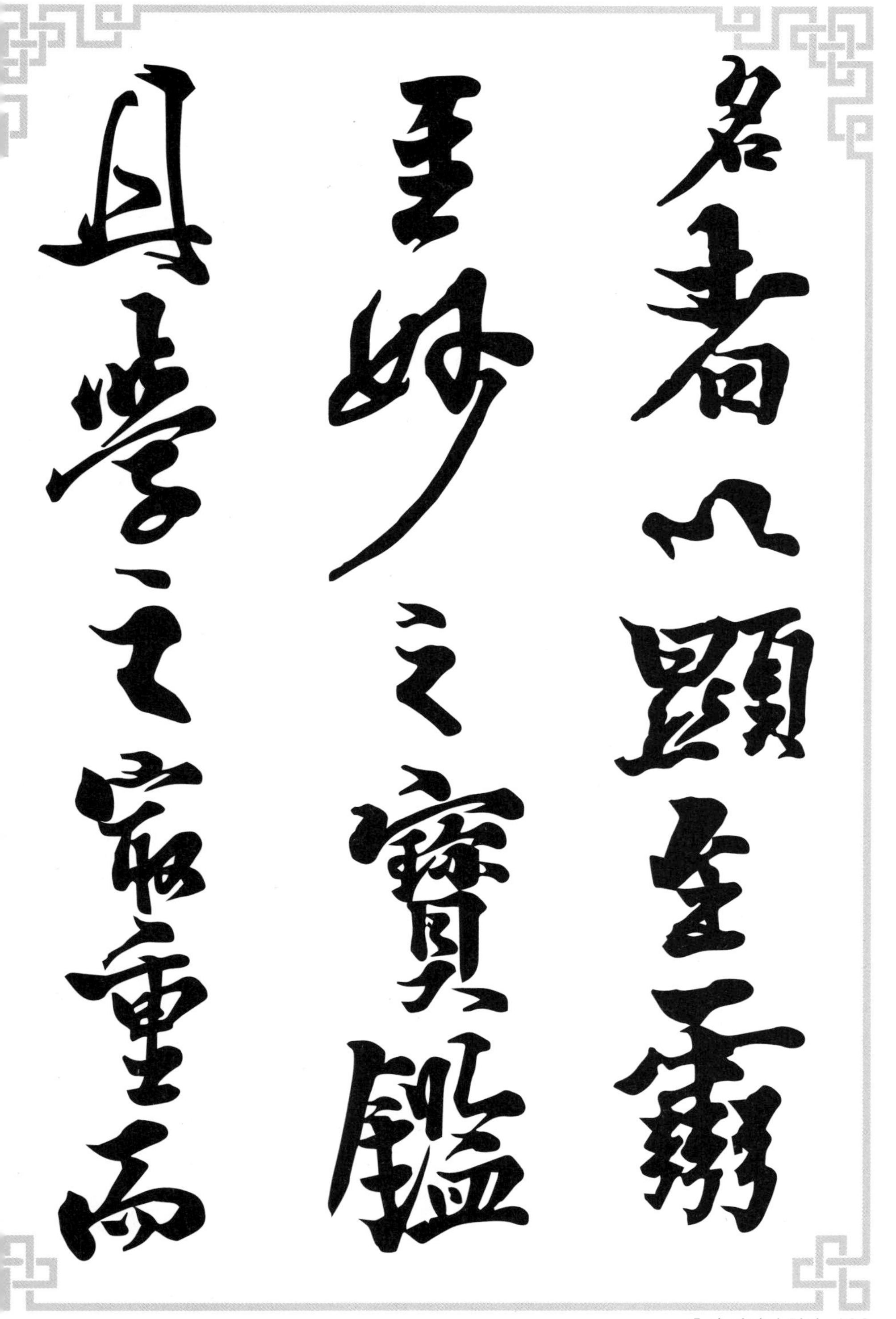

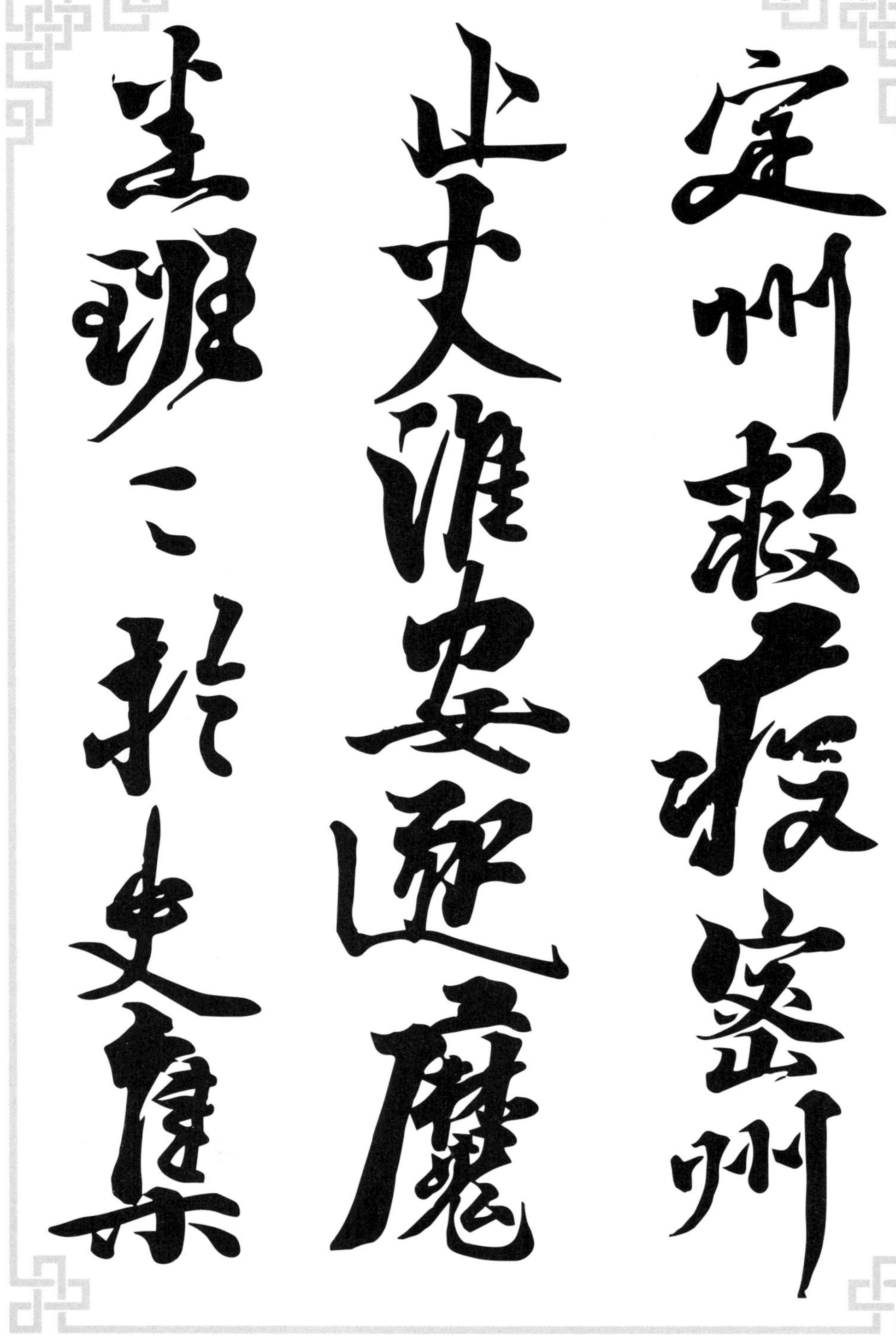

至極寶經之爲書

極寶經而傳之書

世之者也學者

只解元翻假於
湖南撰次宋徐
西氏重刊于閔

西時有鉄以海章年
得見瀟灑揮手
漢城有其時而

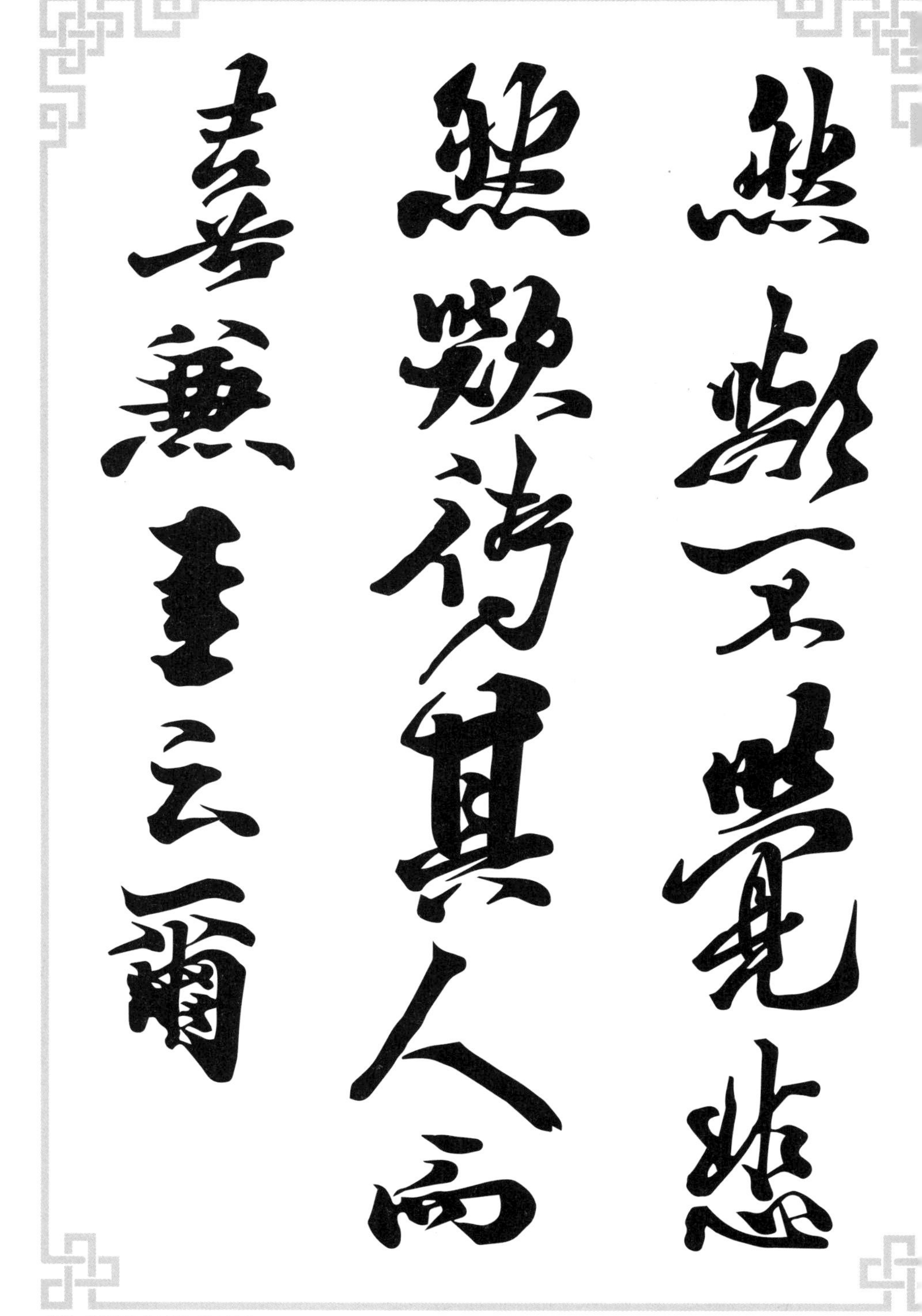

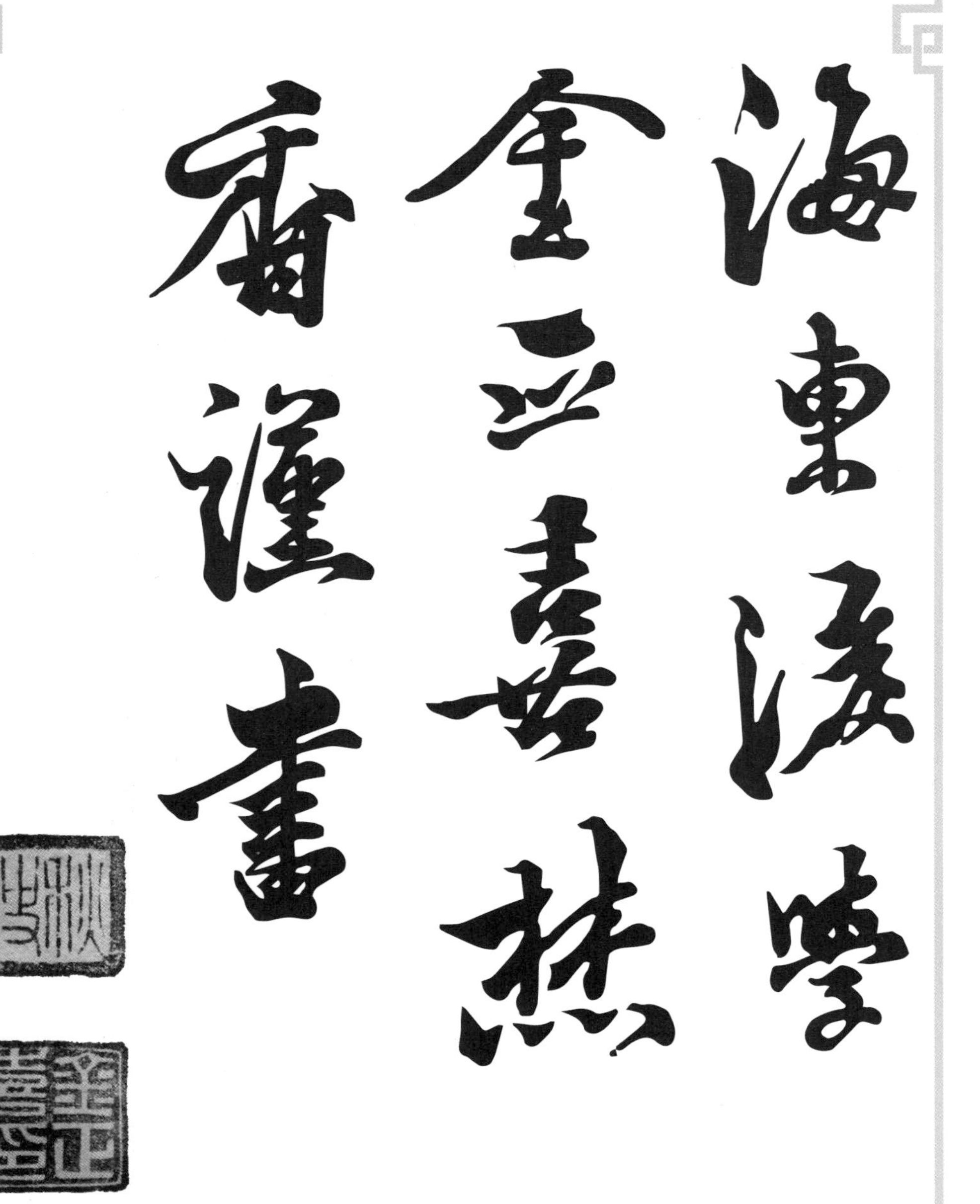

첨부자료 - 1923년 발행본 이미지

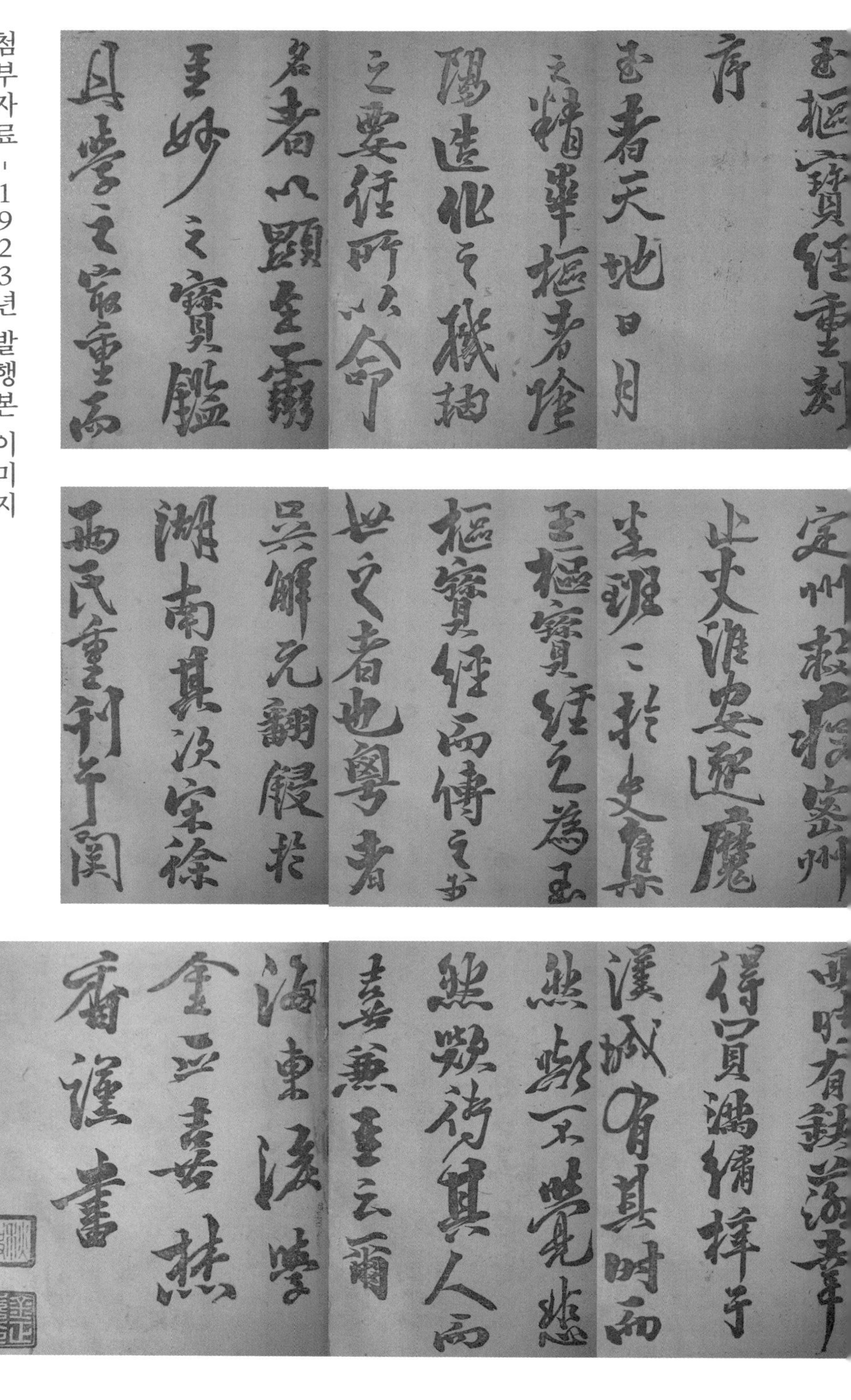

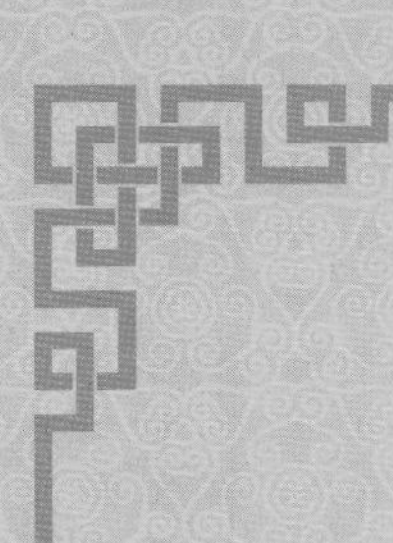

明世宗 肅皇帝 御製序 명세종 숙황제 어제서

※명(明)나라 시대의 임금인 명세종(明世宗) 숙황제(肅皇帝)가 친히 어필로 옥추보경(玉樞寶經)에 대한 찬사를 써준 어제서(御製序)

玉樞寶經序說

明世宗肅皇帝御製序

易、曰動萬物者、莫疾乎雷、雷於卦、爲震、盖一陽、生於二陰之
下、靜極而動、其聲、虩虩、故出者、莫不爲之震驚、然、時其聲之
發也、勾者以萌、蟄者以奮、若動若植、各遂其生、是其發育之仁、
實存乎擊搏之中、而天地之心、於是乎可見矣、朕觀玉樞寶經、
以爲
九天應元雷聲普化天尊、上居玉淸之境、總司五雷、攝伏諸魔、
以淸淨之心、法廣大之願、凡來世衆生、有學道希仙、釋災解厄者、
但能作念稱名、有感必應、如命數之奇蹇、疾病之沉綿、獄訟之
困苦、婚姻嗣續之多艱、興修卜築之有犯而致殃、鳥鼠蛇蟲之送
妖而嫁孼、淫巫邪覡之魘禱、水浮陸走之兆髒、旱乾水溢之爲害、
此經、皆能祓除而消滅之、是卽天地鼓雷霆、以生萬物之意也、

而眞經之大旨、乃謂無聞無見、爲眞道、忘無可忘、爲至道、知
其不知爲自然、則又專以寂靜、爲入道之門、蓋人惟欲動情勝、
故罪惡、日積而災戹、隨之、經之所云得非欲學道者、主靜愼動、
以爲祈禳災之本乎、朕以爲是經、亦可以化誘羣蒙、使之避
凶趨吉、以同躋於仁壽之域也、故因重鋟而序諸其端

秋庭 崔秉斗 序文 추정 최병두 서문

※태청궁 청구태학당의 제31대 열사조(列師祖 : 산웅선사)이신 추정(秋庭) 최병두(崔秉斗)께서 써주신 옥추보경(玉樞寶經)에 대한 서문(序文)

玉樞寶經序

夫含靈萬物하니血氣之屬이充滿于世하야昏闇貪癡하고逐物起欲하야日用動靜而不知大道하며以妄從邪而密網自衛하야陷於六合하고歡賊爲親하며心轉萬境하야無有已時하니猶如一羊之失路하야岐路轉多도不可遂得하니遑遑之間에失衣珠於萬劫하고求憎愛於千秋하며貪山情湖에逍遙一生하고塵風業海에和樂自在하야不覺光陰之一杯土하고永認尺軀之保億歲하야色聲香味는亂其性하며喜怒哀樂은昧其靈하고貪遊小慧而忽失大體하야卽使無悪哲智로埋於群陰之闇坑하며流沉億古하야穢業日重而五苦八難에循環無息하며幻海濁世를不能脫超라於是에天尊이發大慈悲하사無窮造化로濟拔有情하사俾躋仙列케하시니其神力之無方은難以盡舉나然이나以略觀之則降雨露而厚澤하시며定五行而示序하시며分晝夜而明理하시며作警雷而行權하시니夫雷者는群生之木鐸이며有情之警鍾也라天以雷로行肅殺之氣하시며地以雷로成萬類之形하며人以雷로覺衆迷之昏하나雷之用은含衆

妙之成壞ᄒᆞ며 抱萬象之無方ᄒᆞ야 隨其勢而效果亦異ᄒᆞ니 仁者ᄂᆞᆫ 聞雷悟理ᄒᆞ며 惡者ᄂᆞᆫ 聞雷悔心ᄒᆞ며 弱者ᄂᆞᆫ 聞雷勇生ᄒᆞ며 強者ᄂᆞᆫ 聞雷改柔ᄒᆞ고 品物之作曰雷며 品物之止曰雷오 生曰雷死曰雷니 雷之功이 大則建天地育萬物ᄒᆞ고 小則養微蟲蘗一時ᄒᆞ니 即非言說所及也라 九天之上에 唯我天尊이 發雷聲而齊物ᄒᆞ시며 設寶經而渡生ᄒᆞ사 降魔斥鬼ᄒᆞ시며 除妖滅孽ᄒᆞ시고 種因設緣ᄒᆞ사 證過去而報來世ᄒᆞ시며 彰善行而加福ᄒᆞ고 警惡業而示苦ᄒᆞ사 使誠者ᄂᆞᆫ 消災ᄒᆞ며 修者로 得道ᄒᆞ시니 在世生靈이 勿染塵欲ᄒᆞ고 誠深修鍊ᄒᆞ야 打破諸疑ᄒᆞ며 滌盪白塵ᄒᆞ고 一躍火器면 萬象이 同歸一源ᄒᆞ야 金銀銅鐵은 融於一金ᄒᆞ며 豆米黍粟은 香連一味ᄒᆞ고 天上人間이 鼎吾腹中이며 億變萬化가 不移于掌ᄒᆞ며 三十六天이 羅列念中ᄒᆞ리니 此經大旨가 庶不差毫釐於斯矣라

時維壬戌仲春上辛日

禪杖所指

三山貫嵩

秋汀 崔璨 序

瀛壺 玄橧子 證讚 영호 현증자 증찬

※명나라 시대의 학자 영호(瀛壺) 현증자(玄橧子)가 쓴 옥추보경(玉樞寶經)에 대한 증찬(證讚) 글

玉樞寶經證讚

瀛壺玄樵子 譔

天不言、何有是經也、天無體而鬼神、著造化之跡、天有心而上帝任主宰之名、天果言乎、果不言乎、蓋人之生也、莫不禀受於造化而有主宰者、必命令焉、凡四大七佐三綱六紀許多之善、皆命令也、無命令、無禀受、無禀受、人不生、天若不言、其命令以賜與者、果誰爲也、化生之初、人無知覺、故自不能聞於天、天豈眞無言乎、人之賦氣也、淸微而濁衆、故賢者少、愚者多、蒙不端、長愈靡、其爲惡甚者、慢天而笑之曰彼蒼蒼之上、果有鬼神乎、果有上帝乎、吾未知也而畢然而無忌憚者、滔滔皆矣、故皇天、時發雷霆、大施神威、鼓以興之、警以動之、小而噴遞、大而殲滅、天果無言乎、然爲惡不悛者、則亦以爲雷是適然耳、何其可哀也哉、先哲、有言曰、天語之至小而人不可聞、若理也、天語之至大而萬物同聽者哉、雷也、誠是言也、余繹之曰、理者、所以發其雷也、雷者、所以行其理也、合以言之、皆上帝之玉音也、欽惟我普化天尊、任一天九氣之化、主三界萬彙之權、大德曰生、神武曰威、開神霄應元之府、設五雷正法之司、將軍、使者、糾錄、廉訪諸神、分掌庶績而使雷師皓翁、統率焉、天尊之所自任、如是其廣大、雖欲不言、其可得乎、天尊之言、不可漫傳、亦不可無述、是以雷師皓翁、恭承天尊之教、退而記之、著爲此經、藏之玄奧、守之珍秘、其傳於人世、則未知始於何代也、謹稽經文至要而至博、綸綸浩浩、不可尙已、其正經第七章一百四十一字、實輸五千言道德、其下經第四章一百三十八字、可抵八萬亐禪藏、其十四章十八條目、儒門之禮制三千、亦不外是矣、其他章之訓、亦莫非日用剴切之事也、可不敬哉、可不信哉、至於篆符十五章、皆九天深秘之文而雷師之所演繹標用者也、亦可不愼奉而[illegible]邪、又有眞仙、互

相註解、經旨燦然、可得人曉而戶奉、凡我同胞之人、自今以後、
敬受此經、濁者、變而淸、愚者、勉而賢、無復有慢天之不言而恣
行其不善也、玉樞命名之義、金篆奉行之法、前人之釋、己明、不
必架論也、又曰、衆生昏癡、雖讀此經之文而常以天事、爲幽遠難
信、故徒知鬼神之爲上帝、而不知上帝之實爲天尊也、抑雖知天
尊之爲上帝、而亦不知天尊上帝之命令、自有諄諄焉、縂々焉、懲
惡護善之不已也、豈不大哀乎哉、余幾遇是經、奉讀有年、嘗竊
之所悟也、有如是者、故謹撮其要義、敢書于卷端、以勸夫後士
之如我鹵游者、讀無所疑臆而一變、可以至道也云爾

전수자(傳授者)의 길

신사년(辛巳年, 2001)
음 팔월(陰 八月) 하순

수봉 이기목(粹峯 李奇穆)

구백리 머나 먼 길 전수의 부름을 받아
칠순의 노구 끌고 멀다 않고 찾아가니
마음은 즐거운데도 육신만은 곤고하네.

박토(薄土)를 일구어서 옥토(沃土)를 만들기 위해
늙은 몸 지닌 여력 혼신으로 한데 모아
전수의 제단 위에다 아낌없이 바치리라!

전수자 가는 길은 험악할 손 가시밭 길
노경(老境)에 접어드니 더 더욱 절실해 져서
정신은 혼미해 가고 육신은 곤고해 지네.

부름을 받고 나면 천리 길도 멀다 않고
밤낮의 구분 없이 정열을 불태웠는데
그 정열 식어만 가니 앞날이 총총 하구나!

전수자 사명감에 책무 좇아 살아온 길
형극의 천리 길도 멀다 않고 넘나든 길
주어진 사명이기에 거역 않고 살아 왔네.

종명(終命)의 그 문턱에 다다르는 순간 까지
전수자 중한 문턱 내 어이 잊고서 살리.
찬란한 겨레 유산을 심고 가꿔 꽃 피우리!

▶ 여기까지 세로쓰기, 오른편 넘김으로 되어 있는 원본 해설집으로,

이 이후부터는 가로쓰기, 왼편 넘김으로 되어 있는 사례 편이니,

사례 편을 보실 분은 반대편부터 왼편 넘김으로 보아주시기 바랍니다.

◀ 여기까지 가로쓰기로 되어 있는 사례 편으로,
이 이후부터는 세로쓰기, 오른편 넘김으로 되어 있는 원본 해설집이니,
반대편부터 오른편 넘김으로 보아주시기 바랍니다.

연해옥추보경

演解玉樞寶經

사례편

민강 손혜림 著

※ 본 책은 세로쓰기와 가로쓰기가 혼용되어 있습니다.

※ 원본 편을 보실 분은 반대편 끝으로 가서 오른편 넘김으로 보아주시기 바랍니다.

※ 연해옥추보경 사례 편은 여기서부터 시작되며, 가로쓰기, 왼편 넘김으로 되어 있습니다.

원저자 수봉 이기목(粹峯 李奇穆) 존사(尊師)님 소개

* 1931년 음력 1월 4일~2006년 양력 5월 9일

* 태청궁 청구태학당(太淸宮 靑邱太學堂) 청구기문좌우총방(靑邱奇門左右總坊)

제34대 전맥자

* 도서출판 온고당 전(前) 대표

* 전(前) 대동기문연수원장

* 동아문화센터 기문명리 강의

수봉 이기목(粹峯 李奇穆) 대표 저서

* 1975년 기학정설 초판발행

* 1977년 기문둔갑 일천팔십격국상론 초판발행

* 1986년 기문삼원력(1864~2043년) 초판발행

* 1989년 동기정해 권일(인사명리 편) 초판발행

* 1989년 동기정해 권이(천문지리 편) 초판발행

* 1989년 동기정해 권삼(해단천미 편) 초판발행

* 1990년 풍수지리 이기법 초판발행

* 1991년 기문 조수가와 연성가(기문작명 포함) 초판발행

* 1991년 연해 옥추보경 초판발행

* 1994년 기문 택일교재 초판발행

* 1994년 기문 양택개요 초판발행
* 1994년 풍수지리 기초교재 1, 2, 3, 4권 초판발행
* 1995년 풍수지리 대성지리 육경정해 초판발행
* 1995년 풍수지리 만두십법 칠십이혈도해 초판발행
* 1996년 기문 조식속성법 초판발행
* 1996년 기문 조식법 초판발행
* 1996년 기문 원리론 초판발행
* 1997년 시조집 내 인생 황혼에 신고 초판발행
* 1998년 기문 단시론 초판발행
* 1998년 기문 병방론 초판발행
* 1998년 기문 해단론 1, 2 초판발행
* 1999년 종합해단론 초판발행
* 1999년 동서명해 초판발행
* 2000년 기문 원리론 제 이집 초판발행
* 2000년 기문작명 초판발행
* 2000년 초접변해 초판발행
* 2000년 상서교재 초판발행
* 2001년 인륜대통부 초판발행
* 2001년 태청신감 초판발행
* 2001년 기경팔맥침법 초판발행
* 2001년 시조집 정토별곡 초판발행
* 2002년 금초 한시집 초판발행
* 2002년 시조집 객수여창 초판발행

그 외 다수의 저서 발행

공저 및 편저자 민강 손혜림(旼岡 孫憲琳) 소개

* 1956년, 천안 출생
* 현재 태청궁 청구태학당 제35대 전맥자
* 태청궁 청구태학당(太清宮 青邱太學堂)
  제34대 기문학 전맥자 수봉 이기목(粹峯 李奇穆) 존사(尊師)님께 수학 및 이기목 존사님의 모든 출판물 저작권 단독 보유
* 경희대학교 사회교육원 기문학 강의(2001~2014년)
* 경희대학교 수원캠퍼스 평생교육원 기문학 강의 (2004~2007년)
* 동국기문회(東國奇門會) 대표
* 손혜림 기문명리원(奇門命理院) 대표
* '기문둔갑 사주풀이' 시리즈 1권 '성공한 사람들' 2권 '세기의 살인마들' 집필 발간 (2016년)
* '기문둔갑 기초편- 원리론과 조식편' 편저(2017년)
* '기문둔갑의 모든 것-종합해단과 삼형살' 공저(2018년)
* '기문둔갑의 모든 것-단시론' 공저(2019년)

민강 손혜림 홈페이지 : www.gimun.net

블로그 : http://blog.naver.com/sonherim

E-mail : sonherim@naver.com / gimun@hanmail.net

강의 및 상담문의 : 02-3476-3433

講師資格證

住所 서울特別市

姓名 孫憲琳 生年月日 [illegible]年[illegible]月[illegible]日

右記者는 本院이 實施한 第 [illegible] 次 講師資格考査에서 本科 乙 種에 合格하였기로 玆以 證書를 授與함

檀紀四三三四年 四月 十五日

大東奇門研修院

院長 粹峯 李奇穆

옥추보경(玉樞寶經) 수련법[우도(右道) 수련법]

옥추보경은 사람이 세상을 살아가면서 여러 가지 문제가 있을 경우에 우도(右道) 수련을 통하여 자신의 자생력을 증진시켜 각종 어려움에 대처하는 대응법과 치유법에 대한 방편품으로, 일의 사안에 따라 15(地經:방편품)가지 종류로 분류된다.

우도(右道)를 수련하기 위해서는 먼저 좌도(左道: 기문의 인사명리)를 통하여 명운(命運)을 파악한 연후(좌도의 실력을 갖춘 후)에 그에 따른 방편을 해야 하므로 선(先) 좌도, 후(後) 우도가 된다.

기문학의 우도법(방편품)은 수천 년 전부터 내려오는 전맥 그대로의 선가(仙家) 수련법을 원칙으로 하며, 다음과 같은 15종류의 방편들이 있다.

** 경(經)은 반드시 정맥(正脈)을 바탕(太清宮青邱太學堂 | 태청궁청구태학당)으로 해야 하며, 원문 그대로 읽는 것이 효험에 좋다. 천(天)은 진실(眞實)하기가 만고불변(萬古不變)이므로 임의로 변경한 경문(經文)을 읽으면 가경(假經)이 되어 효험을 득(得)하기 어렵다.

** 송경(誦經)의 효험을 득(得)하려면 위에서 아래로, 오른쪽에서 왼쪽으로 읽는것이 좋다.

목차

부전 및 설명

옥추령부
玉樞靈符

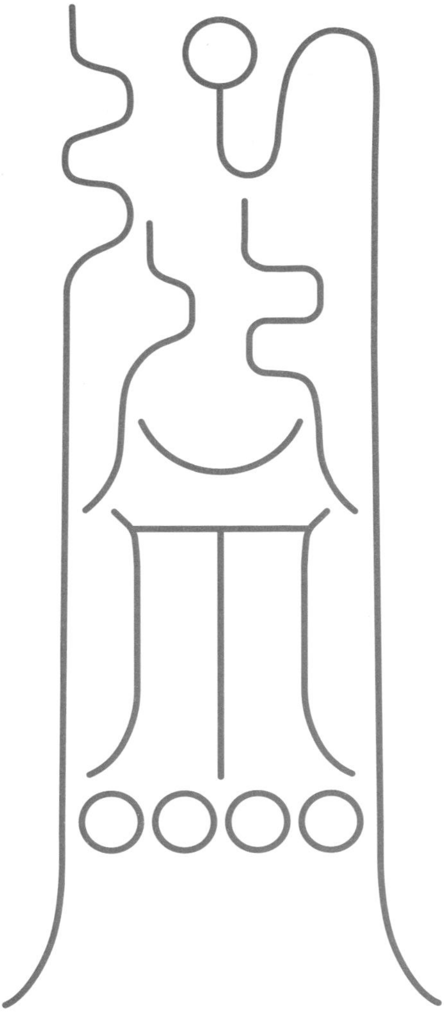

제일장 학도희선장
第一章 學徒希仙章

공부 향상, 시험 볼 때의 정신집중
고사(개업고사, 안택고사), 하늘과 땅과 인간에
한 재앙이나 삼재팔난 소멸을 원할 때
선가(仙家)의 소망성취 기원

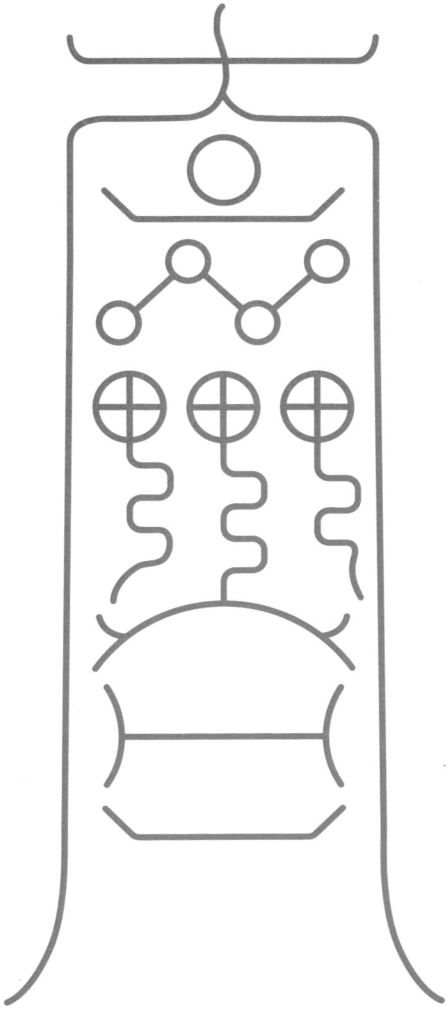

제이장 소구령장
第二章 召九靈章

- 번민이 많을 때, 정신이 혼란할 때, 특별히 아프지는 않으나 백절이 쑤시고 사지의 맥이 풀릴 때, 정신건강 증진을 원할 때
- 속세의 소망성취 기원

제삼장 오행구요장
第三章 五行九曜章

- 유년운, 연운, 월운상 오행의 형충파해와 흉격과 흉살 소멸
- 유행성 질병으로 불안할 때
- 흉운으로 인한 재앙 소멸

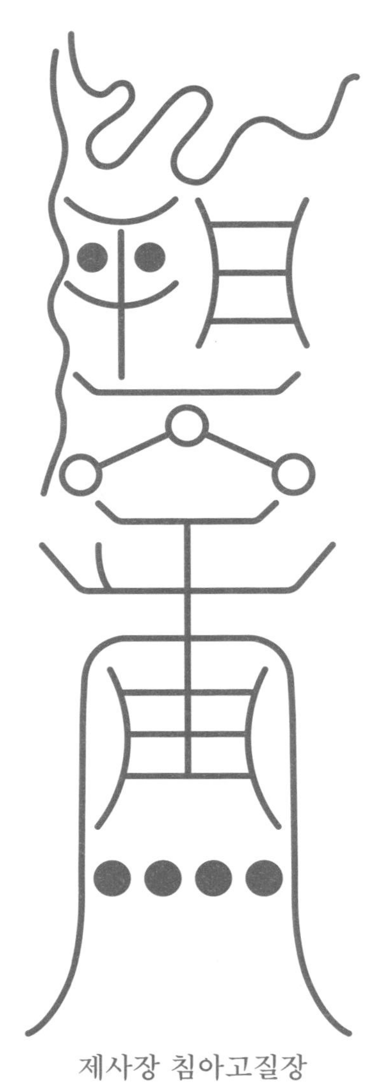

제사장 침아고질장
第四章 沈痾痼疾章

- 선천적인 질병이나 신체적 질병으로 몸이 아
때, 육체적인 건강문제가 있을 때
- 중병으로 행보가 어려울 때

제오장 관부장
第五章 官符章

관재수 원만 해결 기원
형사사건이나 민사사건 등의 소송문제
상대방의 위협이나 협박 등의 문제가 있을 때
교통사고 예방할 때

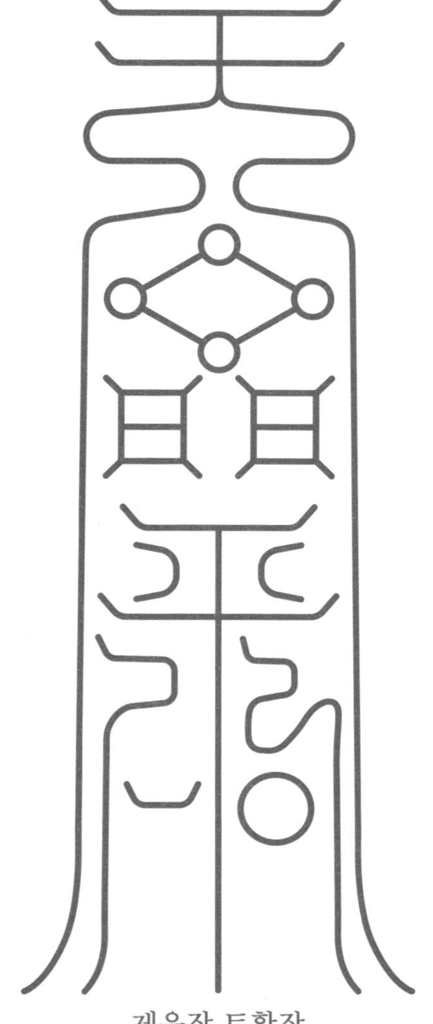

제육장 토황장
第六章 土皇章

- 부동산이나 땅과 연관된 모든 문제
- 이사할 때
- 기초 공사를 하거나 주택이나 땅을 공사할 때, 집을 증축할 때, 건축물을 리모델링할 때

제칠장 혼합장
第七章 婚合章

- 부부 화합, 부부의 외도 문제 해결 기원, 가정 화목을 원할 때
- 결혼한 남녀문제나 자녀(자녀의 건강과 수명)로 인한 모든 문제, 출산 시 난산일 때

제팔장 조서장
第八章 鳥鼠章

- 개가 짖어대고 새나 쥐, 뱀 등이 집안에 침입할 때, 동물들로 인한 피해를 볼 때
- 도둑이 침입할 때
- 악몽에 시달릴 때

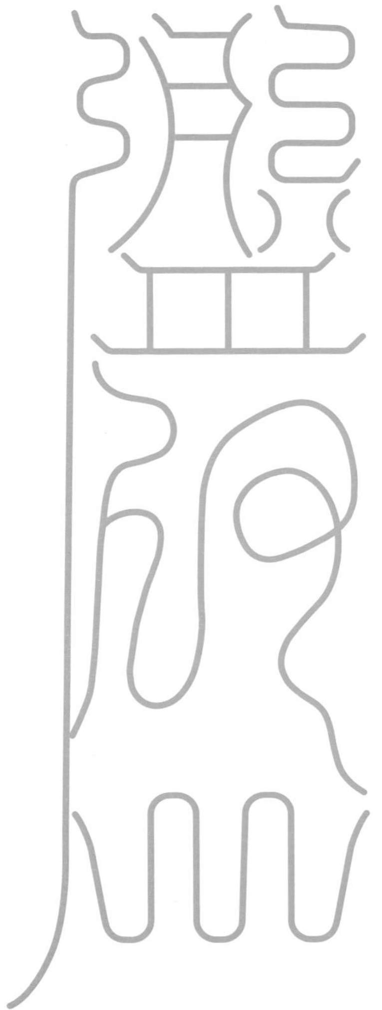

제구장 벌묘견수장

第九章 伐廟遣祟章

상대방이 사술(邪術)을 이용하여 저주 등의 해
지를 할 때
동물들이 사람에게 해로운 질병을 옮길 때
집 안에서 정체불명의 괴상한 소리가 날 때

제십장 고로채장

第十章 蠱勞瘵章

- 조상이나 묘지로 인한 모든 문제 해결
- 조상천도, 묘지로 인한 소송 문제, 묘지 이장이나 공사로 인하여 줄초상이 연이어 일어날 때, 행여가 움직이지 못할 때
- 조상의 유전병이나 시기(屍氣)로 인한 전염병

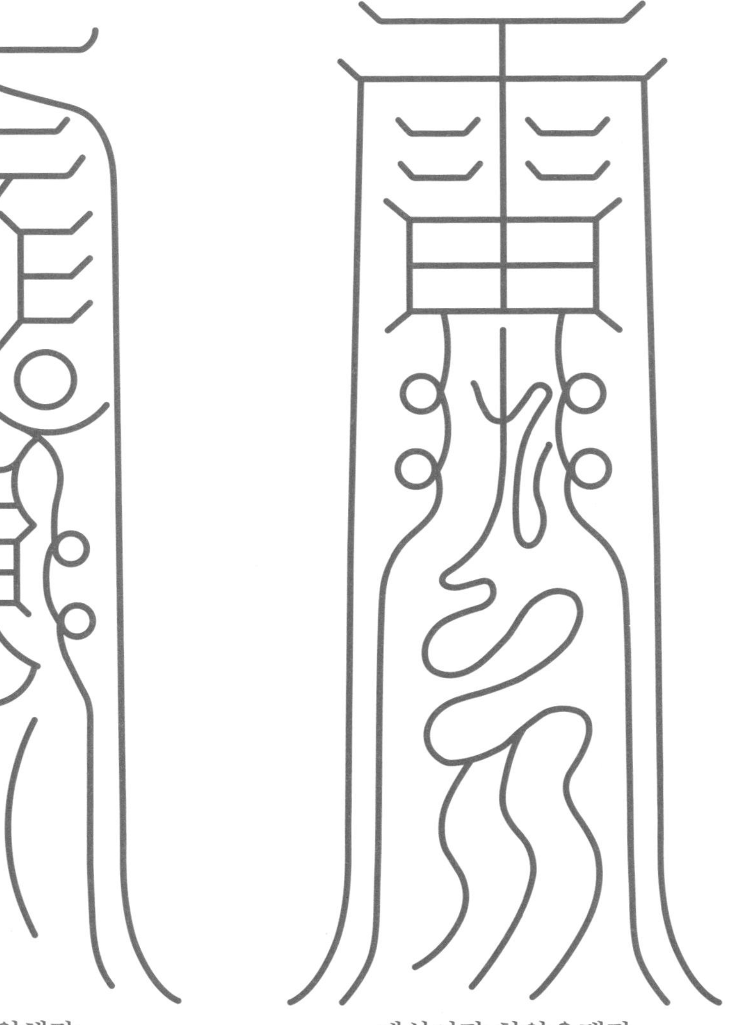

제십일장 원행장
第十一章 遠行章

- 여행 관련 모든 상황의 무탈 기원
- 외국여행을 할 때, 집을 떠나 무사고 안전여행을 원할 때

제십이장 항양우택장
第十二章 亢陽雨澤章

- 날씨 관련 모든 흉액 소멸 기원
- 가뭄이나 장마가 심할 때
- 천지(天地)기후가 불순하여 그로 인한 재앙(災殃)을 면하고자 할 때

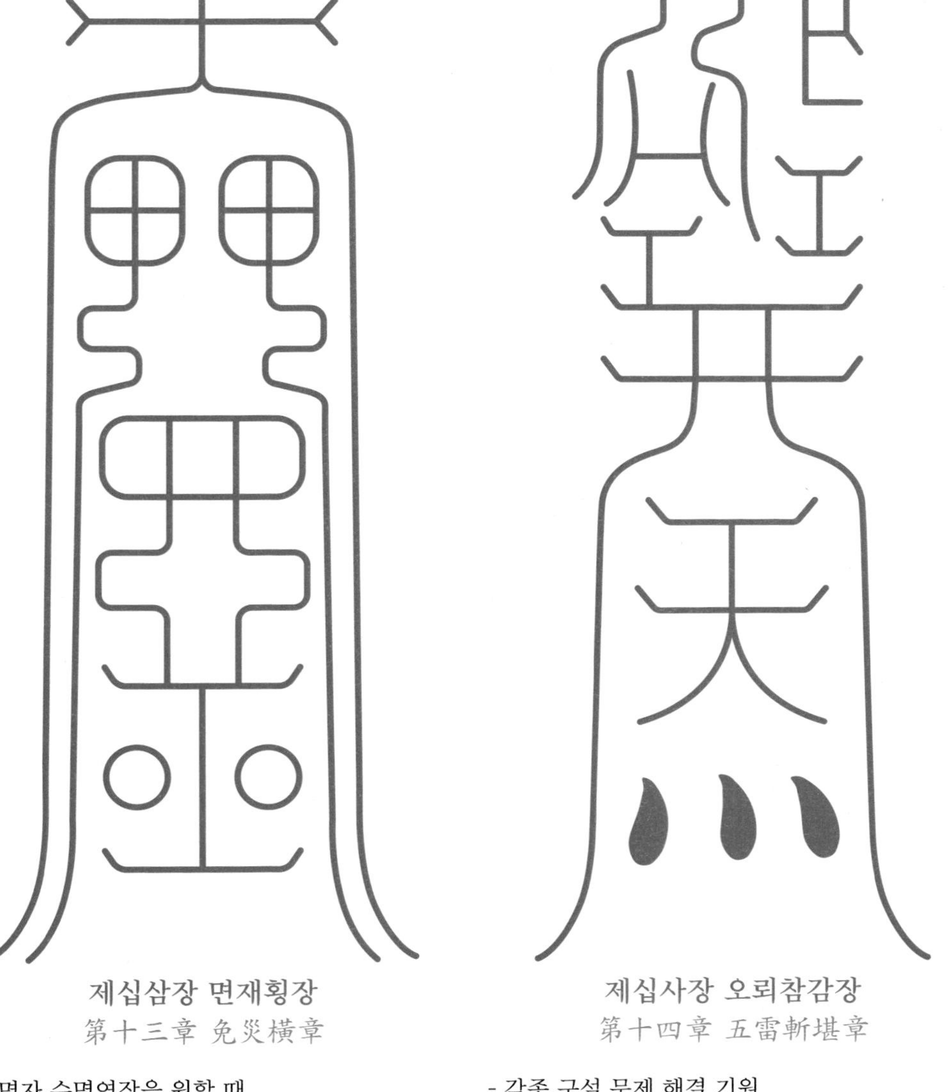

제십삼장 면재횡장
第十三章 免災橫章

단명자 수명연장을 원할 때
갑작스러운 횡액(전쟁 등의 횡액은 사주와 상관
음)을 면하고자 할 때, 세 가지 재앙과 아홉 가
횡액을 면하고자 할 때

제십사장 오뢰참감장
第十四章 五雷斬堪章

- 각종 구설 문제 해결 기원
- 구설로 인한 시비, 품행과 언어의 경박함, 관재 구설, 불효, 불충, 이간질, 대인관계 불화, 모함, 등의 각종 구설 문제가 있을 때

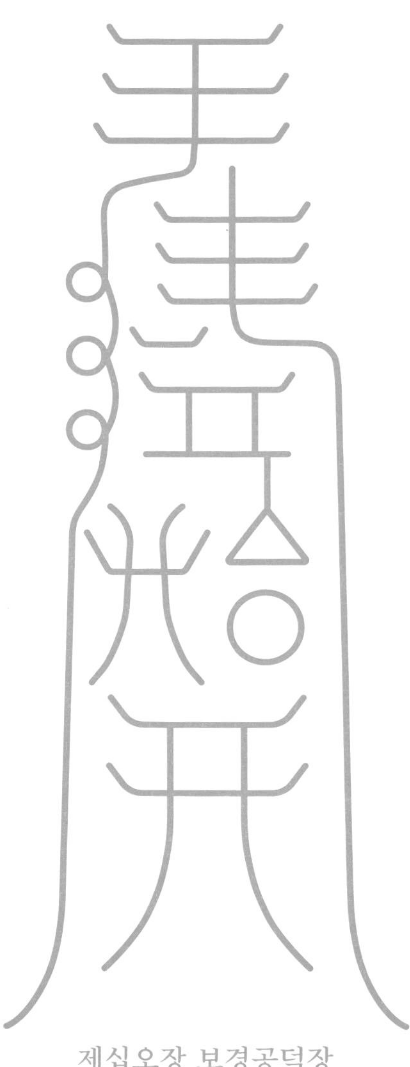

제십오장 보경공덕장
第十五章 寶經功德章

- 취직이나 승진, 명예를 원할 때
- 재물(돈)을 원할 때 재물 증진 기원
- 아들 낳기를 원할 때

연해 옥추보경

사례편

(1) 질병 관련 - 침아고질장(沈痾痼疾章)

진행 날짜 : 2019년 6월 6일 甲戌日 甲子時

의뢰인: 중소기업을 운영하는 모모 회장.

종류 : 지경 제사장 침아고질장 | 地經 第四章 沈痾痼疾章

상황 : 모모 회장은 금년(庚子年) 74세이며 신장암 4기로 위험한 상태이다. 수십 년 전에도 직장암이 발병하였으나 다행히 수술이 잘 되어 현재까지(2022년) 생존해 있다. 하지만 그 후, 다시 2년 전에 신장암을 발견했는데 이미 말기에 해당하는 4기로 진행이 되어, 언제 어떻게 될지 알 수 없어 유언장까지 써 놓은 상태였다. 당시 대학병원에서는 약 8개월 정도의 시한부로 보았다.

꿈 : 검은 거미가 방 안에 계속 거미줄을 치고 있었다. 그래서 전기 모기채로 거미줄을 걷어 내고 거미를 계속 잡았다. 또한 이기목 선생님께서 나타나셔서 글을 써 주셨는데, 글의 내용은 기억나지 않는다.

꿈을 꾼 시점 : 침아고질장을 진행한 날인 6월 6일 새벽.

결과 : 마침 새로 출시된 항암치료제인 신약이 자신과 잘 맞아서 효과가 좋다고 하며, 암이 더 이상 진행되지 않고 있다고 했다. 완치된 것은 아니어서 현재까지 투병 중이다. 그래도 치료 효과는 좋아서 항암치료 횟수를 3~4개월에 한 번씩 하는 것으로 점차 줄이고 있다. 2022년 현재까지

생존 중이다.

추측 해몽 : 검은 거미와 거미줄은 물론 질병을 말함일 것이다. 전기 모기채로 거미줄을 걷어 내고 거미를 잡았다는 것은, 치료 효과가 있음을 뜻하는 것일 수 있다. 그럼 이기목 선생님이 등장하는 것은 무슨 의미인가를 생각해 보면, 모모 회장의 부친께선 과거 이기목 선생님을 돌봐준 적이 있었고, 모모 회장은 현재에도 가족분들을 돌봐주고 있다. 과거에 공덕을 주고받은 사람이 꿈에 나타난 데다, 스승이라면 인수(印綬)에 해당한다고 봐야 할 것이다. 환자에게 인수(印綬)는 치료약으로도 보기 때문에, 치료 효과가 있다고 볼 수 있겠다.

(2) 구설 관련 - 오뢰참감장(五雷斬勘章)

진행 날짜 : 2019년 6월 21일

의뢰인 : 대기업에 근무하고 있는 중간 간부 모모 씨.

종류 : 지경 제십사장 오뢰참감장 | 地經 第十四章 五雷斬勘章

상황 : 모모 씨는 자신이 뽑아 온 직원에게 괴롭힘을 당하고 있었다. 그 부하 직원은 모모 씨에 대한 온갖 구설을 일으켜서 자신을 밀어 내고 그 자리를 차지하려 하고 있었다. 심지어 다른 직원들에게도 모모 씨에 대한 모함과 험담을 하며 온갖 구설을 부추기고 있었다. 그것을 보고 모모 씨는 배신감과 불안감 등으로 마음고생이 무척 심하였다. 그 직원은 모모 씨 자신이 직접 뽑았기 때문에 어디 하소연도 할 수 없어 답답한 상태였다. 불안감과 우울감으로 고통이 심해져서 대인관계도 힘들어 하는 상태였다.

꿈 : 왕비가 화려하게 만든 왕비복을 차려입고 대관식을 진행했다. 왕은 없고 왕비만 있었다. 사회자가 이 대관식은 왕비가 주인공이라고 하면서 한 장소에서 한 번 대관식을 하고, 반대편 쪽에서도 대관식을 하라고 해서 두 번의 대관식을 진행했다. 대관식이 끝나자 모인 사람들 모두 모여 식사를 하러 갔고, 식사하러 가는 도중에 다 같이 사진도 찍었다. 꿈을 꾼 타이밍은 기도 의뢰가 들어오기 바로 직전으로, 이렇듯 의뢰 직전에 미리 꿈을 꾸게 되는 경우도 가끔 있다.

꿈을 꾼 시점 : 의뢰 신청을 받은 날인 6월 17일 새벽.

결과 : 모모 씨를 괴롭히던 직원이 갑자기 조용해졌다고 했다. 또한 그 직원은 얼마 후 다른 곳으로 부서 변동을 하게 되었고, 모모 씨 역시도 부서 변동을 원만히 하게 되어, 고통받던 상황과 구설수에서 벗어나게 되었고, 그 후부터는 직장생활을 원만히 하고 있다.

추측 해몽 : 왕비/대관식 등은 대개 길몽이니, 해결되는 꿈임을 알 수 있다. 관(官) 관련된, 즉 회사 상황 관련된 것이라 짐작할 수 있으며, 모인 사람들과 사진을 찍고 식사를 하는 등의 액션이 있었으니 회사 사람 관련 문제인데, 이것이 해결되는 것임을 짐작해 볼 수 있겠다.

(3) 주택 매매 및 계약 관련
– 학도희선장(學徒希仙章) 및 보경공덕장(寶經功德章)

진행 날짜 : 2019년 양력 7월 26일 甲子日 甲子時

의뢰인: 주택 매매와 계약을 하려고 한 모모 씨.

종류 : 지경 제일장 학도희선장 | 地經 第一章 學徒希仙章
지경 제십오장 보경공덕장 | 地經 第十五章 寶經功德章

상황 : 모모 씨는 주택 매매를 하려고 부동산에 내놓았으나 계약이 안 되어 의뢰하러 왔다.
※ 임상을 보면 가장 어렵고 이루어지기 힘든 것이 재물 관련 문제로, 어지간한 정성 없이는 이루어지기 힘들고, 또한 이루어지더라도 시간이 걸리는 것 같다. 때문에 이렇게 두 가지 부전을 시차(5일)를 두고 동시에 진행하기도 한다.

꿈 1 : 필자가 예전 신혼 때 전세를 살았던 집의 집주인 부부가 잠시 보였다. 꿈 2 : 어떤 사람이 물이 가득 들어 있는 호리병을 갖고 있었다. 비록 물이 가득 들어 있어서 호리병 안에 자리가 없을 것 같았지만, 나는 내가 가지고 있는 어떤 물건을 그 호리병 속에 넣으려고 했다. (물건의 종류와 호리병 안에 넣어야 하는 이유는 기억나지 않는다.) 그래서 호리병을 갖고 있는 사람에게, 그 호리병 안에 내 물건을 넣을 자리가 있냐고 물어보았다. 호리병을 갖고 있던 사람은 호리병 안의 빈 곳을 찾아서 집어넣으면 된다고 하여, 꾸역꾸역 물건을 넣어서 간신히 호리병 속에 물건을 다 집어넣었다.

꿈 3 : 목욕탕을 갔는데, 목욕탕의 탕 안에 물은 거의 절반 정도로 차 있고 사람들은 꽉 들어차 있었다. 사람들에게 내가 들어갈 자리가 있겠냐고 물으니 자리가 있다고 하여, 옷을 입은 채로 물속에 들어갔다. 과연 들어가 보니 자리가 있었다.

꿈을 꾼 시점 : 의뢰신청 다음 날인 7월 9일.

결과 : 다음 해인 2020년 9월에 부동산 매매계약이 이루어졌다며 감사 인사를 전해 왔다.

추측 해몽 : 꿈 1은, 집주인이 보였으니 부동산 관련 문제임을 암시한다. 필자와 집주인은 부동산 계약 관계이니, 부동산 계약 대상자가 나타날 수 있다고 해석할 수 있다. 꿈 2와 3은, 공통적으로 빈 공간에 들어가는 것이 성공했다. '빈 공간'이라는 것은 내가 원하는 부동산의 방향을 의미한다고 볼 수 있다. 그러니 이 역시 긍정적인 꿈으로 해석된다.

(4) 건강 관련 – 침아고질장(沈痾痼疾章)

진행 날짜 : 2019년 양력 7월 11일 己酉日 甲子時

의뢰인: 모친(母親)이 아픈 모모 씨.

종류 : 지경 제사장 침아고질장 | 地經 第四章 沈痾痼疾章

상황 : 모친의 건강 문제가 염려되어 의뢰하였다.

꿈 1 : 현재는 고인이 되신 필자의 부친이 나온 꿈으로, 필자는 부친이 거하시는 방에 들어갔다. 필자의 부친은 생전에 훈계조의 말이 많았던 경험이 있어, 태도를 보아하니 잔소리하려고 벼르시는 것 같았다. 그래서 그 잔소리를 듣고 싶지 않아, 부친의 방에서 그냥 나와 버렸다.
꿈 2 : 사람들이 많이 모여 있는 장소에 있었는데, 꿈 내용은 정확히 기억나지 않는다.

꿈을 꾼 시점 : 침아고질장을 진행한 날인 7월 11일 새벽.

결과 : 지금까지 치료받으러 다녔던 곳의 병원 의사가 불친절해서 불만이 많았다고 한다. 진료를 받으러 가면 환자인 모친을 향해 야단을 치고 혼내기를 반복하는 상태였는데, 꿈의 내용을 듣고 나서는 곧바로 다른 큰 병원으로 옮겨서 치료를 받았고, 그 후에 건강을 회복하여 건강하게 생활한다고 알려 왔다.
추측 해몽 : 꿈에 따라선 필자가 바로 해석 불가능하며 의뢰인이 들어야

만 해석할 수 있는 꿈이 있는데, 그런 종류의 꿈이었다. 의뢰인에게 꿈 이야기를 해 주니 금방 무슨 의미인지 알 거 같다며 나름대로 해석을 하였다. 현재 모친이 치료받는 곳의 의사가 환자인 모친을 볼 때마다 혼내고 야단치고 불친절해서 모친이 짜증이 나서 다니고 싶지 않다고 하셨다고 했다. 꿈에서 필자의 부친 잔소리가 듣기 싫어서 방을 나와 버린 것은 현재 병원에서 나오라는 뜻이고, 사람들이 많은 곳에 있던 것은 큰 병원을 가라는 암시였다고 생각된다.

상담자가 의뢰를 하는 사람의 생활상을 속속들이 알 수는 없기 때문에, 대개는 당사자들이 해석하는 것이 더 정확할 때가 있다. 이 경우도 그런 경우라 볼 수 있겠다.

(5) 공무원 시험 관련 – 학도희선장(學徒希仙章)

진행 날짜 : 2019년 양력 7월 31일 己巳日 甲子時

의뢰인: 공무원 시험을 보려는 모모 씨.

종류 : 지경 제일장 학도희선장 | 地經 第一章 學徒希仙章

상황 : 모모 씨는 직장을 다니면서 공무원 시험을 준비하고 있었는데, 공부를 시작한 기간이 얼마 되지 않아 준비 기간이 짧은 데다 일을 하다 보니 공부에 집중하기 힘들다며 의뢰를 해 왔다.

꿈 : 필자가 어느 광장에서 왕비의 복식 비슷한 옷을 입고 머리 위에는 둥근 관을 쓰고 있었다. 그런데 주변에 모여 있는 다른 사람들도 비슷한 복장을 하고 있었다.

꿈을 꾼 시점 : 학도희선장을 진행하기 전날인 7월 30일 새벽.

결과 : 학도희선장을 진행한 후에 공부 집중은 훨씬 잘 되었으나(신비한 경험이었다고 말함), 워낙 준비 기간이 짧고 직장을 다니며 공부하느라 준비 시간도 부족해서 결국 시험에는 불합격했다.

추측 해몽 : 왕비의 옷을 입은 것은 좋으나, 주변에 비슷한 복장을 한 사람들이 많다는 것은 좋지 않은 징조이다. 기문둔갑에서는 비견겁(比肩劫)이라고 하는, 동급의 경쟁자들을 의미하며, 연운(年運) 등에서도 비견

겁(比肩劫)이 많이 나타나면 입시나 시험에 불리하다고 본다. 왕비복을 입고 관을 썼으니 합격할 만한 실력은 얻을 수 있으나, 비슷한 복식을 한 사람들이 많으니 나보다 결코 못하지 않은 경쟁자가 많음을 의미한다고 볼 수 있다. 다만, 주변은 왕비복과 관을 썼는데 혼자 그러지 못했다면 영락없이 희망이 없지만, 주변과 비슷한 복장을 본인도 하고 있었던 것으로 보아선 합격할 실력은 갖고 있으며 재수 후에는 합격할 수 있다고 추측해 볼 수 있다.

※ 학도희선장은 공부 한 줄도 안 한 사람도 서울대 합격을 하게 해 주는 마법이 아니다. 공부 집중이 잘 되게 해 주거나, 시험 볼 때 엉뚱한 실수를 범하지 않게 하여 억울한 시험을 보게 하는 일 등을 예방할 수 있지만, 반드시 합격을 보장하지는 않는다. 하지만 확실한 실력이 된다면 엉뚱한 실수로 합격 다 된걸 미끄러지는 일을 막아주고, 애매한 상태라면 학업 집중도를 높여 합격 실력에 더 가까이 다가가게 도와주고, 0.1점 차이의 애매하고 억울하게 떨어지는 일은 막을 수도 있으니, 어느 정도 합격의 가능성을 바라볼 수는 있는 실력 이상이라면 굉장히 실속 있는 지경(地經-제일장)이 바로 학도희선장이라 할 수 있다.

(6) 주택 매매 및 계약 관련 - 오행구요장(五雷斬勘章)

진행 날짜 : 2019년 양력 8월 5일 甲戌日 甲子時

의뢰인 : 집을 팔고 싶어 하는 모모 씨.

종류 : 지경 제삼장 오행구요장 | 地經 第三章 五行九曜章

상황 : 모모 씨의 남편은 미국 출장 발령이 나서, 미국으로 가서 몇 년 간 근무를 해야 하는 상황이었다. 모모 씨 역시 남편을 따라 미국에 가서 남편과 함께 살고 싶지만, 그러려면 집을 팔아야 하는데 좀처럼 팔리지 않아 애를 먹고 있다며 의뢰를 해 왔다. 모모 씨는 연운(年運)이 좋지 않았고, 그로 인해 정서 불안증에 시달리고 있어서 심리적으로도 매우 힘들어하는 상황이었다.

꿈 1 : 이기목 선생님께서 나타나서 말없이 모습만 보이셨다. 주변에 사람들이 있었는데 그 사람들이 하는 말이, 이기목 선생님께서 이제 가실 때가 된 것 같다고 말하였다.

꿈 2 : 생선가게를 지나가는데, 생선가게에선 매우 싱싱하고 큰 물고기를 팔고 있었다. 생선이 너무 좋아 보여 사려고 했는데 가게에 상인이 없어서, 가게 주인이 올 때까지 기다리며 우선 필자가 직접 생선을 손질하고 있었다. 잠시 후 상인이 나타났는데, 그 상인이 말하기를, 이 생선은 매우 좋은 고기라는 말을 해 주었다.

꿈을 꾼 시점 : 오행구요장을 진행한 날인 8월 5일 새벽.

결과 : 꿈 내용을 말해준 날, 곧바로(가끔은 이렇게 전광석화처럼 빠른 결과로 이어지기도 한다) 집이 팔려서 매매 계약을 하게 되었다. 그로부터 얼마 후, 모든 것이 잘 정리되었고 건강도 좋아져서, 그 해 10월에 미국에 있는 남편 곁으로 가게 되었다.

추측 해몽 : 인수(印綬)는 스승을 뜻하기도 하니, 이기목 선생님은 필자에게 인수(印綬)이다. 문서나 이권 역시 인수(印綬)로 보기 때문에, 계약 역시 인수(印綬)가 필요한 일이라고 볼 수 있는데, 꿈에 인수(印綬)가 나타났으니 이는 인수(印綬)가 필요한 일에서는 특히 길몽이라 할 수 있다. 이제 가실 때가 되었다는 것은, 곧 계약한다는 것을 의미한다고 볼 수 있다.

싱싱한 생선이 등장하는 것은 당연히 좋은 꿈이라고 볼 수 있으며, 상인은 거래자를 뜻하니 이 역시 만족스러운 거래를 의미한다고 볼 수 있다. 싱싱한 생선이 나왔으니 건강상의 차도를 보이는 것을 의미하는 것일 수도 있겠다.

(7) 여행과 건강 관련 – 원행장(遠行章)

진행 날짜 : 2019년 양력 9월 29일 己巳日 甲子時

의뢰인: 팔순이 넘은 노모와 해외여행을 가려는 모모 씨.

종류 : 지경 제십일장 원행장 | 地經 第十一章 遠行章

상황 : 모모 씨는 팔순이 넘은 노모와 해외여행을 가려는데, 노모가 걱정되어 의뢰를 해 왔다. 여행사에 이미 예약을 마친 상태라서 취소하면 위약금을 물어야 하는 데다 전부터 계획했던 일이라 결국 여행을 가려고 하는데, 아무래도 연로한 노모의 건강이 걱정이었다. 노모는 치매가 있는 데다 집에는 노모를 돌봐줄 사람이 아무도 없어서 결국은 노모를 모시고 가려는데, 외국에 나갔다가 혹시 무슨 일이 있을까 봐 불안하다고 하였다.

꿈 : 필자가 외국의 어느 서커스단 공연장에 딸과 함께 구경을 하러 갔다. 그런데 갑자기 딸은 혼자 어디론가 가버렸는지 안 보였고, 그 사이 공연장에 있던 거대한 동물들(코끼리, 사자, 호랑이 등)이 험악한 기세로 마구 날뛰어 다니며 금방이라도 공격할 기세였다. 겁이 나서 딸을 찾으러 다니는데, 한참 후 어느 구석에 앉아 있는 딸을 발견하고 꿈에서 깼다.

꿈을 꾼 시점 : 원행장을 진행하기 전날인 9월 28일 새벽

결과 : 모모 씨는 위약금이 아까워 여행을 진행했다. 그런데 출국을 하려

고 공항을 가는 날 아침, 여권이며 비행기표며 신분증, 카드 등이 모두 들어 있는 여행 가방을 버스에 놓고 내리는 바람에, 결국은 여행이 취소되었다. 여행 가방은 약 이틀 후, 경찰서에서 보관하고 있다고 연락이 와서 다시 찾아왔다고 한다.

추측 해몽 : 가족(딸)을 잃어버린 것, 거대한 동물들이 험악한 기세로 날뛴 것 등은 모두 좋지 않은 징조들이다. 이렇듯 꿈 내용이 좋지 않을 때는 어떤 일이든 진행하지 않는 것이 좋은 듯하다. 꿈에서 다행히 딸을 발견했으니, 현실에서는 여행 가방을 되찾은 것으로 나타난 것일 수도 있겠다.

(8) 대학 입시 관련 – 학도희선장(學徒希仙章)

진행 날짜 : 2019년 양력 10월 19일 己丑日 甲子時

의뢰인 : 유명대학 시험을 보려고 준비 중인 딸의 모친 모모 씨.

종류 : 지경 제일장 학도희선장 | 地經 第一章 學徒希仙章

상황 : 대학 입시에 관한 방편을 의뢰해 온 것으로, 의뢰자의 딸이 국내 최고의 유명대학에 시험을 보기 위해 준비 중이라며, 모친이 직접 방문하여 의뢰해 왔다.

꿈 : 필자가 꿈에서 누군가와 상담 예약을 한 것을 깜박 잊고 있었는데, 예약한 사람에게서 전화가 왔다. 그래서 사무실로 급히 가려고 택시를 타려고 하니 빈 택시는 없고, 도로를 달리는 택시 안에는 사람들이 이미 타고 있었다. 그런데 생각해 보니 사무실까지의 거리가 두 정거장 정도 거리라서, 그냥 걸어가기로 했다. 걸어서 금방 도착할 거란 생각에 별 걱정할 것 없다고 생각하는데 꿈에서 깼다.

꿈을 꾼 시점 : 학도희선장을 진행하기 전날인 10월 18일 새벽.

결과 : 원하는 대학에 합격했다.

추측 해몽 : 택시 안에 사람들이 타고 있던 상황으로 봐선 경쟁자는 많지만, 금방 도착할 거리이니 경쟁자가 많아도 합격에 별 무리 없었을 것으

로 보인다.

물론 모든 시험이 다 그렇듯 열심히 공부하는 것은 기본적인 사항에 속하며, 전혀 공부하지 않았는데 기도 한 방으로 최고의 명문대에 가지는 않는다. 다만 억울하게 떨어지거나 실수하지 않고, 노력한 만큼, 혹은 그 이상의 성과가 나오게 하는 것이 학도희선장의 목표라 할 수 있다.

(9) 학업 관련 - 학도희선장(學徒希仙章)

진행 날짜 : 2019년 양력 10월 23일 己亥日 甲子時

의뢰인 : 고등학교에 다니는 아들의 모친 모모 씨.

종류 : 지경 제일장 학도희선장 | 地經 第一章 學徒希仙章

상황 : 공부에 집중이 잘 안 되는 아들을 위해, 모친 모모씨가 의뢰해 왔다.

꿈1 : 문밖에서 총소리가 계속 들리기에 밖을 보니, 벽에 총알이 뚫고 지나간 구멍들이 보였고, 흰옷을 입은 사람들이 도망을 다니는데, 그중에 몇 명은 이미 죽어 있었다. 아들도 밖에 나갔기에 소식이 궁금하여 전화하려는 순간 꿈에서 깨어났다.
꿈2 : 커다란 대변통(옛날 시골의 뒷간 똥통)에 대변을 넣었는데 너무 많아서 다시 꺼내어 더 큰 통에 부었다. 냄새는 전혀 없었다.

꿈을 꾼 시점 : 학도희선장을 진행하기 전날인 10월 22일 새벽.

결과 : 아들은 별다른 일 없이 순조롭게 학업을 하였다고 한다. 그리고 이 꿈 내용을 들었던 날, 모모 씨가 지원했던 부서에서 갑자기 연락이 왔다고 했다.

추측 해몽 : 첫 번째 꿈은 의뢰했던 아들에 대한 꿈이고, 아들에 대한 의

되이긴 하지만 본인의 일에도 긍정적 영향을 미친 것인지 본인의 일도 두 번째 꿈으로 나온 듯하다. 전쟁, 총 등은 관(官)을 상징하기도 하며, 학생에게 관(官)은 학교이다. 흰옷을 입고 도망 다니는 사람들은 한창 공부를 하는 학생들을 뜻하는 듯하고, 아들도 밖에 나가 있으니 모모 씨의 아들도 관(官)을 얻기 위한 전쟁에 참여 중인 것을 뜻하는 듯하다. 당장 대학 입시를 한다거나 하는 상태가 아니기에, 훗날 얻을 관(官)을 위해 한창 의욕적으로 공부하게 되는 것을 나타낸다고 할 수 있다.

두 번째 꿈은, 똥꿈이 대개 길몽이란 이야기는 들어 보았을 것이다. 똥꿈이라도 모두 길몽은 아니지만, 이 꿈은 길몽인 듯하다. 꿈에 나오는 똥은 대개 재물을 뜻하며, 재물(월급)을 얻을 좋은 직장(원하는 부서)을 얻게 된 것을 나타낸 듯하다.

(10) 관재수 관련
- 오뢰참감장(五雷斬勘章) 및 관부장(官符章)

진행 날짜 : 2019년 11월 13일 甲寅日 甲子時

의뢰인 : 범법행위를 한 모모 씨.

종류 : 지경 제십사장 오뢰참감장 | 地經 第十四章 五雷斬勘章

상황 : 모모 씨는 남을 해치는 행위가 아닌 자신을 해치는 행위 관련한 범법행위를 하다가 걸려서 조사를 받고 있었다. 이번이 두 번째인 재범이었으며, 초범 때는 구속되었다가 수천만 원의 비싼 변호사를 써서 겨우 풀려났다고 한다. 이번은 재범이라서 구속될 수도 있다고 하였다. 하지만 아직 범죄를 저지르기 전, 범죄를 진행하는 과정에서 검찰에게 걸렸는데, 이미 동종의 전과가 있는지라 구속될까 불안하여 의뢰해 온 것이다.

꿈 : 사자의 무리가 언덕에 나타나서 사람들을 마구 잡아먹는 무서운 상황이었다. 이미 몇 명이 희생되었다고 하는 소리를 들었다. 19세쯤의 남자가 사자의 입에 통째로 먹히는 것도 목격하였다. 다시 사자들이 나타나서 사람들을 쫓아다니며 공격하려고 해서, 힘센 남자들이 모여서 사자의 목에 목줄을 매고 억지로 끌고 갔다. 수월하게 끌고 간 건 아니고, 사자들이 할퀴기도 하고, 그래서 다치기도 하며 간신히 끌고 가는 상황이었다. 그 상황을 보며 나는 무서워서 길옆의 방공호 속으로 들어가 숨어 있었다. 그런데 누군가가 나타나서 알려주기를, 사자들은 냄새를 잘 맡으

므로 여기는 위험하니 더 큰 방공호 속으로 옮겨야 한다고 말해주었다. 나는 그 말을 듣고 옮기려고 방공호 속을 나오고 나서, 꿈에서 깼다.

꿈을 꾼 시점 : 오뢰참감장을 진행하기 전날인 11월 12일 새벽.

결과 : 꿈의 내용을 보면, 오뢰참감장만으로는 부족한 듯하여 관부장을 추가로 진행하기로 했다. 자신의 잘못을 참회하는 방편은 오뢰참감장이지만, 관재수가 발동하면 관부장도 같이 진행하는 것이 좋다. 병이 깊으면 한 가지 처방만으로는 안 되는 것과 비슷한 이치일 것이다. 얼마 후 다시 관부장을 진행했고, 판결은 다음 해인 2020년에 나왔다. 다행히 구속은 면하고 집행유예가 나왔다. 마침 해당 판사가 너그러운 사람이었다고 한다.

추측 해몽 : 사자들을 끌고 가는 사람들은 형을 집행하는 기관으로 보인다. 그런데 현재의 방공호가 작고 약하여 더 큰 방공호로 옮겨야 함은, 오뢰참감장만으로는 부족한 듯하여 추가로 더 필요한 것으로 해석했다.

(11) 공무원 시험 관련
- 학도희선장(學徒希仙章) 및 보경공덕장(寶經功德章)

진행 날짜 : 2019년 양력 11월 18일 己未日 甲子時, 2019년 양력 12월 3일 甲戌日 甲子時

의뢰인 : 공무원 시험을 준비하는 모모 씨.

종류 : 지경 제일장 학도희선장 | 地經 第一章 學徒希仙章
지경 제십오장 보경공덕장 | 第十五章 寶經功德章

상황 : 다음 해인 2020년에 공무원 시험을 응시를 준비 중이었다.

꿈1 : 故이기목 선생님께서 꿈이 나타나셔서, 기도용 꽃꽂이를 시범으로 보여 주셨다. 옆에 꽃 뭉치가 있어서 자세히 살펴보니 칠판 같은 곳에 꽃꽂이가 되어 있었다. 이기목 선생님께서 말씀하시기를, 50원짜리 코인이 그려져 있는 것에 기도하라고 말씀하시고, 구내식당 같은 곳으로 들어가셨다. (실제로 의뢰 당사자는 얼마 전에 코인에 투자하여 약간의 돈을 벌었던 적이 있다고 말해 주었다.)
꿈2 : 동창 친구가 나와 자동차를 운전하고 가는데, 앞길에 공사 중인 덤프트럭이 가로막고 있어서 전진을 못 하고 기다리고 있었다. 이렇게 무작정 기다리면 안 되겠다 싶어서, 트럭 옆의 샛길로 빠져나왔다.

꿈을 꾼 시점 : 꿈1은 진행 이틀 후 16일 새벽, 꿈2는 다시 이틀 후 18일 새벽.

결과 : 2020년 8월에 1차 필기시험에 합격했다고 알려 왔고, 한 달 후에는 9월에 진행된 면접시험까지 최종 합격했다고 9월 29일에 알려왔다.

추측 해몽 : 꿈에 스승이 보이는 현상은 대부분 길조(吉兆)이다. 스승은 인수(印綬)에 속하기 때문인 듯하다. 특히 이기목 선생님은 역대(제34대) 도조(道祖)이시므로 더욱 특별하며, 이기목 선생님이 등장하는 꿈은 대개 성사되었던 것 같다.

(12) 관재수 관련 - 관부장(官符章)

진행 날짜 : 2019년 12월 8일

의뢰인 : 앞의 (10)번과 동일인으로, 범법행위를 저지르고 구속을 피하려고 노력하는 중에 의뢰한 모모 씨.

종류 : 지경 제오장 관부장 | 地經 第五章 官符章

상황 : 앞의 (10)번과 동일하게, 본인의 잘못으로 구속 위기에 놓여 있었다.

꿈 : 오랜만에 필자가 운전하여 길을 가고 있었다. 그런데 도로에는 타조들이 모여서 돌아다니고 있었다. 이를 피하느라 세 갈래가 난 길로 들어서게 되었다. 원래 목적지를 가려면 좌측 길로 진입해야 하지만 잘못하여 우측 길로 들어서게 됐는데, 우측 길은 언덕이 있고 꼬부랑길이라서 엉겁결에 재빨리 방향을 틀었더니 가운데 큰길로 들어서게 되었다. 좌측 길로 가려면 U턴을 해야 하는데, 가운데 큰 도로라서 U턴하는 곳이 없을 것 같았다. 그래서 얼른 주변을 살펴보니 자동차도 없고 사람들도 없어서 불법으로 U턴을 하여 목적지인 좌측 길로 무사히 빠져나온 후, 꿈에서 깨어났다.

꿈을 꾼 시점 : 관부장을 진행하기 전날인 12월 7일 새벽

결과 : 다음 해에 내려진 판결에서 구속은 면하고 집행유예로 떨어졌다.

추측 해몽 : 불법 U턴을 했지만 일단 극단적인 상황은 피할 수 있다는 내용인 듯하다.

(13) 간호사 태움 관련 - 오뢰참감장(五雷斬勘章)

진행 날짜 : 2020년 1월 1일 (의뢰일은 2019년 12월 9일)

의뢰인 : 간호사로 근무 중인 모모 씨와 모모 씨의 부친.

종류 : 지경 제십사장 오뢰참감장 | 地經 第十四章 五雷斬勘章

상황 : 모모 씨는 대학병원에 간호사로 취직한 지 3개월 정도 되었다. 그런데 병원 내에서 일명 [태움]이 너무 심하여 견디기가 힘들어 그만두겠다는 사연이다. 간호사들 사이에서는 [태움]이라는 악습이 있는데, 이는 선임 간호사가 신임 간호사를 철저히 교육시키는 것이 나쁘게 변질되어 '영혼이 재가 될 때까지 태운다'는 뜻이 의미하는 것처럼, 과도한 인격 모독으로 괴롭히는 것을 뜻한다. 모모 씨는 계속 울기만 하면서 더 이상 병원 근무를 못하겠다는 말뿐이었다. 주변에서는 그 어려운 대학병원에 입사했다며 부러워하는데 막상 본인은 지옥과도 같은 신고식을 치르고 있었다. 그러나 기문명국(奇門命局)이나 연운(年運)에서는 대학병원이 모모 씨에게 매우 합당한 직장이므로, 그만두지 말고 계속 다니는 것이 인생 전체를 봤을 때는 유리한 상황이었다. 다만 온갖 구설수와 괴롭힘, 따돌림과 협박 등을 견뎌야 하는 것이 문제였다. 워낙 충격이 심하여 우울증이 의심될 정도였다.

꿈 : 故이기목 선생님께서 나타나셔서, 이기목 선생님께서 저술한 삼원력(三元歷)의 어느 부분에 빠진 부분이 몇 줄 있다고 알려 주시며 그 숫자를 채워 넣으라고 하셨다. 삼원력(三元歷)으로 보이는 책을 보니, 상원

(上元) 중원(中元) 하원(下元)에 해당하는 국수(局數)를 채워 넣으면 되겠구나, 생각하고는 꿈에서 깼다.

꿈을 꾼 시점 : 의뢰인들이 방문한 날 새벽인 12월 9일, 즉 의뢰인들이 오기 직전에 미리 꾸었다. 미리 꿈을 꾼 셈인데, 가끔 나타나는 현상이다.

결과 : 방문하고 난 다음부터 모모 씨는 아무 소리 없이 근무를 잘 하고 있으며, 신기하게도 직장 동료들의 [태움]도 서서히 사라졌다고 했다. 다음 해에는 선배 동료들이 예뻐해 주기까지 한다며 감사 인사를 전해 왔다.

추측 해몽 : 필자의 스승이신 故이기목 선생님께서 나타나셨으니 길조(吉兆)로 추측된다.

(14) 구설 관련 - 오뢰참감장(五雷斬勘章)

진행 날짜 : 2019년 12월 13일 甲申日 甲子時

의뢰인 : 직장에서 구설에 휘말린 모모 씨.

종류 : 지경 제십사장 오뢰참감장 | 地經 第十四章 五雷斬勘章

상황 : 동료들과 같이 회식자리에서 말썽이 일어나, 잘못하면 양쪽 모두가 퇴사 당할 위기에 처했다. 처한 문제가 매우 심각하여 의뢰자는 해결이 안 될 경우 자살까지도 생각한다는 하소연이었다. 구설로 인하여 우울증이 심각해진 것 같았다. 동료 문제나 구설 등, 인륜에 관한 일들은 오뢰참감장(五雷斬勘章)의 방편을 쓰면 이러한 재액(在厄)을 어느 정도는 면할 수 있다.

꿈 : 사람들이 모여 있는 건물 안에 있다가 밖을 나와 보니, 하늘이 온통 회색 구름으로 덮여 있었다. 중간중간 밝은 연회색 구름도 있었는데, 진회색 구름과는 거의 반반이었다. 그러나 비는 오지 않아서, '이상하다, 구름이 걷히려나 보다'라고 생각하고는 꿈에서 깨어났다.

꿈을 꾼 시점 : 오뢰참감장을 진행을 위해 꽃꽂이를 하는 날인 12월 12일 새벽

결과 : 직장 내의 문제는 상사가 일단 덮어주기로 하여 유야무야 넘어가는 것으로 처리가 되었고, 현재까지 잘 다니고 있다.

추측 해몽 : 회색 구름과 연회색 구름이 반반 섞여 있는 건, 불안한 상황과 희망적인 상황이 반반 섞여 있는 것을 나타낸 듯도 하다. 또한 하늘을 덮고 있으므로, 덮어주고 가는 상황을 비유한 것일 수도 있다. 어쨌든 완전히 개운치는 않고 약간 불안한 가운데, 그래도 덮고 넘어갈 수는 있다는 내용인 듯하다.

(15) 공무원 시험 관련 – 학도희선장(學徒希仙章)

진행 날짜 : 2020년 2월 6일 己卯日 甲子時

의뢰인 : 아들이 공무원 시험 준비 중인 부친 모모 씨.

종류 : 지경 제일장 학도희선장 | 地經 第一章 學徒希仙章

상황 : 모모 씨의 아들은 그동안 공무원시험을 지속적으로 보았으나 계속 떨어져서, 부친인 모모 씨가 아들과 함께 의뢰해 왔다. 기문명국(奇門命局) 에서는 금년까지가 시험 보기 적합한 시기였다. 시험을 볼 아들은 아르바이트도 하면서 자취를 하며 공부를 하고 있는데, 집중이 잘 안 되고 불안하다고 하였다. 학도희선장(學徒希仙章)은 정신을 맑게 하여 공부 집중을 잘하도록 하는 방편이다. 또한, 암암리에 시험에 유리한 공부를 하도록 이끄는 경우도 있다. 물론 본인이 열심히 공부하고 의지가 있다는 선에서 최선의 결과를 이끄는 것이다.

꿈 : 필자가 스승이신 이기목 선생님께서 드릴 돈이 있어서 이기목 선생님께서 거처하시는 집을 찾아가는데, 아파트 몇 동인지, 몇 호에 사시는지 몰라서 사람들에게 물어물어 찾아갔다. 찾아가서 만나 뵙고, 원래 드리기로 정해 있었던 돈인 150만 원을 선생님께 드렸다. 또 누군가에게도 50만 원을 현금으로 주고 꿈에서 깼다.

꿈을 꾼 시점 : 의뢰는 1월 중에 부친이 의뢰해 왔고, 꿈은 의뢰 후, 학도희선장 진행 전인 2020년 1월 27일에 꾸었다.

결과 : 2020년 5월에 필기시험에 합격했다. 수천 명의 지원자 중에서 단지 수십 명만 합격했다고 전해 왔다. 이 중에서 다시 면접시험을 보아야 하며, 필기시험 합격자의 일부만이 최종 합격할 수 있다고 하였다.

추측 해몽 : 필자의 인수(印綬)인 故이기목 선생님께서 등장하시는 것은 대개 좋은 꿈이다. 특히 인수(印綬)가 필요한 수험생에겐 더욱 좋다. 다만 물어물어 찾아간 것 등을 보면, 이제까지의 고생을 나타낸 듯하다.

(16) 심리적 안정 문제 - 오행구요장(五雷斬勘章)

진행 날짜 : 2020년 2월 21일 甲午日 甲子時

의뢰인 : 고등학생 아들을 둔 모모 씨.

종류 : 지경 제삼장 오행구요장 | 地經 第三章 五行九曜章

상황 : 모모 씨의 아들은 현재 고등학생으로, 심리적으로 불안과 초조감이 심하여 모친이 의뢰를 해 왔다.

꿈1: 필자의 꿈으로, 필자가 거처하는 방의 창가에서 불한당 같은 남자 두 명이 방 안으로 들어오려고 하여 곧바로 112에 신고를 했는데 몇 번이나 전화해도 통화가 안 돼서 애를 먹고 있었다. 그때 필자의 중학교 시절 반장을 했던 친구가 나타나 하는 말이, 그러지 말고 적당히 돈을 줘서 보내라고 말해 주었다. 그래서 백만 원이 든 두 개의 돈뭉치, 즉 이백만 원을, 각각 두 명에게 주었다. 그런데 알고 보니 그 반장 친구와 불한당 같은 남자 두 명은 서로가 아는 사이라고 했다.
꿈2 : 필자와 모모 씨 모두 같은 날 꿈을 꾸었다. 꿈은 필자가 꾸기도 하고, 의뢰자가 꾸기도 한다. 꿈 내용은 밝히지 않았지만, 내용은 긍정적이었다고 한다.

꿈을 꾼 시점 : 오행구요장 진행 후 2020년 2월 25일 새벽(의뢰자가 우편으로 오행구요장을 전달받은 날)

결과 : 불안증에 시달리던 아들은 그 즉시로 다시 안정을 찾아서 차분해졌고, 현재가지 열심히 공부하고 있노라고 전해 왔다.

추측 해몽 : 필자가 꾼 것은 문제의 상황, 모모 씨가 꾼 것은 이후의 상황을 말하는 듯하다. 필자의 꿈으로 보건대 아들의 불안증 원인이 학교 문제였던 듯하다.

(17) 관재수 관련 – 오행구요장(五雷斬勘章)

진행 날짜 : 2020년 3월 2일 甲辰日 甲子時

의뢰인 : (10), (12) 사례와 동일 인물.

종류 : 지경 제삼장 오행구요장 | 地經 第三章 五行九曜章

상황 : 아직 검찰 조사가 걸려 있는 상황인데, 기문둔갑 전체대운(全體大運)에서의 유년운(遊年運)에서 현재 시기가 살성(殺星)이 나타나 있어 걱정되어 다시 의뢰를 해왔다. 무엇보다도 우선 구속을 면하는 것이 급선무였다. 현재 직장을 잘 다니고 있으며 그나마 삶에서 믿을 구석이 현재 다니는 직장인데 만약 구속이라도 되면 직장을 잃게 되니 속이 탈 만도 했다.

꿈 : TV에 악역으로 주로 나왔던 중년 남자 배우가, 자신이 거처하는 집을 보여주면서 필자에게 같이 살자고 하였다. 집은 꽤 크고 방도 여러 개이며 정원에 나무도 있는 큰 집이었다. 그러나 필자가 보기엔 그 남자 배우는 늙어 보이고 피부도 쭈글쭈글한 것이 보기 흉했다. 그래서 속으로 생각하기에, 이렇게 큰집에 살면 청소하기도 힘들고 어려울 것 같아 뿌리치고 나와 버렸다.

그 집에서 나와 내가 사는 집으로 가는 길에, 뱀을 통째로 요리한 것을 갖고 가게 되었다. 그러다 뱀의 머리 부분이 부서지게 되었는데, 뱀 대가리는 보기도 흉하고 먹을 것도 없을 것 같아서 길고양이나 먹으라고 어느 집 담벼락에 버리고 오다가 꿈에서 깨어났다.

꿈을 꾼 시점 : 오행구요장을 진행하기 전 꽃꽂이를 하려고 꽃시장에 가는 날인 2월 29일 토요일 새벽. 이번 진행일은 월요일 갑자시(甲子時), 즉 일요일 저녁 23시 32분 이후인데, 일요일은 꽃시장이 문을 열지 않아 토요일에 가게 되었는데 그날 새벽에 꾼 것이다. 이렇듯 설단(設壇)준비를 하기 위해 꽃을 사러 가는 날도 자주 꿈을 꾸는 시점 중 하나이다.

결과 : 몇 달 후, 일심 판결에서 구속은 면하고 집행유예로 떨어졌다.

추측 해몽 : 큰집은 감옥(교도소)을 뜻하는 것으로 추측해 볼 수 있다. 큰집은 애초 범죄자들끼리 교도소를 뜻하는 은어로 알고 있다. 큰집에서 나왔고, 기문에서 오행(五行)으로 사화(巳火)는 뱀을 뜻하며 구설을 일으키는 요인인데, 여기서 아가리 부분을 버렸으니, 일단 구속은 면할 것으로 볼 수 있다.

(19) 모친의 건강 관련 – 면재횡장(免災橫章)

진행 날짜 : 2020년 4월 26일 己亥日 甲子時

의뢰인 : 90세에 가까운 모친의 아들 모모 씨.

종류 : 지경 제십삼장 면재횡장 | 地經 第十三章 免災橫章

상황 : 모모 씨의 모친은 90세에 가까운 나이인데, 치매 증상이 있으므로, 모친의 안위가 걱정되어 의뢰를 해왔다.

기문정명학(奇門定命學)에서 부모나 스승을 위하는 것은 결국 자신을 위한 것으로 본다. 부모나 스승은 인수(印綬)이고, 이것은 나(我)를 생(生)하는 요소이기 때문이다. 때문에 부모를 위하는 것이 곧 나의 재액(災厄)을 피하기 위한 것이 되기도 한다.

꿈1 : 필자가 바다의 물속을 지상에서처럼 자유로이 다니며 해초들을 구경하고 있었다. 그런데 바다 밖의 지상에 있던 어떤 남자 어린이가 큰 돌멩이를 물속으로 던지고 있었다. 그 소년은 물속이 안 보이므로 계속 큰 돌을 던지고 있었는데, 물속에서 잘못하면 그 돌에 맞아 죽을 수도 있겠다는 생각이 들었다. 그때 어디선가, 유명한 당 대표 정치인이 나타나 그 소년에게 위험하니 돌을 던지지 말라고 타이르니, 그 소년은 돌팔매를 멈췄다. 이 때 빨리 물 밖으로 나가야겠구나, 라고 생각하고는 꿈에서 깼다.

꿈2 : 의뢰자의 친구 모모2 씨가 꾼 꿈으로, 당사자와 가까운 사람 중 영기가 있는 사람은 대신 꿈을 꿔 주기도 한다. 친구의 꿈 내용인즉, 모모2

씨가 온몸에 문둥병이 생겼는데, 처음 보는 도인(道人)이 나타나서, 하늘을 나는 매의 발톱이라고 하며 그것을 주면서 끓여 마시라고 하였다. 그래서 끓여서 마시고 몸에 바르고 했더니 문둥병이 다 나았더라며 꿈 이야기를 의뢰자에게 전해주었다고 한다. 모모씨2는 의뢰 건에 대해 전혀 모르지만, 평소에 교류가 두터웠고 영기가 있는 사람이기에 의뢰자를 대신하여 꿈을 꾸어준 듯하다.

꿈을 꾼 시점 : 꿈1은 진행 전날 4월 25일 새벽, 꿈2는 진행 직후인 26일 오전 2시경.

결과 : 모친은 현재까지 무탈하게 지내고 있다고 한다.

추측 해몽 : 돌팔매를 멈춘 꿈은 건강의 위협에서 벗어날 수 있음을 뜻하는 듯하다. 모모2 씨의 꿈은 물론 전형적인 질병이 낫는 꿈이라고 볼 수 있다.

(20) 군무원 시험 관련 – 학도희선장(學徒希仙章)

진행 날짜 : 2020년 5월 6일 己酉日 甲子時

의뢰인 : 2020년 군무원 시험을 봐야 하는 의뢰자 모모 씨.

종류 : 지경 제일장 학도희선장 | 地經 第一章 學徒希仙章

상황 : 2020년 군무원 시험을 준비 중으로, 준비 기간이나 준비 정도가 촉박한 상황이라고 하였다.

꿈 : 필자가 지인들과 모여 어딘가를 갔는데, 도착해보니 무엇을 하는 곳인지는 몰라도 필자의 학교 동창생도 회원으로 있는 곳이었다. 사람들이 줄지어 서 있었는데, 상황을 보니 이상한 사이비 단체 같아 보였다. 그 단체사람들이 나에게 말하기를, 흐르는 강물 속을 맨몸으로 건너가라고 했지만, 아무래도 위험할 것 같아서 그곳을 피해 다른 길로 빠져나가려고 했다. 그런데 동창생은 특별회원이라면서 멋진 자가용을 타고 혼자서 잽싸게 빠져나가는 것이 보였다. 나는 차가 없어서 대신 썰매차를 탔으나, 타고 가는 중간에 회원이 아니라면서 이 길을 지나가려면 주먹밥 2개를 82만 원을 주고 사야 한다는 것이었다. 너무 비싸다는 생각이 들어서 다른 길로 나가려니 또 검문하는데, 나가려면 몽둥이로 한 대씩 맞고 나가야 한다고 했다. 다행히 내 차례가 되니 그냥 가라고 하는 분위기였는데, 그만 나가지 못하고 꿈에서 깨버렸다.

꿈을 꾼 시점 : 학도희선장을 진행하는 전날 새벽.

결과 : 필기시험에서 떨어졌다.

추측 해몽 : 시험에 관한 꿈에서 사람들이 많이 나오는 것, 특히 동창생이나 동기, 동료 등이 나오는 것은 일단 불리하다. 경쟁자는 기문에서는 비견겁(比肩刦)이라 하는데, 연운(年運)에서도 비견겁(比肩刦)이 나타난 해는 시험에 불리하다고 본다. 그런데 꿈에 비견겁이 잔뜩 나오고, 거기에 유력한 경쟁자인 동창생마저 나온 것이다. 그래도 경쟁자를 제치고 내가 우위에 서는 꿈이라면 좋은 꿈일 텐데, 오히려 경쟁자인 동창은 멋진 자가용으로 곧바로 빠져나가고 나는 곳곳에서 검문을 당하다 결국 빠져나가지 못했으니 당연히 좋지 않은 예지몽이라 할 수 있다.

이러한 꿈은 늘 좋은 암시만 나오는 것은 아니며, 진행하는 일에 문제가 있을 경우에는 그에 대한 신호가 나올 수 있다. 그럴 때는 예의 주시하고 강구책을 다시 마련해야 한다. 또한, 어렵고 범위가 큰 사안일수록 진행하는 옥추보경(玉樞寶經)의 종류를 더하여 진행하는 것이 좋다.

(21) 공무원 시험 관련 - 보경공덕장(寶經功德章)

진행 날짜 : 2020년 6월 5일 己卯日 甲子時

의뢰인 : 공무원 시험을 준비하는 15번 의뢰자.

종류 : 지경 제십오장 보경공덕장 | 地經 第十五章 寶經功德章

상황 : 앞의 15번 의뢰자와 같은 사람으로, 학도희선장(學徒希仙章)을 진행 후 필기시험에 합격하였다. 필기시험은 수천 명의 경쟁자 중에 단 수십 명만 합격할 정도로 훨씬 경쟁률이 높지만, 필기시험에 합격했다 해도 면접에서 합격자의 30~50%가 떨어지기 때문에 불안과 초조가 심한 상태였다. 몇 년간 떨어지다 학도희선장(學徒希仙章)을 한 후 필기시험에 합격했기 때문에, 면접시험을 앞두고 다시 의뢰해 온 것이다.

꿈 : 필자가 어딘가에 가서 노래를 불러야 할 일이 생겼다. 노래 불러야 하는 일이 있어서 노래를 잘하는 사람들을 몇 명 뽑았다고 했다. 노래 부를 사람들의 이름을 써 놓은 서류 같은 문서를 보니, 그 명단 안에 내 이름이 들어 있었다. 그래서 무슨 노래를 부를까 고민하면서, 노래 부를 준비를 해야겠다고 생각하고는 꿈에서 깼다.

꿈을 꾼 시점 : 보경공덕장을 진행하는 날인 6월 5일 새벽.

결과 : 면접시험을 무난히 잘 보았고 결국 최종 합격하였다. 몇 개월 후, 현재까지 착실하게 공직생활을 하고 있다고 전해 왔다.

추측 해몽 : 시험 관련 꿈에서, 명단 안에 내 이름이 있는 꿈은 좋은 꿈이다.

(22) 이사 관련 – 토황장(土皇章)

진행 날짜 : 2020년 7월 10일

의뢰인 : 이사해야 하는 모모 씨.

종류 : 지경 제육장 토황장 | 地經 第六章 土皇章

상황 : 모모 씨는 아파트를 구입하여 이사하는 사안에 대해 의뢰를 해 왔다.

집을 옮겨서 식구들이 새롭게 생활을 해야 하는 이사는 매우 중대한 사안이다. 잘못하면 이사가 망사(亡徙)가 될 수도 있다. 집을 관장하는 것은 토황가(土皇家)로, 토황가(土皇家)는 영지(領地)도 넓고 힘이 강력하여 인간사에 미치는 영향이 큰 편이다. 증축, 새로 짓거나 이사하는 일 모두 토황가(土皇家)의 영역을 침범하는 행위에 속하며, 이사 한번 잘못하여 병환, 사고 등의 악재(惡災)가 생기는 일들도 심심찮게 들어본 사람들도 제법 있을 것이다. 때문에 이사 시에 토황장(土皇章)은 이러한 악재를 막는 데 큰 도움이 될 수 있다.

모모 씨는 집수리 공사를 하고 이사를 해야 하니, 집수리 공사와 이사 모두 토황가(土皇家)의 영역인바, 큰 문제 없이 이사하기를 원하고, 또한 이사 후 가족들의 평안을 위해 의뢰를 해 왔다.

꿈1 : 필자의 꿈속에서 문제가 있던 아랫니가 한 개 있었는데, 그 치아가 흔들거렸다. 그래서 치과를 알아봐야겠다고 생각을 하고 꿈에서 깼다.

꿈2 : 문제의 아랫니가 또 흔들거렸다. 왜 또 흔들리나, 하고 생각하며 손가락을 넣어 치아를 흔들어보니, 이가 빠지지는 않고 그냥 흔들거리기만 하는 걸 느끼다가 꿈에서 깨어났다.

꿈을 꾼 시점 : 꿈1은 토황장 의뢰를 받은 다음 날 새벽, 꿈2는 토황장을 진행한 날 새벽.

결과 : 무사히 집수리 공사를 마치고 이사를 하는데, 이사하는 날 갑자기 이삿짐센터에서 전화가 왔다고 했다. 이삿짐을 싣고 오던 차량에 갑자기 경미한 사고로 문제가 생겨서, 이삿짐이 오는 건 다음 날에나 가능하다는 것이었다. 어쨌든 집에 도착하기 이전에 일어난 사고이니 의뢰자가 책임져야 할 일은 없었다.

추측 해몽 : 꿈의 내용으로 볼 때, 무언가 불안한 요인이 있는 것 같아서 보안 문제를 철저히 하라고 당부했다. 결국 이삿짐센터의 차 사고 문제로 나타났으나, 토황장(土皇章)을 진행한 덕분인지 그리 큰 사건으로 번지지는 않았다.

(23) 건강 관련 – 면재횡장(免災橫章)

진행 날짜 : 2020년 양력 10월 8일 甲申日 甲子時

의뢰인 : 故이기목 선생님 사모님.

종류 : 지경 제십삼장 면재횡장 | 地經 第十三章 免災橫章

상황 : 故이기목 선생님의 사모님(이기목 선생님의 부인께서는 2022년 현재까지 생존해 계심)께서 전화를 하셨다. 목소리가 많이 불편해 보이셨다. 이기목 선생님 제자인 모 한의사가 얼마 전에 필자에게, 사모님의 몸 상태가 심상치 않아 보인다는 말을 전했던지라, 내심 걱정이 되었다. 사모님 나이 86세이시니 노환으로 건강이 안 좋으신 듯했다.

사모님께서 하시는 말씀이, 돌아가신 이기목 선생님께서 얼마 전부터 자주 꿈에 보이곤 한다는 것이다. 꿈에서 방문 앞에 나타나서 부르기에 문을 열고 나가보면 어딘가로 숨어 버린다고 하면서, 아무래도 저승 갈 날이 가까워져 오는 것 같다는 하소연을 하셨다. 요즈음 들어 심히 쇠약해지셨다고 하는데, 목소리에도 문제가 있어 보였다. 때문에 이기목 선생님께 받은 은혜도 많고 하여, 추석 지나고 옥추보경을 진행해 드리기로 약속했다.

꿈 : 어떤 꽃나무가 있는데 꽃의 모습은 보이지 않고, 그 옆에 꽃 이름을 적은 푯대가 땅에 꽂혀 있었다. 거기에 [오프(off)91호]라고 적혀 있는 것을 보고는 꿈에서 깼다.

꿈을 꾼 시점 : 면재횡장을 진행한 날인 10월 8일 새벽.

결과 : 면재횡장을 진행한 이후 건강이 많이 좋아졌다며 전화가 왔다. 10월 20일 전화에서는, 밤마다 꿈자리가 사나웠던 것도 조용해지고 잠도 잘 자고 있어서 편안하다고 말씀하셨다. 2022년 현재까지 잘 살아 계시다. 이기목 선생님 제자인 한의사 석강님이 지속적으로 한약을 지어주며 정성을 다하고 있는 덕분도 있다.

추측 해몽 : 꿈의 의미는 확실하게는 모르겠지만 숫자가 주는 의미는 분명 있을 것 같았다. 91세는 되어야 생이 오프(off)된다는, 즉 최소 91세까지는 사신다는 의미가 아닐까 하는 생각도 들었지만, 사람의 수명이란 인간이 짐작할 수 있는 것이 아닌지라 확실하지는 않고 추측일 뿐이다. 아무튼 현재 나이보다 꿈에서 보인 숫자가 더 크므로 금방 위험하지는 않을 듯싶다.

(24) 질병 관련 – 침아고질장(沈痾痼疾章)

진행 날짜 : 2020년 양력 10월 18일 甲午日 甲子時

의뢰인 : 딸의 증세 때문에 의뢰를 해온 모모 씨.

종류 : 지경 제사장 침아고질장 | 地經 第四章 沈痾痼疾章

상황 : 전부터 상담을 해오던 모모씨가, 딸의 증세가 매우 심각하다며 다급하게 전화가 왔다. 딸이 음식을 먹기만 하면 모두 토하는데, 증세가 너무 위급하므로 걱정이 되어 의뢰를 한 것이다.

꿈 : 필자의 중학교 동창생이 갑자기 죽었다는 부고가 왔는데, 필자는 잘 모르는 동창이었다. 아무튼 부고가 와서 동창생들이 모여서 조문을 가기로 했다. 모두 모여서 조문을 가다가, 중간에 어느 식당에 들러 식사를 하고 나왔다. 식사는 맛있게 했는데, 그 중에 나만 식사비를 안 내고 나왔다고 했다. 잠시 후, 식사비를 대표로 지불한 동창에게서, 왜 식사비를 안 내고 갔냐고 문자가 왔다. 그것을 읽으면서 통장으로 돈을 보내주려고 통장번호를 찾다가 꿈에서 깼다.

꿈을 꾼 시점 : 의뢰가 들어오는 날 새벽아침. 이렇듯 의뢰가 들어오기 직전, 미리 꿈을 꾸는 경우도 있다.

결과 : 의뢰신청한 날부터 차음 증세가 나아져, 그 다음 주가 지나면 퇴원도 가능할 것 같다고 연락을 해왔다. 이렇듯 의뢰 즉시 효험이 나타나

는 경우도 종종 있다.

추측 해몽 : 꿈에서 부고를 받는 것은 대개 좋은 꿈이다. 죽었다는 소식은 오히려 회복된다는 뜻으로 볼 수도 있다. 돈을 보내지 못하여 통장번호를 찾았던 것은, 아직 의뢰비 입금 전에 꾸었기 때문이 아닐까 한다.

(25) 시험 관련 - 학도희선장(學徒希仙章)

진행 날짜 : 2021년 양력 11월 17일 乙巳日 甲子時

의뢰인 : 8급 서울시 간호직 공무원 시험 준비중인 모모씨

종류 : 지경 제일장 학도희선장 | 地經 第一章 學徒希仙章

상황 : 간호직 공무원 시험을 준비중인 모모씨는, 준비 기간이 짧고 자신이 없어서 불안하여 의뢰를 해 왔다.

꿈 : 꿈을 두 번 꾸었는데, 첫 번째 꿈에서 어떤 남자들이 나를 죽이겠다고 쫓아와서 있는 힘을 다해 죽어라 뛰었다. 두 번째 꿈에서도 쫓기는 꿈을 꾸었다.

꿈을 꾼 시점 : 꽃꽂이 하는 날 아침인 16일 아침과, 진행한 날인 17일 아침.

결과 : 2022년 5월 28일에 최종 합격했다고 연락이 왔다.

추측 해몽 : 관귀(官鬼)는 나를 치는 작용을 하는데, 관(官)은 국가기관, 소속기관, 공공기관이나 직장 등을 뜻하기도 하지만 여자에겐 남자를 상징하기도 하고, 나를 괴롭히는 세력이나 적으로도 나타난다. 공무원 시험은 관(官)과 관련되었다고 볼 수 있는데, '남자'에게 '쫓기는' 꿈이니 관귀(官鬼)에게 얻어맞는 꿈이라 볼 수 있다. 어쨌든 관(官)을 얻어야 하는

것이 공무원 시험이므로, 결국 관(官)을 얻는 데 성공했다고 볼 수 있다. 남자에게 사랑받고 결혼하는 꿈이면 관인상생(官印相生)같은 꿈이라 할 수 있을 텐데 관귀(官鬼)에게 얻어맞는 듯한 꿈을 꾼 이유는, 시험 결과가 나오는 2022년 임인년(壬寅年)에는 인수(印綬)가 없기 때문인 것 같다. 그래서 꽃꽂이를 할 때, 오행(五行)에서 인수(印綬)에 해당하는 색을 넣어서 보완하였다. 선가의 꽃꽂이에서 색을 맞출 때 흔히 이렇게 사주명국(四柱命局)이나 연운(年運)에서 부족한 오행(五行)의 색을 보완하여 넣기도 한다.

(26) 질병 관련 – 면재횡장(免災橫章)

진행 날짜 : 2021년 양력 12월 17일 己亥日 甲子時

의뢰인 : 노환인 모친의 건강을 염려한 모모씨.

종류 : 地經 第十三章 免災橫章 | 지경 제십삼장 면재횡장

상황 : 모모씨의 모친은 90이 다 되어 가는데, 나이가 있는 만큼 노환으로 건강이 좋지 않았다. 모친은 치매 증상도 있는데다가, 건강이 악호되면 갑자기 쓰러지기도 했었는데, 그 때마다 면재횡장 기도를 진행하여 다시 기력을 회복하곤 했다. 이번에도 역시 모친의 건강이 염려되어 의뢰를 해 왔다.

꿈1 : 필자가 어두컴컴한 밤에 길을 다건 길에, 건널목에서 길을 건너야 하는데 저만치 약간 경사진 길 위에서 새까만 덤프트럭이 내려오고 있었다. 멈출 것 같아 보이지 않아서 빨리 길을 건너야겠다고 생각했으나, 몸이 무겁고 힘들어서 잘 뛰지 못했다. 그래도 온 힘을 다하여 간신히 길을 건너 왔는데, 건너고 나서도 차에 치일까 불안해서 주위를 둘러보았다. 그런데 상황을 보니 어차피 길을 이미 건너왔기 때문에 치일 것 같지 않아서 안심을 했다.
꿈2 : 어떤 사람이 필자에게 물구나무서기를 할 수 있냐고 물어 보았다. 필자는 그 말에 자신 있게 물구나무서기를 했다.

꿈을 꾼 시점 : 12월 17일 진행 직후의 새벽.

결과 : 그때부터 기도가 끝난 현재까지 아무 이상이 없이 비교적 건강한 상태이다.

추측 해몽 : 검은 덤프트럭은 아마 저승을 의미할 것이다. 치일 위험이 있다는 것은 저승으로 갈 위험이 가까이 있다는 것인데, 나이가 나이인 만큼 언제든 차에 치일 위험이 있는 저승길 길목에 있다고 볼 수 있다. 하지만 온 힘을 다해 길을 건너는데 성공했고, 차에 치일 위험을 벗어났기 때문에, 당장의 죽음의 위험은 피하고 저승에 갈 위험은 한동안 피했다고 볼 수 있다. 물구나무서기를 할 수 있다는 것은 역시 건강을 말함인 듯하다. 일반적인 나이보다 오래 사는 걸 목표로 하기 때문에, 물구나무서기라는, 일반적으로는 하기 힘든 행위로 꿈에서 나타난 듯하다.

※ 옥추보경을 진행할 때 꾸게 되는 예지몽은 나타날 때도 있고 나타나지 않을 때도 있다. 의뢰자에 따라서, 혹은 사안에 따라서 차이가 나므로 꼭 정해진 법칙은 없지만, 대체로 나타나는 경우가 많다.

옥추보경 해설 내용을 보면, 꿈에서 가르쳐 준다고 명시되어 있다. 실제로 실행을 해보면 경전의 내용대로임을 실감한다. 그러나 사람의 근기(根氣)에 따라 차이가 있는 것은 분명하므로, 여기에 실린 사례는 지극히 필자의 개인적인 경험담일 뿐임을 밝혀둔다.

부록

* 15종귀 해설
* 헌화(獻花) 설명 및 모음

민강(旼岡) 주(註) :
속합혼장(續合婚章) 15종귀(十五種鬼) 해설

1. 귀(鬼)의 형상은 소의 형상이고, 유아(幼兒)에게 붙으면 아이의 눈이 돌아간다.

2. 귀(鬼)의 형상은 사자의 형상이고, 유아(幼兒)에게 붙으면 아이가 건구역(마른구역질)으로 인한 구토증세를 일으킨다

3. 귀(鬼)의 형상은 비둘기의 형상이고, 유아(幼兒)에게 붙으면 아이가 어깨를 들썩거리고 씰룩거린다

4. 귀(鬼)의 형상은 들여우의 형상이고, 유아(幼兒)에게 붙으면 아이가 음식을 못 먹고 입에서 거품을 토해낸다.

5. 귀(鬼)의 형상은 원숭이의 형상이고, 유아(幼兒)에게 붙으면 아이가 자신의 손을 움켜쥐고는 펴지 않는다.

6. 귀(鬼)의 형상은 머리를 풀어 헤친 나찰녀의 형상이고, 유아(幼兒)에게 붙으면 아이가 혀를 깨문다.

7. 귀(鬼)의 형상은 말의 형상이고, 유아(幼兒)에게 붙으면 아이가 울다가 웃다가를 반복한다.

8. 귀(鬼)의 형상은 부녀자의 모습이고, 유아(幼兒)에게 붙으면 아이가 여자만 보면 들러붙어서 아무 여자나 따라간다.

9. 귀(鬼)의 형상은 개의 형상이고, 유아(幼兒)에게 붙으면 아이의 얼굴이 시시각각으로 변하면서 울다가 찡그리다가 웃다가 등의 갖가지 모습을 나타낸다.

10. 귀(鬼)의 형상은 멧돼지의 형상이고, 유아(幼兒)에게 붙으면 아이의 얼굴이 공포증으로 변하여 계속 울어댄다.

11. 귀(鬼)의 형상은 고양이의 형상이고, 유아(幼兒)에게 붙으면 아이가

눈은 웃고 있지만 입으로는 울고 있다.

12. 귀(鬼)의 형상은 새의 형상이고, 유아(幼兒)에게 붙으면 아이가 젖을 먹지 않는다.

13. 귀(鬼)의 형상은 닭의 형상이고, 유아(幼兒)에게 붙으면 아이의 인후가 막혀서 소리가 안 나오고 추운 겨울에는 목구멍이 막힌다.

14. 귀(鬼)의 형상은 이상한 냄새를 풍기는 여우(스컹크스)의 형상이고, 유아(幼兒)에게 붙으면 열병과 이질 증상을 일으킨다.

15. 귀(鬼)의 형상은 뱀의 형상이고, 유아(幼兒)에게 붙으면 아이가 간질과 경기를 일으키고, 재채기나 딸꾹질, 하품, 또는 깜짝깜짝 놀래는 증상 등을 일으킨다.

* 이상의 15종류의 귀(鬼)들은 세간(世間)을 돌아다니며 연약한 유아(幼兒)에게 붙어서 공포와 화란(禍亂)을 일으키지만, 성심(誠心)을 다하여 옥추보경(玉樞寶經)을 송경(誦經)하고 부전(符篆)을 태우면 능히 면할 수가 있다고 명시되어 있다.

선가(仙家)의 꽃꽂이

옥추보경(玉樞寶經) 기도 시에 올리는 꽃꽂이는 물과 함께 최고의 공양으로 여기는데, 선가(仙家)의 꽃꽂이는 관상용이 아닌, 자연과 인간과의 혼연일체(渾然一體)를 위한 매개체로서의 의미를 담고 있다.

꽃꽂이의 시원(始元)이 선가(仙家:기문의 우도와 좌도를 총칭)에서부터 시작되었다고 하며, 선가(仙家)에서는 특히 오행(五行) 꽃꽂이를 하는데, 각자의 명국(命局)과 연운(年運)에 따른 오행색(五行色)을 바탕으로 하거나, 옥추보경(玉樞寶經) 지경(地經) 15장의 특징을 살려서 그에 따른 오행(五行) 꽃꽂이를 한다.
또한, 제수(祭需)는 생식(生食: 생과일 등)공양을 원칙으로 하며, 화식(火食: 불에 익힌 음식)공양은 올리지 않는다.

* 다음 사진 속의 꽃꽂이들은 태청궁 청구태학당에서 옥추보경(玉樞寶經) 기도를 진행할 때 헌화(獻花)를 올렸던 생화(生花) 꽃꽂이의 일부이다.
* 헌화(獻花) 꽃꽂이에는 반드시 어떤 형식이 있는 것은 아니며, 정성껏 자유롭게 해도 된다.

이기목 선생님
16주기 추모 헌화